Aymé Barbul

décembre 1981

Mickey le Rouge

Tom Robbins

Mickey le Rouge

Roman

Traduit de l'américain par
MARIE-HÉLÈNE DUMAS

Presses de la Renaissance
198, boulevard Saint-Germain
75007 Paris

Si vous souhaitez recevoir notre catalogue et être tenu régulièrement
au courant de nos publications, envoyez vos nom et adresse en citant ce
livre aux

Presses de la Renaissance
198, boulevard Saint-Germain 75007 Paris

60-3255-1

En souvenir de
Keit Wyman et Betty Bowen :
s'il existe un lieu où vont les gens
après leur mort, les propriétaires de ce lieu
doivent avoir fort à faire, avec ces deux-là.

A tous ceux
aux lettres de qui je n'ai pas répondu.

Et à G. R., « par exprès ».

Point n'est besoin de sortir de ta chambre.
Reste assis à ta table et écoute.
Non, n'écoute même pas, attends.
N'attends même pas.
Reste immobile et solitaire.
Le monde s'offrira librement à toi.
Il jettera le masque, que pourrait-il faire d'autre ?
Il se roulera à tes pieds, en extase.

FRANZ KAFKA.

Prologue

Si cette machine à écrire ne peut pas le faire, alors laisse tomber, personne n'y arrivera.

Car il s'agit de la toute récente Remington SL3, la seule qui sache répondre à la question : « Qu'est-ce qui est plus difficile, lire *Les frères Karamazov* en écoutant des disques de Stevie Wonder, ou chercher des œufs de Pâques entre les touches d'une machine à écrire ? » La Remington SL3, cerise sur le chapeau de la cow-girl, hamburger servi par une serveuse géniale. Carte de l'Impératrice.

Bien qu'elle écrive beaucoup plus vite que je ne puis épeler, je sens que le roman de mes rêves est là, dans la Remington SL3. Et que je me sois fait pincer le doigt avec lequel je tape par un crabe de terre géant importe peu. Cette petite parle le Shakespeare électrique dès qu'on la provoque et s'emballe pendant une page et demie si on la regarde un peu trop fixement.

« Que demandez-vous à une machine à écrire ? interrogea le vendeur.

— Plus que des mots. Des gouttes de cristal. Je veux envoyer à mes lecteurs des brassées de cristal couleur d'orchidée et de pivoine, des brassées de cristal capables

13

d'intercepter les messages radio d'une ville secrète moitié Paris, moitié Coney Island. »

Le vendeur m'a conseillé une Remington SL3.

Avant, j'avais une Olivetti. Je connais un jongleur extraordinaire qui s'appelle Olivetti. Aucun rapport. Mais si, jongler et taper à la machine, c'est un peu pareil : quand vous ratez quelque chose, vous faites comme si c'était exprès.

La porte du buffet est fermée à clé sur la dernière bouteille d'Anaïs Nin (étiquette verte). Ce soir, je la débouche. J'en injecte 10 cm^3 dans un citron vert, comme le font les Indiens. Je suce. Et je m'y mets...

Si cette machine ne peut pas le faire, je jure que personne ne peut le faire.

Phase 1

1

Dans le dernier quart du xxᵉ siècle, la civilisation occidentale connut une décadence trop rapide pour ne pas être inquiétante et pourtant trop lente pour devenir vraiment passionnante. La plupart des gens, assis sur le bord d'un fauteuil de théâtre dont le prix augmentait sans cesse, attendaient. Optimistes ou désespérés, angoissés ou blasés, tous attendaient.

Quelque chose d'important allait bientôt arriver. L'inconscient collectif tout entier ne pouvait s'y tromper. Mais quoi ? Une apocalypse ? Un renouveau ? Un remède contre le cancer ? Une explosion atomique ? Un changement météorologique ? Un bouleversement océanique ? Des séismes en Californie, un vol d'abeilles mortelles au-dessus de Londres, des Arabes dirigeant la Bourse, la vie en éprouvette, ou un OVNI sur la pelouse de la Maison Blanche ? Mona Lisa se ferait-elle pousser la moustache ? Le dollar s'effondrerait-il ?

Les sectes chrétiennes qui croyaient au scénario du retour du Christ étaient convaincues qu'après un suspens de

17

deux mille ans, le deuxième acte allait enfin commencer.

Cinq des médiums les plus célèbres de l'époque prédirent que l'Atlantide resurgirait bientôt des profondeurs.

A quoi la Princesse Leigh-Cheri répondait : « Il y a deux continents perdus... Hawaii était l'un d'eux, que l'on appelait Mû, la mère, et dont nous ressentons encore les vibrations. Hawaii, terre de la danse des moustiques, terre de musique, de barques de pêcheurs, de fleurs et de bonheur. Il y a trois continents perdus... Nous en sommes un, nous, les amants. »

Quoi que l'on puisse penser des idées de Leigh-Cheri en matière de géographie, il faut reconnaître que le dernier quart du XXe siècle constituait une dure époque pour les amants. C'était un temps où les femmes en voulaient aux hommes et le leur montraient, un temps où les hommes se sentaient trahis par les femmes, un temps où les liens amoureux prenaient des allures de gel au printemps et laissaient beaucoup de petits enfants s'échouer sur les arêtes coupantes d'inhospitaliers bancs de glace.

Personne ne savait plus vraiment que faire de la lune.

2

Une nuit d'août, la Princesse Leigh-Cheri regardait par la fenêtre de son grenier. La lune était pleine. La lune était tellement gonflée qu'elle allait basculer d'une minute à l'autre. Imaginez qu'un matin au réveil, vous trouviez la lune aplatie face contre terre sur le carrelage de votre salle de bains, comme feu Elvis Presley, empoisonné par des bananas splits. C'était une lune à faire résonner les meuglements d'une vache des échos de violentes passions. Une lune à faire jaillir le diable de Jeannot Lapin. A changer des écrous à oreilles en pierre de lune et le Petit Chaperon Rouge en Grand Méchant Loup. Pendant plus d'une heure, Leigh-

Cheri contempla le mandala dessiné dans le ciel. « La lune a-t-elle un but ? » demanda-t-elle à Prince Charmant.

Prince Charmant prétendit qu'elle avait posé une question idiote. Peut-être, en effet. A cette même question, la Remington SL3 répondit :

Albert Camus a écrit que la seule question sérieuse est de savoir s'il faut ou non se suicider.

Tom Robbins a écrit que la seule question sérieuse est de savoir si le temps a un commencement et une fin.

Camus s'est nettement levé du pied gauche, et Robbins a dû oublier de remonter son réveil.

Il n'*existe* qu'une seule question sérieuse. Et c'est celle-ci : *Qui sait ce qu'il faut faire pour que l'amour demeure ?*

Répondez à cela et je vous dirai s'il faut ou non vous suicider.

Répondez à cela et j'apaiserai votre esprit quant au commencement et à la fin du temps.

Répondez à cela et je vous dévoilerai le but de la lune.

3

Dans le passé, les gens du monde de Leigh-Cheri n'étaient pas souvent tombés amoureux. Ils faisaient des mariages d'amour et de puissance afin que la tradition soit respectée et leur descendance assurée, et laissaient « l'amour sincère » aux masses. Les masses n'avaient rien à perdre. Mais cette histoire se passait dans le dernier quart du XXe siècle et, mis à part quelques sauvages bouffons en Afrique, les membres des familles royales s'étaient depuis longtemps résignés à leur dimension mortelle, si ce n'est tout à fait démocratique. La famille de Leigh-Cheri constituait un cas d'espèce.

Après son exil, plus de trente ans auparavant, le Roi était devenu joueur professionnel. Il gagnait sa vie en tapant le poker. Mais il avait goûté récemment à la chirurgie à cœur ouvert : on lui avait remplacé une valvule auriculo-ventriculaire par une prothèse en Teflon qui fonctionnait correctement mais dont un bruit métallique accompagnait chaque obturation et chaque ouverture. Quand il était ému, tout le monde en profitait. Il lui était donc désormais impossible de pratiquer ce pur jeu de bluff qu'est le poker. « Seigneur, disait-il, quand je tire des bonnes cartes, je fais autant de chahut qu'une réunion Tupperware. » Et il passait ses journées à regarder les sports à la télévision en regrettant le bon vieux temps et ses gibets où il aurait aimé envoyer un certain nombre de commentateurs.

Son épouse, la Reine, autrefois la plus belle femme de sept capitales, était hypotendue et hypergrasse. Elle avait assisté en Amérique à tant de thés offerts par les membres d'une classe sociale de second ordre, à tant de défilés de mode de charité, à tant de galas ceci et de galas cela qu'elle exhalait une espèce de gaz de pâté de foie et que l'expulsion de cet effluve la propulsait de bal en réception comme une peau de saucisse gonflée par Wagner. Sans l'aide d'une femme de chambre, il lui fallait deux heures pour s'habiller, et comme elle se changeait trois fois par jour, parer sa masse volumineuse de draperies, de bijoux et de maquillage constituait un travail à plein temps. La Reine avait depuis longtemps abandonné son époux au petit écran et sa fille à son grenier. Ses fils (elle pouvait à peine se souvenir de leur nombre), éparpillés à travers l'Europe et mêlés à des aventures financières sans fin et de nature essentiellement louche, étaient perdus pour elle. Elle avait pour seul familier un chihuahua qu'elle serrait contre son sein.

Si l'on avait demandé au Roi ce qu'il attendait du dernier quart du XXe siècle, il aurait répondu : « Maintenant que l'on ne peut plus raisonnablement espérer une restauration de la monarchie, je souhaite avant toute autre chose que les Seattle Mariners remportent le championnat de base-ball, que les Seattle Sonics arrivent en finale des nationaux de basket, que les Seattle Seahawks gagnent la coupe de foot du

Rose Bowl et que les matchs soient commentés par Sir Kenneth Clark. »

A cette même question, la Reine se serait écriée « O O Spaghetti-o (slogan publicitaire dont elle avait fait son américanisme préféré), que beut-on espérer de fous ? Ze suis heureuse d'une chose, que mein bère et ma mama mia sont au ciel et ne zouffrent bas de ces non-puants temps modernes. *Sacre bleu.* Ze fais mon devoir envers la couronne et c'est tout. » La Reine avait appris l'anglais dans sept capitales.

Toutes les nuits, sur un tapis de Kâshân encore opulent bien que râpé, à côté de la péniche à baldaquin qui lui servait de lit, la Reine Tilli se mettait à genoux, sur des genoux qui ressemblaient à de gros tampons de chewing-gum, et elle priait pour la libération de la couronne, la santé de son chihuahua, le grand opéra, et c'est à peu près tout. Toutes les nuits, le Roi Max se glissait furtivement dans la cuisine pour y manger par cuillerées entières le sel et le sucre que les médecins lui avaient interdits.

« Cinq siècles de mariages consanguins ne sont pas seuls responsables des bizarreries de cette famille royale », pensait la Princesse Leigh-Cheri que les chroniqueurs mondains avaient décrite peu de temps auparavant comme « une ancienne supporter de l'équipe de l'université de Washington, une contestataire lunatique, une beauté tragique qui s'était séquestrée dans un grenier ».

« Cette famille a le Spleen du Dernier-Quart-Du-Vingtième-Siècle. »

4

Les Furstenberg-Barcalona, car c'était presque ainsi qu'ils s'appelaient, abritaient leur royal exil dans une lourde bâtisse de trois étages aux boiseries jaunes qui s'élevait sur le golfe du Puget Sound. La maison avait été construite en 1911 par un baron du bois de Seattle. Exaspéré par les tourelles,

les coupoles et les mansardes qui ornaient les châteaux gothiques que ses pairs avaient bâtis dans l'Ouest, il avait demandé à son architecte « une maison américaine, une maison sans chichis ». Et c'est exactement ce qu'il avait obtenu : un parallélépipède surmonté d'un toit pointu, une grange. Elle se dressait au beau milieu de quatre hectares de ronces, comme une radio abandonnée qui craquait et chuintait sous la pluie. C'était la CIA qui l'avait offerte à Max et Tilli.

Le pays des Furstenberg-Barcalona était maintenant dirigé par une junte militaire de droite soutenue par le gouvernement américain et, évidemment, l'Eglise catholique. Officiellement, les Américains condamnaient le manque de libertés du régime de la junte, mais ils ne voulaient pas intervenir dans les affaires internes de cette nation souveraine, nation qu'ils comptaient justement parmi leurs alliés contre tous ces pays qui tendaient à gauche et dans les affaires desquels ils intervenaient régulièrement. L'idée que quelques royalistes fidèles à Max et Tilli risquaient de bouleverser l'équilibre politique qu'ils avaient établi dans cette partie du monde agaçait les Etats-Unis. Pour parer à une telle éventualité, ils versaient au Roi Max une modeste rente : il avait promis de ne pas faire de vagues et de ne ranimer aucune flamme. Tous les ans à Noël, le Pape envoyait à la Reine Tilli un crucifix, un cierge ou quelque autre babiole bénie par Sa Sainteté en personne.

La Princesse Leigh-Cheri utilisa un jour le cierge papal pour son plaisir solitaire. Elle avait espéré qu'au moment crucial elle serait visitée par l'Ange ou la Bête ; mais, comme d'habitude, seul Ralph Nader lui apparut.

5

Si la CIA avait espéré éblouir par son hospitalité les altesses Max et Tilli Furstenberg, elle s'était, une fois de plus, trompée. Pendant les premières années de leur séjour dans la vieille maison hantée par les courants d'air, le couple royal ne se plaignit jamais : il craignait les micros indiscrets. Mais avec l'âge, le courage de l'enfance remontant comme le saumon à la source du fleuve, Max et Tilli reprirent de leur arrogance et se mirent à râler à qui mieux mieux.

Souvent, debout à sa fenêtre, pendant une mi-temps ou un flash publicitaire, le Roi fixait avec appréhension la marée grimpante des ronciers. « Je serai peut-être le premier monarque assassiné par des mûres », grondait-il entre ses dents. Et sa valve de Teflon de gronder en même temps.

La Reine caressait son chihuahua. « Tu zais qui vivait ici avant nous ? Bison Vudé. »

Mais demander à ses parents d'aller ailleurs, avait appris Leigh-Cheri, était vain.

Le grand Max, dont la moustache hitlérienne barrait le visage chevalin, aurait secoué la tête si violemment et pendant si longtemps que sa couronne, s'il en avait eu une, serait tombée sous les ronciers. « Tu peux changer de place, les cartes te suivent. »

« Déménazer ? Mais z'ai drois thés zette zemaine », disait la Reine Tilli. « Non ! que dis-ze. Z'ai quadre thés. O O Spaghetti-o. »

Comme deux « r » prisonniers d'un livre de chansons espagnoles en attendant d'être roulés, Tilli et Max restaient tapis dans la grande boîte à chaussures qu'on leur avait donnée pour château.

6

La Princesse vivait dans le grenier.

Lorsqu'elle était enfant, elle y avait joué plus que dans toute autre pièce de la maison. Elle aimait se réfugier dans cette grande salle tranquille au plafond bas et pentu. Là, au moins, les murs n'étaient pas recouverts de tapisseries aux motifs héraldiques. Les fenêtres donnaient à l'Ouest sur le golfe du Puget Sound, et à l'Est sur la chaîne des Cascades. Petite, elle avait beaucoup apprécié ces paysages. Il y avait surtout un large pic blanc accroché dans les nuages qui prenait presque toute la largeur de la fenêtre Est, à condition, évidemment, que ni la pluie ni le brouillard n'en gâchent la vue. Cette montagne portait un nom dont Leigh-Cheri ne se souvenait jamais. « C'est un nom indien, je crois. »

« Tonto ? » demandait la Reine.

Maintenant, les vitres des fenêtres étaient recouvertes de peinture noire, à l'exception d'un seul petit carreau par lequel la princesse bavardait à l'occasion avec un morceau de lune.

La Princesse vivait dans le grenier et ne sortait jamais. Elle aurait pu sortir, mais elle avait décidé de ne pas le faire. Elle aurait pu ouvrir les fenêtres ou gratter la peinture, mais elle avait également décidé de ne pas le faire. C'était elle qui avait eu l'idée de clouer les fenêtres et de les peindre en noir. C'était elle qui avait choisi l'éclairage du grenier : une seule ampoule de quarante watts. Et c'était elle, enfin, qui l'avait meublé.

D'une banquette, d'un pot de chambre et d'un paquet de Camel.

7

Leigh-Cheri avait vécu autrefois comme la plupart des jeunes filles qui habitent chez leurs parents. Dans une chambre à l'extrémité nord du deuxième étage, une chambre avec un vrai lit et une chaise confortable, un bureau pour faire ses devoirs, et une commode pleine de produits de beauté, de culottes et de soutiens-gorge. Avec un phonographe qui jouait toujours du rock'n roll et un miroir qui lui renvoyait toujours une image flatteuse d'elle-même. Des rideaux pendaient aux fenêtres, de vieux tapis de famille recouvraient le plancher ; et sur les murs, des posters d'Hawaii flirtaient avec des photos de Ralph Nader.

Elle se sentait quelquefois étouffer dans cette chambre si petite à côté du « vaste monde » qui l'attendait dehors et qu'elle brûlait de découvrir. Elle l'aimait pourtant assez pour la retrouver chaque soir avec plaisir lorsque ses cours étaient finis ou que la réunion de tel ou tel comité de défense de telle ou telle cause écologique était ajournée.

Et elle continua même à l'occuper aussi régulièrement qu'un céphalopode sa coquille, après son abandon forcé de l'équipe des supporters de l'université de Washington, expérience humiliante à la suite de laquelle elle avait laissé tomber ses études. En ce temps-là, elle partageait sa chambre avec Prince Charmant.

Prince Charmant était un crapaud. Il vivait dans un terrarium installé au pied du lit de Leigh-Cheri. Et... Oui, petits curieux, elle *avait* embrassé le crapaud. Un léger baiser, un seul. Et... Oui, elle s'était sentie toute conne. Mais une princesse peut avoir des tentations différentes du commun des mortels. Et les circonstances qui entouraient l'apparition de Prince Charmant dans la vie de Leigh-Cheri en auraient entraîné bien d'autres sur le chemin de la superstition. Enfin, est-ce vraiment plus bête de déposer une toute petite bise rapide sur le front d'un crapaud que

25

d'embrasser en cachette la photo de celui que l'on aime ? Et qui n'a jamais embrassé une photo ? Leigh-Cheri avait déposé de nombreux baisers sur celle de Ralph Nader.

Une petite remarque : selon les analystes freudiens qui se sont penchés sur les contes de fées, le fait d'embrasser un crapaud ou une grenouille symbolise la fellatio. A cet égard, la Princesse Leigh-Cheri était, du moins au niveau conscient, innocente, quoique plus avertie que la Reine Tilli. Cette dernière, en effet, croyait que fellatio était un opéra italien peu connu dont elle ne pouvait trouver la partition nulle part, ce qui ne manquait pas de l'énerver.

8

Prince Charmant avait été offert à Leigh-Cheri par la vieille Giulietta, dernière survivante de ceux de leurs serviteurs qui avaient suivi Max et Tilli en exil. A Paris, lorsque Leigh-Cheri était née, quatre de ses loyaux sujets entouraient encore la famille royale. Mais trois d'entre eux moururent quelque temps après leur installation au château du Puget Sound. Peut-être était-ce l'humidité.

En même temps que la maison, le gouvernement américain avait fourni aux Furstenberg-Barcalona un serviteur du nom de Chuck. Celui-ci devait remplir les fonctions de jardinier, de chauffeur et plus généralement d'homme à tout faire. Evidemment, il devait aussi fournir à la CIA des renseignements sur les activités des Furstenberg-Barcalona. L'âge et l'invalidité se surajoutant à son indolence naturelle, Chuck n'essayait même pas de lutter contre l'invasion de plus en plus menaçante des ronciers du Grand Nord-Ouest. Au volant, il était une vraie terreur. Depuis quelques années, le Roi Max et la Princesse refusaient de monter en voiture avec lui. Chuck, pourtant, conduisait encore la Reine à ses galas et à ses thés, sans apparemment tenir aucun compte des Jésus-Marie-Joseph et autres Spaghetti-o terrifiés qui résonnaient sans interruption à l'arrière de la voiture.

Régulièrement, tous les quinze jours, Chuck s'asseyait à la table du Roi pour une petite partie de poker. Même avec un palpitant qui le trahissait pour un oui pour un non, régulièrement, tous les quinze jours, le Roi lessivait complètement son serviteur. Max accumulait ainsi sa pension et le salaire de Chuck. « Voilà à quoi il sert... » disait le Roi. Et son visage de vieille mule s'éclairait d'un sourire en coin à la pensée de la petite plaisanterie qu'il jouait ainsi à la CIA.

Giulietta, en revanche, était, à quatre-vingts ans passés, à la fois énergique et efficace. Elle avait réussi comme par miracle à éviter que la maison ne soit envahie de toiles d'araignée et de moisissure, faisait la lessive de la famille royale et préparait six repas par jour : Max et Tilli étant carnivores et Leigh-Cheri végétarienne, chaque repas comptait double pour la cuisinière.

La vieille Giulietta ne parlait pas un mot d'anglais. Leigh-Cheri, qui était à peine plus grande qu'un petit rôti quand elle était arrivée aux U.S.A., ne parlait que l'anglais. Ce fut pourtant Giulietta qui, pendant quinze ans, raconta tous les soirs une histoire à Leigh-Cheri pour l'endormir, chaque soir la même. Et Leigh-Cheri comprenait non seulement la trame de cette histoire si souvent racontée, mais aussi chacun de ses mots, prononcés pourtant dans une langue qui lui était totalement étrangère. Ce fut Giulietta qui seule comprit le choc ressenti par Leigh-Cheri lors de la fausse couche qu'elle avait faite pendant le match de la fête annuelle de l'université de Washington (elle était entre ciel et terre, toute bondissante, quand le sang commença à couler d'entre ses jambes, des ruisseaux jaillissant de dessous sa minuscule jupe de supporter et faisant la course le long de ses cuisses, à qui atteindrait le premier leurs buts hémophiles). Ce fut Giulietta qui comprit que sa jeune maîtresse avait perdu plus qu'un bébé cet après-midi-là, plus même que le père de ce bébé (le trois-quarts de réserve, un étudiant en droit qui dirigeait la section universitaire du Sierra Club et avait

27

l'intention de travailler un jour pour Ralph Nader), bien que le souvenir du jeune homme assis sur un banc faisant comme si de rien n'était, pendant qu'on entraînait discrètement hors du stade une Leigh-Cheri confuse et terrorisée, hantât encore le cœur et les pensées de la Princesse comme un vilain spectre aux chaussures toutes crottées.

Et ce fut Giulietta qui, après ce triste événement, vint vers elle et lui tendit au creux de ses vieilles mains crochues un crapaud.

Sur le moment, la Princesse ne se sentit pas exactement transportée de bonheur. Mais elle avait entendu parler des totems du Vieux Monde, et si la magie d'un crapaud pouvait l'aider, pourquoi ne pas lui donner sa chance ? Au pire, elle attraperait des verrues.

Hélas, Giulietta, il ne s'agissait là que d'un crapaud américain du dernier quart du XXe siècle, de cette époque où apparemment faire des vœux ne servait plus à rien, et Leigh-Cheri lui donna pour nom « ce minable qui ne se transforme jamais en Prince Charmant ». Mais c'était un peu long, et elle l'appelait simplement Prince Charmant.

9

Les sandwichs furent inventés par le Comte de Sandwich, le pop-corn par le Baron de Pop-Corn, et la sauce de la salade par une autre huile du nom de Vinaigrette. La lune a inventé le rythme naturel. La civilisation l'a désinventé. La Princesse Leigh-Cheri aurait aimé le réinventer, mais elle ne savait alors vraiment pas comment.

Elle avait mis au four ce gâteau de caoutchouc appelé diaphragme et s'était quand même retrouvée enceinte. Cela arrive à beaucoup de femmes. Elle avait joué les hôtesses pour accueillir un invité aux frisettes métalliques appelé stérilet et avait contracté une infection. Cela arrive à beaucoup de femmes. Elle avait en désespoir de cause et contre ses instincts les plus profonds avalé la pilule. Elle s'était détraquée, physiquement et moralement. Cela arrive à beaucoup de femmes. Elle avait expérimenté les gelées, et même les confitures, les spray et les suppositoires, les poudres et les mousses, les gels et les crèmes pour finir par se découvrir une âme romantique, héritée peut-être des contes, ou plutôt *du* conte folklorique qui avait bercé son enfance, profondément dégoûtée par les matières nées des techniques modernes, les odeurs industrielles et le goût du napalm. Cela arrive à beaucoup d'âmes romantiques.

Cette lutte perpétuelle contre le processus reproductif, cette guerre dans laquelle elle avait pour seuls alliés des robots de pharmacie, des agents étrangers dont l'aide artificielle lui semblait peu digne de foi, ce combat contre la nature allait à l'encontre de l'idée même qu'elle se faisait de l'amour. Etait-ce complètement paranoïaque que de soupçonner tous ces obturateurs, tous ces trucs magiques et ces substances inventées contre la conception de ne pas être destinés à libérer la femme des sanctions biologiques et sociales de ses pulsions les plus naturelles ? Etait-ce complètement paranoïaque que de penser plutôt qu'ils étaient destinés à servir les desseins cachés d'une société capitaliste et puritaine, à techniciser le sexe, contenir ses feux les plus sauvages, censurer sa douce obscénité, le désinfecter (comme un autoclave de laboratoire ou un lit d'hôpital), l'uniformiser, le rendre sûr ; éliminer tout risque de sentiment incontrôlable, toute promesse folle, tout engagement (et remplacer ces risques par ceux moins mystérieux et plus prosaïques d'infection, d'hémorragie, de cancer ou de déséquilibre hormonal) ; rendre le sexe si sûr, si monotone, si sanitaire, si simple et si amusant, si *peu important* enfin, qu'il n'est plus du tout une manifestation d'amour, mais une façon hédoniste, presque anonyme, presque autonome, de se gratter là où ça démange, sans plus rien à voir avec les insondables énigmes de la vie et de la mort, et qui procure un apaisement programmé afin de n'avoir aucune interférence avec le véritable but que doivent poursuivre les hommes d'une société capitaliste et puritaine, celui de la production et de la consommation de biens économiques ?

Comme elle ne pouvait répondre à cette question — se la poser lui faisait déjà perdre son souffle — et comme les rendez-vous à l'arrière du van de son petit ami, dans le parking, entre midi et deux, manquaient totalement de certains détails romantiques qu'elle avait toujours associés au sexe, la Princesse se décida à un second exil : celui du célibat. Mais avant qu'elle n'ait eu le temps de passer la frontière pour s'y réfugier, les polyvalents biologiques la rattrapèrent et exigèrent sans appel que leur dû soit payé.

10

Quand son amant, le trois-quarts de réserve, la supplia « de faire quelque chose » pour sa grossesse, la Princesse Leigh-Cheri appuya la tête contre la vitre du restaurant végétarien où ils dînaient et se mit à pleurer. « Non, dit-elle. Non, non, non. »

A dix-neuf ans, elle s'était déjà fait avorter une fois. Elle ne voulait pas repasser par là. « Non », dit-elle. Deux énormes larmes perlèrent au bord de ses yeux bleus, comme deux grosses femmes penchées à leur fenêtre. Elles glissèrent entre ses paupières, descendirent et remontèrent, comme si elles avaient peur d'entreprendre ce voyage incertain le long des joues de la Princesse. Elles reflétèrent un instant la crème de soja qui restait dans son assiette. « Plus d'aspirateur, plus de pinces en acier. Cette fois, il faudra me cureter le cœur et la tête avant de toucher à mon utérus. Plus d'un an après mon dernier avortement, je me sens encore à vif là-dedans. C'est âpre au lieu de doux, rugueux au lieu de lisse, rouge sombre et non plus rose. La mort a reçu ses invités dans l'endroit le plus sacré de mon corps. A partir de maintenant, cet espace appartient à la vie. »

Les êtres sensibles détestent que la technologie intervienne pour bouleverser un ordre bon et naturel. Pour la Princesse

30

Leigh-Cheri, l'avortement n'avait pas seulement des relents de totalitarisme, mais il retentissait aussi des cris déchirants de la viande trahie. Malheureusement, si l'idée d'un autre avortement lui était intolérable, la perspective d'une maternité inopportune l'angoissait tout autant, et pas seulement pour les raisons habituelles. Les Furstenberg-Barcalona descendaient d'une ancienne lignée qui avait respecté tout au long de son histoire certaines règles très strictes. Si une femme de cette lignée souhaitait conserver tous ses privilèges, si elle voulait un jour être reine, elle ne devait ni se marier, ni avoir d'enfants, ni même quitter le domicile de ses parents avant l'âge de vingt et un ans. Bien qu'elle se considérât comme une simple citoyenne, Leigh-Cheri désirait profondément conserver son droit à la couronne. Car elle croyait pouvoir un jour utiliser ce privilège royal pour aider le monde.

« Les contes de fées et les mythologies abondent en princesses toujours secourues par les autres, expliquait-elle. Ne serait-il pas temps qu'une princesse renvoie la balle ? » Leigh-Cheri avait une vision héroïque des princesses.

« Elle voudrait offrir un Coca au monde entier », disait la Reine Tilli quand Max lui demandait ce qu'à son avis leur fille unique attendait de la vie.

« Ma foi, répondait Max, elle n'en a pas les moyens. Elle ferait mieux d'offrir un Martini à son vieux père. »

11

C'était l'automne, le printemps de la mort. La pluie tombait sur les feuilles pourrissantes et le vent mauvais les soulevait. La mort chantonnait sous la douche. La mort était heureuse de vivre. Le fœtus sauta sans parachute. Il atterrit sur le gazon de la ligne de touche. Ce fut un tel choc pour ces jeunes filles, que pendant tout le reste de l'après-midi leurs hourras ressemblèrent plutôt à des cris de souris. Les

31

footballeurs de l'université de Washington gagnèrent malgré tout, battant ceux de l'UCLA, qui étaient partis favoris, 28-21, et à l'hôpital universitaire où l'on emmena Leigh-Cheri pour injecter un demi-litre de sang ordinaire dans ses royaux conduits, l'ambiance était à la fête.

Son dilemme venait de prendre fin, pour l'instant, mais Leigh-Cheri se sentait gaie comme un cierge noir allumé à la veillée mortuaire d'un serpent. Quand un interne se mit à siffler *T'en fais pas, la Marie,* elle ne reprit pas le refrain avec lui.

Son petit ami lui téléphona vers huit heures du soir. Il fêtait avec ses congénères leur victoire. Il lui dit qu'il passerait à l'hôpital le lendemain, mais il dut perdre l'adresse entre-temps.

Quand son identité fut révélée, on transféra la Princesse dans une chambre particulière. On lui administra le meilleur sédatif de la maison, un Château de Phénobarbital 1979. Quand elle réussit enfin à s'endormir, elle rêva du fœtus. Il descendait en trottinant un mauvais chemin, comme Charlot s'en allant à la fin d'un vieux film muet.

Dès le mardi suivant, elle était suffisamment remise pour pouvoir retourner sur le campus. Là, elle apprit que son statut d'unique princesse authentique vivant à l'Ouest de New York n'était pas suffisant pour contrebalancer l'indignation de ses compagnes supporters. Comme on la lui demandait, elle donna sa démission de l'équipe des crieuses. Mais aussi des cours de la Fac. Et des hommes, mais un peu trop tard au goût du Roi et de la Reine.

Le cœur de Max faisait autant de bruit qu'un vaisselier violemment secoué quand il déclara à Leigh-Cheri qu'elle devait ou bien rentrer dans les rangs, ou bien les quitter définitivement. « Nous avons été des parents libéraux, lui dit Max, parce que, eh bien, après tout, nous sommes en Amérique... » Il omit de dire que l'on était aussi au dernier quart du XXe siècle, mais cela, sans doute, allait de soi.

« Adolf Hitler était végétarien », rappela la Reine Tilli à Leigh-Cheri pour la trois centième fois. Elle cherchait à décourager sa fille qui, au cas où elle choisirait de renoncer à son privilège royal, pensait à rejoindre une communauté de végétariens à Hawaii. Leigh-Cheri aurait pu répondre à son tour à la Reine que Hitler mangeait un kilo de chocolats par jour, mais cette discussion diététique qu'elle connaissait par cœur l'ennuyait. Et de toute façon, elle avait décidé de conserver son droit au trône, même si cela devait l'assujettir à des contraintes sociales plus strictes.

« Tu zeras une bonne betite, dis ?

— Oui, mère.

— Si je te ressers une nouvelle main, suivras-tu cette fois la règle du jeu ?

— Oui, père. »

Ils la regardèrent se retourner et monter l'escalier. Ils la regardèrent comme s'ils la voyaient pour la première fois depuis des années. Malgré sa pâleur et la tristesse qui lui collait au corps comme un cauchemar incrusté dans les plis d'un oreiller froissé, elle était adorable. Ses cheveux raides et rouges comme du ketchup bien repassé avaient pris un aller simple en pesanteur pour descendre sur ses reins ; ses yeux bleus étaient aussi doux et humides que des œufs en meurette, et ses longs cils recourbés projetaient des ombres délicates sur ses pommettes. Elle n'était pas très grande, mais les jambes qui dépassaient de sous sa jupe semblaient appartenir à une grande femme, et sous son T-shirt « PAS DE NUCLEAIRE BON NUCLEAIRE », ses seins incroyablement ronds bougeaient à peine, comme deux ballons tenus sur leurs museaux par deux phoques sous valium.

Tilli caressa son chihuahua. Le cœur de Max se mit à sonner comme les clochettes du godemiché de la Mère Noël.

12

Néoténie. Néoténie. Néot... Oh que la Remington SL 3 aime ce mot. Si on ne l'arrêtait pas, elle couvrirait la page de néoténie néoténienéoténie. Evidemment, la Remington SL 3 se moque comme de sa dernière virgule de ce que seuls quelques lecteurs savent ce que ce mot signifie. Mais si on lui donne une chance de l'écrire encore une fois, la machine voudra bien en donner une définition.

« Néoténie : fait de rester jeune. » Quelle ironie que d'avoir laissé dans l'ombre un mot si fondamentalement important en regard de l'évolution de l'humanité. En effet, c'est parce qu'elle a toujours gardé un caractère enfantin que l'espèce humaine a évolué jusqu'à un stade relativement avancé. Les êtres humains ne sont les plus évolués des mammifères — exception faite, peut-être, des dauphins — que parce qu'ils deviennent rarement adultes. Des comportements qui traduisent de la curiosité envers le monde, une grande souplesse de réaction et le sens du jeu se rencontrent pratiquement chez tous les jeunes mammifères, mais se perdent généralement assez vite quand ils deviennent adultes, sauf en ce qui concerne les humains. L'évolution de l'humanité, quand évolution il y a eu, était due non pas à son sérieux, à son sens des responsabilités ou à sa prudence, mais à son goût du risque, à ses révoltes, à son manque de maturité.

Il ne faut quand même pas vous sentir ignares sous prétexte que la néoténie ne vous était pas un concept familier. Même des rois, des reines et des princesses l'ont ignoré, ou n'en ont tenu aucun compte.

Pendant la période qui suivit la fausse couche de Leigh-Cheri, la prétendue vertu de maturité fut considérée au château du Puget Sound comme une vertu cardinale.

Bien qu'elle ne sût pas exactement ce qu'il fallait entendre par maturité, et elle n'est pas la seule, Leigh-Cheri, encouragée en cela par ses parents, s'efforça d'y atteindre. Tous les soirs, jusqu'à l'âge de quinze ans, on lui avait raconté une histoire pour l'endormir ; toutes les semaines, depuis quelques années, elle s'était démenée avec fougue au milieu de banderoles, hurlant d'incompréhensibles incantations destinées à soutenir une bande d'innocents farfadets en train de célébrer un culte sacré (le compte en banque du Roi Max, dont la maturité ne saurait être remise ici en question, dépendait d'ailleurs souvent des buts marqués par ces farfadets, mais ceci est une autre histoire). Il était temps qu'elle devînt adulte. Des princesses, il n'y en a pas treize à la douzaine. Et la Princesse Leigh-Cheri, découvrirent soudain Max et Tilli, avait du tempérament.

Ils auraient pu espérer qu'elle ferait, quand elle aurait vingt et un ans, un beau, un très beau mariage. Il n'y avait en fait aucun homme, du Prince Charles au fils du président des Etats-Unis, auquel on n'aurait pu l'allier. L'idée plaisait au Roi et à la Reine. Jusque-là, comme ils vivaient sous surveillance et avaient promis à la CIA de rester hors du circuit, ils n'avaient nourri aucune ambition particulière pour leur fille et s'étaient contentés de la voir grandir comme n'importe quelle jeune Américaine (bien que toutes les jeunes Américaines ne fussent pas végétariennes et écologistes). Mais ils se disaient maintenant que si cette jeune personne attirait un jour l'attention de l'homme qu'il leur fallait, un de ces nouveaux dirigeants arabes, par exemple, même la CIA ne pourrait empêcher une union aussi propice.

Seulement voilà : ce n'était pas le moment de parler mariage à Leigh-Cheri. La Princesse avait mis la Saint-Valentin au rancart. Parce qu'elle croyait que cela l'aiderait à se préparer à sa mission, parce qu'elle croyait que même si elle devait reprendre un jour ses études de sciences de l'environnement, elle ne se laisserait plus aussi facilement distraire par les frémissements du poisson-pêche qui occupait un creux tiède et humide de ses régions inférieures, elle avait choisi la maturité, si la maturité voulait bien d'elle.

Plus d'ours en peluche. Plus de disques des Beach Boys.

Plus de rêves de lune de miel à Hawaii avec Ralph Nader, de fantasmes de promenades en voiture à ses côtés dans le soleil couchant du Haleakala avec leurs ceintures de sécurité attachées. Non pas qu'elle ne soit plus persuadée d'être la femme qu'il lui fallait : il travaillait trop, souriait trop rarement, mangeait comme s'il était indifférent au goût de la nourriture et semblait se moquer du destin, il *était* le héros qui attendait sa princesse, mais cette romance imaginaire lui paraissait... enfantine.

Leigh-Cheri lisait des livres sur les radiations solaires. Elle épluchait les articles de journaux qui parlaient de la surpopulation. Pour se tenir au courant de l'actualité, elle regardait le plus souvent possible les informations télévisées, mais quittait la pièce chaque fois qu'une émission parlait d'amour. Elle écoutait Mozart et Vivaldi (Tchaïkovski la faisait pleurer). Elle donnait à manger des mouches à Prince Charmant. Elle s'efforçait d'être toujours excessivement propre et de laisser sa chambre dans un état impeccable.

« Faire son ménage, c'est déjà être sage », était un des slogans de sa campagne pour la maturité auquel Leigh-Cheri pouvait fidèlement souscrire, sans pour cela pouvoir s'empêcher de penser que si, au dernier quart du XXe siècle, on n'avait rien trouvé de mieux que ménage pour rimer avec sage, il était peut-être temps de revoir l'idée que l'on se faisait de la sagesse.

13

Le dimanche, Giulietta ne travaillait pas. Ce n'était que justice. Même Vendredi avait son jeudi quand il travaillait pour Robinson. Le dimanche matin, la Reine Tilli se traînait jusque dans la cuisine, son chihuahua tendrement serré contre son sein, et commençait à préparer le petit déjeuner-déjeuner dominical.

L'odeur du bacon, des saucisses et du jambon en train de

frire se glissait, cochonnant l'escalier et le couloir, jusqu'à l'extrémité nord du deuxième étage. Invariablement, cette odeur réveillait Leigh-Cheri. Invariablement, cette odeur lui donnait faim et mal au cœur à la fois. Elle détestait cette sensation. Cela lui rappelait sa grossesse. Malgré son célibat, tous les dimanches matin avaient l'odeur de l'angoisse.

Mais sa panique une fois calmée, elle n'arrivait quand même pas à comprendre comment on pouvait aimer le dimanche. C'était pour elle le jour où Dieu mettait ses charentaises. Un jour morne qu'aucun loisir ne pouvait animer. Un jour de repos, peut-être, pour certains, mais que la Princesse soupçonnait plutôt d'être générateur d'une dépression anormale chez la plupart.

Dimanche, ombre raide et blafarde d'un samedi plein de vie. Dimanche, jour du « droit de visite » des pères divorcés qui emmènent leurs enfants au zoo. Dimanche, loisir forcé imposé à des gens pas doués pour les loisirs. Dimanche de gueule de bois qui ne pardonne pas. Dimanche, jour du petit ami qui n'était pas venu à l'hôpital. Dimanche des hymnes de bonne conscience et des footballeurs péteux.

Les Babyloniens donnèrent le nom de Sa-bat, « cœur en repos », au jour où la lune pleine ne croît ni ne décroît. Ils pensaient que ce jour-là, la déesse de la lune, Ishtar, avait ses règles. Car chez les Babyloniens, comme chez presque tous les peuples primitifs et dans toutes les sociétés antiques, les femmes, pendant leur menstruation, n'avaient le droit ni de travailler, ni de faire la cuisine, ni de voyager. Le jour du Sa-bat, les hommes comme les femmes devaient se reposer. La lune saignait. Tous étaient soumis au tabou. Observé à l'origine une fois par mois, selon un rythme naturel, le sabbat devait être repris plus tard par les judéo-chrétiens, inséré dans leur mythe de la Création et rendu hebdomadaire. C'est donc une réaction psychologique primitive au phénomène de la menstruation qui est à l'origine du repos accordé le dimanche aux hommes qui ont la tête dure, des muscles de béton et des casques renforcés.

Si elle avait su cela, Leigh-Cheri en aurait fait des gorges

37

chaudes. Mais en ce dimanche du début du mois de janvier, janvier étant à l'année ce que dimanche est à la semaine, elle ne le savait pas et se réveilla d'humeur maussade. Elle enfila une robe de chambre par-dessus son pyjama de flanelle (elle avait constaté que la soie avait tendance à faire réagir le poisson-pêche), donna quelques coups de brosse dans ses longs cheveux pour les démêler, se frotta les yeux pour les débarrasser de leurs petites crottes et descendit en bâillant et en s'étirant se jeter dans l'enfer porcin du petit déjeuner-déjeuner. (Elle savait avant même d'y goûter que sa crème de soja serait imprégnée d'une odeur de lard fumé.)

Comme il le fait depuis longtemps pour beaucoup d'entre nous, le journal du dimanche l'aida à affronter cette journée qui commençait. Que la presse ait contribué à notre culture, là n'est pas notre problème, qu'elle constitue un instrument primordial de défense contre le totalitarisme ou une force insidieuse détruisant toute expérience authentique en la faisant passer sous le rouleau compresseur des vagues de l'enthousiasme populaire, nous ne chercherons pas ici à le savoir, mais qu'elle nous ait donné ces épais journaux du dimanche pour soulager notre indisposition hebdomadaire, voilà de quoi nous lui sommes aujourd'hui reconnaissants. Tous avec la Princesse Leigh-Cheri, pour le journal du dimanche, Hip hip hip, Hourra ! Pour le journal du diman-che, Hip hip hip, Hourra !

En ce dimanche du début du mois de janvier, Leigh-Cheri, donc, se précipita sur le journal. Elle apprit ainsi qu'allait s'ouvrir bientôt le premier Festival de la Géo-Thérapie, la fête du que-faire-pour-la-planète-avant-que-n'arrive-le-vingt-et-unième-siècle. La nouvelle de cet événement, même s'il n'avait pas été question d'Hawaii, aurait de toute façon suscité une émotion certaine dans le cœur de la Princesse. Mais en plus, ce festival devait se dérouler à Hawaii. Leigh-Cheri sauta sur les genoux de sa mère, ce qui n'était pas exactement une marque de maturité et ne lui était pas arrivé depuis fort longtemps, et déposa sa requête auprès de la Reine : en effet, selon le code des Furstenberg-Barcalona, la

38

Reine Tilli devrait l'y accompagner. Tilli sur l'île de Maui ?
O O Spaghetti-o.

14

On peut dire une chose en faveur du dernier quart du XXᵉ siècle : le truisme selon lequel, si nous voulons un monde meilleur, il faut que chacun d'entre nous devienne un homme meilleur, commença à être reconnu, bien que pas encore compris par tous, par une minorité suffisamment importante pour être significative. Malgré leur ennui et malgré leurs angoisses, ou peut-être à cause d'eux, malgré les distances, malgré les obstacles qui les séparaient du sexe opposé, ou peut-être à cause d'eux, des milliers, que dis-je, des dizaines de milliers de gens semblaient prêts à faire don de leurs corps, de leur argent et de leurs talents pour secourir leur planète en danger.

Coordonner ces bonnes volontés, voilà quel était le but principal du Festival de la Géo-Thérapie qui devait avoir lieu pendant la dernière semaine de février sur l'île de Maui, Hawaii. Les plus grands experts en énergies de remplacement, culture organique, protection de la nature, pédagogie nouvelle, médecine parallèle, nutrition, défense des consommateurs, recyclage des ordures et colonisation de l'espace devaient y donner des conférences, diriger des débats et des ateliers de travail. Des adeptes de systèmes philosophiques reposant sur l'adage « aide-toi toi-même... » et de cures de conscience, de l'ancien Orient ou de la Californie d'aujourd'hui, étaient attendus. Des futurologues, des artistes, des visionnaires, des chamans et des poètes prophètes avaient été invités, bien que les organisateurs aient soupçonné plusieurs de ces poètes et un romancier de s'être inscrits sur une liste imaginaire.

Croyez-en la Remington SL 3, la nouvelle de cette conférence allait avoir un sacré impact sur notre histoire. Si sa vie avait eu la profondeur d'une salade, Leigh-Cheri aurait plongé dans la sauce pour y déguster ce festival sur un croûton bien imbibé. Deux informations, et non des moindres, mirent le comble à son enthousiasme. Ralph Nader devait y faire un discours d'une importance fondamentale, et une soirée entière serait consacrée aux méthodes parallèles de contraception. Du fond de son chaste exil, Leigh-Cheri se sentait toujours concernée par la contraception. Les problèmes qui y étaient liés avaient été pour elle plus douloureux encore que l'attitude agressive, prétentieuse, égoïste et grossière des hommes avec qui ces problèmes *auraient dû* être partagés, et bien que pour l'instant dégagée de ces problèmes, elle était trop intelligente pour crier victoire après la première bataille.

Le Roi et la Reine n'avaient pas vu leur fille aussi animée depuis des mois. A la vérité, son entrain était tout à fait relatif : Leigh-Cheri arpentait maintenant la pièce comme une zombie alors que quelques jours auparavant, elle avait plutôt l'immobilité d'un cadavre. Mais il y avait un progrès. A certains moments, elle paraissait même sur le point de sourire. Que pouvaient faire d'autre ses parents compatissants ? Ils lui accordèrent leur permission.

Comme le moment du départ approchait, la Reine Tilli décida que l'île Maui était un endroit vraiment trop barbare pour elle. C'était déjà assez pénible de se retrouver coincée dans la banlieue de Seattle où il pleuvait jour et nuit, avec à la porte de sa chambre des ronces qui essayaient de forcer son intimité, sans avoir en plus à transporter son auguste corpulence dans la jungle d'une île lointaine habitée par des surfers et des catins en villégiature auxquels allaient se joindre ce week-end-là deux mille gagas prêts à sauver un monde pour lequel ils n'étaient de toute façon pas faits. L'opéra de Seattle donnait justement *La Norma* avec Ebe Stignani cette semaine-là, et bien qu'Ebe Stignani ne soit plus depuis longtemps dans sa prime jeunesse, elle avait un vrai legato, qualité extrêmement rare en ces temps agités et la Reine avait été pressentie pour présider la réception qui serait donnée en l'honneur de la vieille soprano. Avec sa valve de Teflon, Max n'osait plus voyager. Ils décidèrent donc que ce serait Giulietta qui accompagnerait la Princesse à Hawaii.

Giulietta était âgée et ne pouvait prononcer plus de dix mots d'anglais, mais ses compétences étaient si étendues et son amour pour Leigh-Cheri si grand que Max et Tilli savaient qu'elle ferait le meilleur des chaperons. Ce qui ne les empêcha pas d'échanger un regard plein d'inquiétude quand, après lui avoir annoncé la tâche qui lui avait été assignée, ils virent partir leur vieille servante à Prisunic pour y acheter un bikini.

15

Le ciel est plus impersonnel que la mer. Au-dessus des oiseaux, plus haut que le dernier des nuages que l'on puisse apercevoir, à une altitude que l'oxygène ne fréquente pas volontiers, dans une zone où la lumière risque de dépasser la limitation de vitesse et où elle ne s'arrête jamais, même pour prendre un café, un véhicule appartenant à la Northwest Orient Airlines et mis en circulation par cette même compagnie sifflait de toutes ses narines en remontant le Jet-Stream au-dessus du Pacifique, dans ce désert dont la pesanteur est le seul cheikh. Leigh-Cheri se détourna du hublot par lequel elle contemplait l'océan et les nuages qu'ils survolaient. La Princesse ne put retenir un sourire en regardant la vieille femme qui s'était endormie dans le fauteuil voisin. Elle ronflait tout doucement, troublant à peine l'air confiné de la cabine de première classe, et son visage était empreint d'une telle sérénité qu'on avait du mal à se l'imaginer provoquant un scandale comme celui qu'elle avait provoqué quelques heures plus tôt dans l'aéroport international de Seattle-Tacoma.

La Princesse elle-même avait été surprise en voyant le

crapaud. C'était un assez gros crapaud vert (un cousin éloigné, au mieux, de Prince Charmant) dont rien n'avait révélé la présence dans la petite valise en osier de Giulietta. Rien, aucun signe de crapaud, jusqu'au cri strident poussé par la préposée du contrôle de sécurité.

La suite était un peu confuse. PAS DE PLAISANTERIES S.V.P. pouvait-on lire à l'entrée de la salle de contrôle. Pourtant, ce crapaud *devait* être une plaisanterie. Non? Comme Giulietta ne pouvait s'expliquer en anglais et que son nom ressemblait plutôt à une des dernières lignes d'un tableau optométrique, cela ne simplifiait pas les choses.

Les inspecteurs du contrôle de sécurité s'entretinrent de l'affaire. Giulietta et la Princesse furent fouillées une seconde fois. Leurs bagages à main aussi. On passa le crapaud aux rayons X : il s'agissait peut-être d'une arme secrète. N'allait-il pas exploser? « C'est son chouchou. » Leigh-Cheri ne trouva rien d'autre à dire. Elle avait si peu idée de ce que le crapaud faisait dans la valise de la vieille femme, que même le souvenir d'un conte de fées ne pouvait l'aider. « C'est son petit chouchou. » Avec un battement de cils appuyé, un soupir qui fit à peine tourner ses seins ronds autour de leur axe et un sourire si épanoui qu'elle sentit autour de sa bouche certains petits muscles longtemps négligés résister douloureusement, Leigh-Cheri répéta : « C'est le petit chouchou de sa maman. »

Après avoir arraché à Giulietta la promesse qu'elle garderait le batracien enfermé — dans un nid douillet de serviettes humides au fond de son sac — les inspecteurs, définitivement séduits, laissèrent les deux femmes et le petit chouchou de sa maman monter à bord. Mais quelques instants avant le décollage, d'autres inspecteurs firent irruption dans l'avion en compagnie d'un des directeurs de la compagnie pour reprendre le crapaud. « Emmener un crapaud vivant à Hawaii! Impossible! » s'écria l'un d'eux. Ils avaient du mal à garder leur calme.

C'est alors que Leigh-Cheri se souvint d'autres voyages

sur des îles. Elle se rappela qu'il était de plus en plus difficile d'y emmener des animaux, quels qu'ils soient, et qu'il était absolument interdit de s'y rendre avec des fleurs ou des fruits frais. Elle revit mentalement l'exposition d'insectes de l'aéroport d'Honolulu, toute cette collection de punaises et de coccinelles épinglées qui avaient été trouvées dans des avions étrangers. Elle se souvint des perroquets et des cacatoès de Paradise Park dont on avait attaché les ailes pour qu'ils ne s'échappent jamais et ne puissent se reproduire à l'état sauvage. L'écologie des îles repose sur un équilibre si délicat qu'y introduire toute nouvelle espèce de mammifères, d'oiseaux ou de reptiles peut y semer le chaos, et une maladie végétale étrangère ou un nouvel insecte femelle entraîner la faillite d'affaires rentables en dévastant des champs de délicieux ananas ou de merveilleuses promenades bordées de palmiers.

Leigh-Cheri se pencha vers Giulietta qui, dans son étrange langue, lançait à la tête des inspecteurs les invectives les plus horribles, et elle essaya de lui faire entendre raison. Mais la vieille ne se laissa pas convaincre si facilement. Elle hésitait. Le capitaine, le copilote et tout l'équipage avaient rejoint le directeur et les inspecteurs dans la cabine de première classe. Les passagers de classe touriste s'avancèrent dans l'allée centrale, essayant de voir et de comprendre ce qui se passait. Un des inspecteurs arracha la valise en osier à laquelle Giulietta agrippait ses mains noueuses. La valise s'ouvrit. D'un bond, le crapaud atterrit sur la tête de l'hôtesse qui se mit à hurler. « Aïe aïe aïe ! Mais enlevez-moi cette saloperie de la tête ! »

D'un deuxième bond, le crapaud alla se poser sur un fauteuil vide. Ses poursuivants plongèrent. Raté. Les attaques manquées se poursuivirent jusqu'à ce que le crapaud se retrouve coincé dans un coin du cockpit où il fut capturé par l'un des inspecteurs. Mais celui-ci avait violemment heurté au passage un des instruments de navigation. L'appareil avait peut-être été sérieusement endommagé. Il fallut vérifier

43

et revérifier son état de marche. L'un dans l'autre, l'avion décolla avec une heure quarante-six minutes de retard.

Giulietta n'avait jamais pris l'avion. Elle ne comprenait pas l'opposition qu'elle avait rencontrée au sujet du contenu de ses bagages. Contrariée, elle ne voulut même pas toucher au plateau que lui apporta l'hôtesse, qui avait elle aussi du mal à se remettre de ses émotions.

Comment Leigh-Cheri pouvait-elle expliquer à Giulietta l'histoire des mangoustes d'Hawaii ?

Hawaii avait connu autrefois un problème de rats. Quelqu'un trouva un jour *la* solution : importer des mangoustes des Indes. Les mangoustes tueraient les rats. Tout marcha comme sur des roulettes. Les mangoustes tuèrent les rats. Elles tuèrent aussi les poules, les petits cochons, les oiseaux, les chats et les enfants en bas âge. On raconte même qu'elles attaquèrent les motos, les tondeuses à gazon, les caddies des golfeurs et James Michener. Hawaii a maintenant autant de mangoustes que de rats autrefois. Un problème en a remplacé un autre. Les Hawaiiens sont bien décidés à ce que cela ne se reproduise pas.

Comment Leigh-Cheri pouvait-elle montrer à Giulietta l'analogie qui existe entre les rongeurs d'Hawaii et un problème qui concerne notre société tout entière : nous avions un problème de criminalité ; nous avons engagé des flics pour lutter contre le crime. Maintenant nous avons trop de flics.

Leigh-Cheri, évidemment, ne pouvait établir une telle analogie. L'idée ne lui en était même jamais venue à l'esprit. Bernard Mickey Wrangle, en revanche, y avait pensé.

Bernard Mickey Wrangle, assis dans un fauteuil de classe touriste du même vol régulier de la Northwest Orient, méditait sur le parallèle rats/mangoustes-crime/police. Bernard Mickey Wrangle, assis à l'arrière de l'avion, avec sept bâtons de dynamite dans sa ceinture.

Bernard Mickey Wrangle était malin. Et il serait de toute façon très certainement monté à bord sans problème avec sa

dynamite. Très certainement, mais le crapaud lui avait
facilité la tâche.

(Le crapaud, soit dit en passant, fut relâché dans une mare
située près de la piste d'envol de l'aéroport international de
Seattle-Tacoma. Pour une mare placée en bordure d'un
aéroport, elle était plutôt bien, avec ses nénuphars, ses
roseaux et ses gras et gros moustiques au menu. Mais faut
pas charrier, c'était pas Waikiki.)

16

L'avion, avec un petit passager vert en moins mais sept
gros bâtons de dynamite en plus, survolait ce que n'importe
quel surfer débutant sait être la masse d'eau baptisée du nom
le plus impropre qui soit. L'avion sifflait pour ne pas montrer
qu'il avait peur de la pesanteur. Leigh-Cheri feuilletait des
magazines pour ne pas montrer à quel point elle était
surexcitée.

L'excitation se lisait dans ses yeux, grosse comme les
points qui terminent les slogans des affiches publicitaires.
Des virgules émues tremblotaient dans son ventre et des
points d'interrogation s'y tordaient d'impatience. Par
moments, elle avait l'impression d'être assise sur un point
d'exclamation.

Le Festival de la Géo-Thérapie était vraiment une idée
merveilleuse. Comment ne pas y avoir pensé plus tôt ? Une
réunion des plus grands penseurs, des techniciens les plus à
la pointe du progrès, des savants les plus ouverts, des artistes
les plus éclairés, mettant en commun leur savoir et leurs
rêves pour le bien de tous. Voilà ce que les Nations unies
devraient être. Si elles n'étaient pas dirigées par les tristes et
les corrompus. Si elles ne servaient pas avant tout les intérêts
de politiques égotistes.

Au cours de ce Festival, Buckminster Fuller donnerait une
conférence intitulée « Chercheurs De Pollution, Y'a d' l'Or

Dans Ces Montagnes De Déchets ». Gary Snyder parlerait de « La Pensée Bouddhiste Contre Les Municipalités ». Le docteur Barry Bourgeois, environnementaliste (dont le nom éveillait dans l'âme de la Princesse un léger sentiment de supériorité immédiatement suivi d'un profond sentiment de culpabilité), discourrait sur le thème « Pas d'argent, pas de bouffe ». L'atelier de contrôle parallèle des naissances serait dirigé par Linda Coghill, qui avait à elle seule combattu victorieusement l'illégalité de l'avortement et ses tarifs excessifs dans la ville de Portland, Oregon. Enfin, le 26 février, Leigh-Cheri aurait à choisir entre une démonstration sur la cellule photo-voltaïque qui permet de diminuer les coûts de l'énergie solaire, et un débat sur l'utilisation préventive et curative de la vitamine C dirigé par le Dr Linus Pauling. Ça allait vraiment être le pied ! Aucun problème planétaire important n'avait été oublié. Tout au moins aux yeux de Leigh-Cheri.

Je crois que Leigh-Cheri ne voulait pas ce jour-là accorder d'importance au fait que les articles qu'elle lisait parlaient presque exclusivement d'amour : qui rencontrait qui, ou qui se séparait de qui, que faire quand un mari devenait indifférent, comment réagir aux ruptures ou à la solitude, etc. Jusqu'aux pages de publicité qui servaient surtout à vous expliquer comment devenir désirable. Et le film que l'on donnait dans l'avion racontait une histoire d'amour. Mais c'était un film « réaliste », il finissait mal. Et quand la Princesse mit ses écouteurs, elle n'entendit sur les cassettes enregistrées par la Northwest Orient pour ses passagers que des chansons de cœurs brisés, de cœurs tristes ou de cœurs qui tremblaient de se laisser glisser dans une gerbe d'étincelles sur le seuil électrique d'un nouvel amour.

Je crois que Leigh-Cheri avait choisi de nier une évidence qui la concernait trop. Si, derrière les grands problèmes et les questions d'ordre général (toutes sous-estimées qu'elles aient été dans ce dernier quart du xxᵉ siècle), faisait rage un combat plus intime et fondamentalement romantique, je

46

crois qu'il était courageux, et même honorable, d'essayer de transcender ce combat.

Je crois.

A l'arrière de l'avion, Bernard Mickey Wrangle glissa sa main sous sa veste... et sortit de sa poche intérieure... non pas un détonateur... ni un fusible... ni même... mais un paquet... d'Hostess Twinkies.

Dommage que la Reine ait insisté pour que tu voyages en première, Leigh-Cheri. Dommage que tu sois assise à côté de ton vieux chaperon endormi et non à côté de Bernard Mickey Wrangle. Car les Hostess Twinkies, ces délicieux gâteaux roulés, voyagent toujours deux par deux, comme le coyote, l'épaulard, le gorille et la grue couronnée, et Bernard Mickey Wrangle aurait pu partager avec toi son goûter.

17

L'avion resta suspendu au-dessus d'Honolulu, comme un doigt au-dessus du clavier de la machine, en attendant ses instructions d'atterrissage.

Et ils atterrirent...

... sur A.

La piste A.

A comme « alcôve ».

A comme « amour ».

Nous sommes ici en présence d'un atterrissage forcé sur la piste du cœur. Ce vol ne pouvait qu'entraîner nos héros dans une chambre d'où l'on verrait la lune.

« Eteignez vos cigarettes » s'alluma en lettres rouges. (Dans l'alcôve du grenier, aucune Camel ne serait jamais allumée.) « Attachez vos ceintures » s'alluma ensuite. (En amour, les ceintures s'attachent et se détachent dans de délicieux soupirs.) Giulietta étreignit sa valise en osier dont avait disparu toute trace de crapaud. Leigh-Cheri étreignit ses cuisses qui étaient à cet instant aussi peu humides que des cuisses de princesse doivent l'être. Bernard Mickey Wrangle, enregistré sur la liste des passagers sous le nom de T. Victoria Pétard mais connu autrefois par des millions de gens comme Mickey le Rouge n'étreignit rien, même pas sa ceinture de poudre noire. Mickey le Rouge était trop malin pour étreindre et agripper. Mickey le Rouge souriait. Il souriait parce qu'il n'avait pas été reconnu. Il souriait parce que la crème des Twinkies le faisait toujours sourire. Il souriait parce qu'on était dans le premier quart du xxᵉ siècle et que quelque chose d'important arrivait.

Interlude

Je me suis peut-être trompé au sujet de la Remington SL3. Je ne suis plus du tout sûr qu'elle fasse l'affaire. Oh, c'est un merveilleux outil, mais pas sur n'importe quel bureau. Pour rédiger une vacherie, une lettre à un éditeur, une facture ou un compte rendu de lecture, cette machine te mettra les points sur les i avant que tu n'en aies effleuré la touche. Je suis convaincu que certaines secrétaires la préfèrent à leurs jules. Mais pour un romancier, n'importe quelle machine à écrire est déjà formidable ; et, avec ses différents caractères, son margeur électrique, son sélecteur d'interligne, son échelle graduée, son sélecteur de doigté, sa barre de demi-espacement vertical et horizontal, sa touche de recul ultra-rapide, sa tabulation automatique, sa table d'effacement, son fabricateur de métaphonies et son avertisseur de fautes d'orthographe, la Remington SL3 atteint un tel degré de sophistication que s'asseoir en face d'elle dans la solitude nocturne de son cabinet de travail, c'est connaître une certaine peur.

D'abord, elle ronfle, elle ronronne comme un chat pour te séduire, vibre tout doucement sur ta table ; elle semble impatiente, fichtrement trop impatiente de se mettre au travail. Hé, mec, tranquille. Tu vois pas que je pense? Lâche-moi un peu.

Et puis, il y a sa couleur : elle est bleue. Pas noir mat ; pas ce noir mystérieux, profond, absorbant, consentant, neutre, ecclésiastique des vieilles machines, mais un bleu agressif, froid, moderne, qui lui donne, même à la lumière des bougies, l'air soupçonneux et sévère d'un douanier ou d'un contremaître. Elle est tout le temps à regarder par-dessus mon épaule, même quand je suis assis en face d'elle.

D'accord, les spores de champignons que j'ai sniffés par inadvertance en nettoyant mon frigidaire exacerbent peut-être mes sensations, mais ce n'est pas la première fois qu'une machine m'intimide au point de me faire envisager de reprendre la plume. Les crayons sont hors de question, leurs traces sont délébiles. Les stylos à plume fuient ; les stylos à bille sont très influençables et ne restent jamais à la maison. La plume de paon me plaît, et les poils de mickey encore plus, mais l'une est lente et grinçante, et les autres trop difficiles à trouver.

Peut-être le romancier a-t-il besoin d'un équipement différent. Une Remington en balsa, par exemple, faite de morceaux collés comme une maquette ; délicate, charmante, soumise, prête à s'envoler et à remporter toutes les victoires.

Mieux, une machine sculptée dans un bloc de cyprès sacré ; colorée à l'aide de pigments minéraux, de jus de mûre et de boue ; avec un clavier de champignons frais, et pour ruban la longue langue irisée d'un lézard. Une machine à écrire animale, silencieuse tant qu'on ne la touche pas, puis remplissant les pages de grognements, de cris rauques ou aigus, de miaulements, de bêlements et de ululements, de braiments, de caquetages et de tous les bruissements des sous-bois, une machine à écrire qui sache écrire de vrais baisers, et dégouliner de sueur et de sperme.

Ou une machine à écrire faite de minuscules coquillages assemblés par un ancien matelot de la marine marchande à l'intérieur d'une bouteille et sur laquelle on ne pourrait taper qu'avec un petit doigt de main gauche de droitier. Une machine à écrire gauchère pour un travail de gaucher. (Tu es au courant, je suppose, de la découverte scientifique concernant l'existence d'un univers parallèle. Les deux univers, le nôtre et l'univers parallèle, bien qu'identiques à de nombreux points de vue, ont des charges électriques et des propriétés magnétiques opposées : l'anti-univers, puisque c'est ainsi qu'on l'appelle, est en effet un reflet du nôtre, une copie inversée. Bon. Certains acides aminés sont gauchers, d'autres, leurs reflets, droitiers. Mais les protéines des organismes vivants sont toujours gauchères. Les acides aminés droitiers sont impossibles à digérer et peuvent représenter un danger pour la vie. Ça n'est jamais très malin de manger ce que l'on trouve dans un miroir. Et quant à ces romans qui se veulent « refléter » la réalité... un mot, un seul, suffit au sage...

(Alors que la seconde guerre mondiale tirait à sa fin, un pilote américain sauta en parachute de son avion en flammes et tomba dans un village isolé, en bordure de la mer du Japon. Les habitants du village, fervents bouddhistes restés à l'écart des arènes brûlantes de la guerre et de la pensée shinto/fasciste/industrielle qui l'avait engendrée, ramenèrent chez eux le pilote blessé et le soignèrent. Ils l'arrachèrent momentanément à la mort et le cachèrent pendant plusieurs mois. Mais ils ne purent le guérir et un jour il mourut.

(Les bouddhistes révèrent la vie sous toutes ses formes et respectent de la même façon les rituels de la mort. Les villageois désiraient donc donner à l'étranger les funérailles auxquelles il avait droit, mais ils ne connaissaient que les coutumes bouddhistes qu'ils croyaient ne pas convenir.

(Ils déposèrent le corps dans une mare gelée et tentèrent de savoir comment on enterrait un chrétien. Ils le firent très discrètement, pour ne pas éveiller les soupçons des autorités et n'arrivèrent pas à grand-chose.

(Jusqu'au jour ou quelqu'un introduisit dans le village la traduction japonaise d'un livre de langue anglaise supposé

53

leur fournir les informations qu'ils recherchaient. Ce livre s'appelait *Finnegan's Wake.*

(Si tu arrives à imaginer des paysans du fin fond du Japon essayant le plus sérieusement du monde de veiller un mort à la façon de poivrots irlandais décrits par James Joyce entre deux jeux de mots, tu peux te représenter la relation qui existe entre un auteur, sa machine à écrire et la réalité à laquelle il doit appliquer, pour la reproduire, le toucher du gaucher, bien qu'il ne connaisse que trop les fonctions que les Arabes et les Hindous réservent à la main gauche.)

Je ne plane pas au point d'attendre des technologues qu'ils voient un intérêt quelconque dans la conception de machines à écrire spéciales pour artistes (car si les romanciers avaient des machines en bois, les poètes voudraient que les leurs soient faites de glace). Non, il me paraît plus probable que la technique battra les artistes sur leur propre terrain, qu'un jour nos romans seront écrits par des ordinateurs qui décoreront aussi nos murs et composeront les musiques que nous écouterons. Et si je rigole sous ma moustache, c'est parce que j'imagine un ordinateur programmé pour broder des variations logiques sur les dix-huit intrigues littéraires possibles, en train d'essayer de faire quelque chose avec ce qui arriva dans le grenier de Leigh-Cheri. Si je rigole tout seul, c'est parce que la Remington SL3 ferait bien de s'aligner.

Phase 2

18

L'avion se posa à Honolulu au milieu de l'après-midi, cinq bonnes heures avant le lever de la lune, mais déjà les mai tais se balançaient, les ananas dansaient, les mangoustes s'accouplaient et les noix de coco se roulaient de plaisir. Le soleil d'Hawaii, contrairement au soleil, disons, du Nebraska, était de toute évidence tombé sous l'influence de la lune, et avait pris une attitude très féminine. Ne crois pas qu'il ne t'aurait pas tanné le cuir si tu lui avais manqué de respect, non, mais il avait, une aura romantique, un penchant définitivement lunaire pour l'amour, penchant que le soleil de Mexico taxait de faiblesse insigne. Malgré les embouteillages, le bruit des travaux, la fumée des raffineries et le spectacle étrange qu'offraient les touristes japonais arpentant les plages en costume et chaussures de ville, Hawaii restait une vraie carte postale, un frottis vivant entre lame et lamelle de la maladie du septième ciel.

La langue d'Hawaii semblait si érotique et si bête en même temps qu'à chaque coin de rue on se croyait invité à quelque peu catholique et joyeuse fête scoute, et que tous ceux qui n'étaient pas encore soûls avaient l'air de ne penser qu'à « ça ». La langue d'Hawaii pouvait appeler un poisson « Humuhumunukunukuapua'a » et un oiseau « o-o » même si l'oiseau était plus grand que le poisson. L'humuhumunukunukuapua'a (une machine à écrire à qui ce mot plaît autant ne peut pas être complètement lamentable), l'humuhumunukunukuapua'a, donc, jouait encore dans les eaux hawaiiennes, à moins de cinquante mètres des semelles de cuir des cadres moyens de Sony and Co, mais le o-o, ce magnifique oiseau-mouche, avait disparu depuis longtemps. La famille royale d'Hawaii avait toujours eu un goût très marqué pour les plumes de o-o dont elle ornait ses manteaux de cérémonie. C'était une dynastie de géants, les manteaux de cérémonie étaient très longs. Il fallait une quantité énorme de plumes pour faire un manteau de roi. On pluma le o-o jusqu'à extinction. O O Spaghetti-o.

Bien que très concernée par ce drame écologique, Leigh-Cheri se serait assez bien vue en plumes de o-o. Si elle avait pu choisir une terre pour y régner, notre pâle Princesse aurait choisi Hawaii. Dès qu'elle mit un pied hors de l'avion, son cœur se mit à pomper du pur jus d'Hibiscus. Si le monde avait enfermé Hawaii derrière un mur infranchissable, elle aurait trouvé le moyen, même avec les mains attachées derrière le dos, de sortir son île de là. Hawaii... son âme avait l'eau à la bouche.

Hélas, Leigh-Cheri n'eut guère l'occasion de rêver. La chasse au crapaud avait tant retardé leur vol que l'avion atterrit quelques minutes à peine avant leur correspondance sur les lignes intérieures Aloa Airlines pour Maui. Giulietta et la Princesse coururent, si on peut appeler courir les mouvements désordonnés de Giulietta, d'un bout à l'autre de l'aéroport d'Honolulu.

Dans leur élan, elles ne remarquèrent même pas Bernard Mickey Wrangle qui les accompagnait à longues foulées tranquilles.

58

19

Le vol en direction de Maui fut aussi inconfortable que celui d'un cerf-volant. Dans le petit avion ballotté par les trous d'air, le teint de certains passagers virait au vert des feuillages hawaiiens. Mais c'était Chuck, leur chauffeur, qui avait conduit Leigh-Cheri le matin même à l'aéroport, et après une telle randonnée, il aurait fallu autre chose qu'un vol un peu turbulent pour troubler la Princesse. Giulietta était tout simplement trop âgée pour être troublée par quoi que ce soit, ce qui ne l'empêchait d'ailleurs pas de continuer à bouder. Quant à Bernard Mickey Wrangle, il étudiait la chevelure rousse de la Princesse assise devant lui, et son cœur battait paisiblement contre son explosif gilet.

L'esprit de Leigh-Cheri, comme l'avion, passait brusquement d'un plan à un autre; elle pensait aux charmes d'Hawaii dont la douceur l'avait séduite; elle pensait au Festival et à tout le bien qu'il pourrait en résulter; elle pensait à elle, à ce qu'elle était, à ce qu'elle pourrait être.

« Je suis une princesse, se rappela-t-elle sans grande conviction, une princesse qui a grandi dans un champ de ronces à côté de Seattle, qui n'a jamais effleuré de la semelle de ses baskets la terre de ses royaux ancêtres, une princesse qui sait que dalle sur ce qu'une princesse doit faire, une princesse qui a joué les marie-couche-toi-là; qui a été *déçue* par les hommes et l'amour, qui est un peu paumée, qui a encore beaucoup à apprendre, mais une princesse quand même; foutrement autant que Caroline ou Anne, et bien que le concept de royauté semble, dans ce dernier quart du XXe siècle, superfétatoire, archaïque, et peut-être même décadent, j'insiste sur ma qualité de princesse car sans elle je ne suis qu'une jeune femme attirante parmi tant d'autres, une jeune femme qui porte sur son visage ce j'ai-fait-des-études-mais-ça-ne-m'a-pas-beaucoup-servi, et qui n'a pas grand-chose à offrir à qui que ce soit. Je ne peux plus aimer mais je

59

peux encore vivre. Je sens en moi la souffrance de l'humanité tout entière, là, dans mon ventre, à quelques centimètres de mon poisson-pêche. Suis-je exagérément sensible à cette souffrance parce que je suis une princesse ? (Le monde serait-il un petit pois sous mon matelas ?) Je n'en sais rien, mais parce que je suis une princesse, je pourrais peut-être faire quelque chose pour aider à soulager toute cette souffrance, et le Festival me montrera peut-être comment faire. Je me demande si Ralph va descendre dans le même hôtel que nous. J'espère que j'ai pris mon T-shirt PAS DE NUCLEAIRE BON NUCLEAIRE. On dit que Crosby, Stills et Nash vont souvent à Lahaïina. Je me demande si je peux boire plus d'un seul mai tai sans ressembler tout d'un coup à un papillon excité.

Ses pensées plongeaient et remontaient à chaque trou d'air.

Ils survolèrent Molokaïi et virent bientôt apparaître au sud-est la couronne rougeâtre du Haleakala qui s'élevait contre le ciel comme un joyau de chez Tiffany vu par Truman Capote. « Maui », murmura Leigh-Cheri à l'oreille de Giulietta. « Maui. » Sans couronne mais aussi flamboyante, sa chevelure se balança dans le mouvement qu'elle fit pour se redresser. Bernard, dit Mickey le Rouge, y laissa tomber un long regard d'expert.

20

Comme les autorités pouvaient aller jusqu'à contrôler les achats de shampooings colorants, Bernard composait lui-même sa teinture à partir de racines et d'écorces. Cette teinture avait une odeur spéciale mais qui ne déplaisait pas aux femmes. Pour Bernard, elle évoquait l'ombre des vautours et les hurlements des loups, la cocaïne, la dynamite et les coursiers au pied sûr, la planque de derrière la cascade. Quant aux autres, il leur arrivait souvent de demander à

Bernard s'il ne se rinçait pas les cheveux avec de la bière brune. Il ne se teignait que les cheveux et, toujours sur ses gardes, ne faisait jamais l'amour que dans le noir. Il avait renversé un jour de la teinture sur ses souliers. Depuis, il gardait toujours ses bottes pour se teindre les cheveux.

Les douze têtes rousses les plus célèbres :
1. Lucille Ball, comédienne.
2. Général George Custer, forte tête de l'armée américaine.
3. Lizzie Borden, la femme à la hache, parricide.
4. Thomas Jefferson, révolutionnaire.
5. Red Skelton, comique.
6. George Bernard Shaw, auteur dramatique.
7. Judas Iscariote, indicateur.
8. Mark Twain, humoriste.
9. Woody Allen, humoriste.
10. Margaret Sanger, féministe.
11. Scarlet O'Hara, salope.
12. Bernard Mickey Wrangle, terroriste.

Tout esprit analytique en conclura que les roux sont ou dangereux ou drôles. Mais parmi eux, un seul dut jamais cacher la couleur de ses cheveux. Même Judas n'y fut pas obligé. Judas tête d'Iscarotte.

Que ressentait le pirate rouge à se déguiser en corbeau ? D'après les regards admiratifs qu'il jetait sur la crinière de Leigh-Cheri comme sur la couronne du Haleakala, un observateur trop pressé l'aurait comparé à un amateur de rubis coincé sous une avalanche de charbon. Mais dès qu'on le connaissait un peu mieux, on s'apercevait qu'il prenait un plaisir extrême à cacher ses boucles rousses sous une imperceptible couche de teinture et à éteindre ainsi leur flamme aux yeux froids de la loi.

Et, évidemment, Bernard, comme tous les hommes, portait sous son pantalon le rouquin le plus célèbre de tous — fondamentalement le plus drôle et le plus dangereux.

21

Mais sur ce vol Aloha Airlines 23, Leigh-Cheri avait déjà un autre admirateur. Juste devant elle, un jeune homme portant une longue barbe bouclée, une chemise hawaiienne et des fleurs d'ibiscus dans sa queue de cheval se retourna pour lui parler. Il allait au Festival, lui raconta-t-il, enseigner dans un atelier de techniques de méditation. Il essaya d'attirer l'attention de Leigh-Cheri sur son programme. Puis il lui offrit des leçons particulières gratuites. Elle parut sérieusement intéressée.

Bernard se pencha en avant et appuya son menton taché de son sur le dossier de Leigh-Cheri. « Miam », dit-il.

La Princesse tressaillit mais ne se retourna pas. Le jeune homme du rang de devant sortit un collier de coquillages. Tout en tripotant ces coquillages, il parlait à Leigh-Cheri de relaxation profonde, de paix intérieure et de la sagesse qu'il y a à laisser aller les choses.

« Miam », répéta Bernard. Sa bouche touchait presque l'oreille royale.

Cette fois, la Princesse se retourna vivement. Elle avait une expression indignée. « Je vous demande pardon ? »

Bernard lui sourit aussi tendrement qu'un feu follet retardé. « C'est mon mantra. »

Leigh-Cheri le regarda d'un air menaçant, comme seuls les roux savent le faire. Elle vit un homme tout habillé de noir et qui avait des dents cariées. Qui portait des lunettes de soleil de Donald Duck. Des lunettes de gosse. Elle se retourna vers le professeur de méditation qui détourna immédiatement le regard courroucé qu'il braquait sur Bernard et se pencha vers elle d'un air compréhensif.

« Il n'existe que deux mantras, déclara Bernard. Miam et Ha-ha. Le mien, c'est Miam. »

C'était logique, mais la Princesse ne daigna pas répondre. Elle serra la main de Giulietta. Et demanda au jeune gourou du rang de devant comment la méditation pouvait aider à soulager la souffrance du monde.

« Miam, dit Bernard. Miamiammm. » Leigh-Cheri l'ignora. Les autres passagers le regardèrent bizarrement.

« Vous désirez quelque chose, monsieur ? » demanda l'hôtesse.

Bernard secoua la tête. Il regarda par le hublot. Il regarda le bord rose du grand volcan. Haleakala, maison du soleil. Si le soleil se donnait pour adresse le Haleakala, quelle était celle de la lune ? Habitait-elle en France, dans la Grand-rue ?

22

C'est le Haleakala, faisant éruption en tandem avec un autre volcan plus petit, qui créa l'île de Maui. Quel spectacle cela avait dû être ! Il avait un cratère de douze kilomètres de diamètre et s'élevait à plus de trois mille mètres. Mais les mesures les plus précises ne donnaient aucune idée de ce qu'était le Haleakala.

On y sentait une atmosphère si étrange et mystérieuse que l'on avait souvent tendance à l'associer à d'autres mondes, d'autres univers de notre cosmos. Et effectivement, un pourcentage étonnamment important de visiteurs venus camper une nuit afin d'assister au fameux lever de soleil depuis le Haleakala et de voir le soleil se lever dans sa chambre à coucher, juraient avoir aperçu de curieuses lumières dans le ciel. Avec ses cromlechs friables, ses formes lunaires, ses sables noirs et rouges, on en vint à attribuer des propriétés supernaturelles à ce volcan endormi. Beaucoup le considéraient comme le centre de l'univers, point de rencontres intergalactiques, colline de lancement cosmique, aérogare terrestre d'une gamme de navires spatiaux de toutes substances et de toutes visibilités. Tant de gens prétendaient avoir vu des OVNI autour du Haleakala que ce volcan devint la Mecque des fans de la soucoupe volante et des soi-disant cosmi-cosmopolites. Dévots solitaires et sectes vouées au culte de l'espace s'installèrent dans les vallées au pied de la montagne.

Quand la nouvelle du Festival se répandit dans l'île, les différentes tendances d'amateurs de soucoupes volantes se regroupèrent : il fallait qu'ils participent au Festival. Ils appréciaient le fait que Timothy Leary y ait été invité pour présenter ses théories concernant les colonies spatiales sur satellites, mais cela ne leur suffisait pas. « L'avenir de la terre est étroitement relié à celui de l'univers », expliquèrent-ils. Certains allèrent même jusqu'à prétendre que l'avenir de la terre dépendait complètement de décisions prises par des êtres supérieurs habitant dans de lointaines planètes. « Sans la présence des spécialistes des OVNI et de ceux qui parlent au nom de ces derniers, le Festival de la Géo-Thérapie ne sera qu'une farce », déclarèrent-ils.

« Le programme a déjà été établi, il est très serré », protestèrent les organisateurs.

Les amateurs de soucoupes n'en avaient rien à faire. Ils foncèrent dans leurs machines à krypton, soulevant derrière eux des vagues de fumée verte, et du treizième étage du Darth Vader Building, ils lancèrent tout une série de manifestes et de communiqués.

On trouva un compromis. Les soucoupeurs pourraient jouir des installations du Festival le dimanche qui précédait l'ouverture officielle. Ce même dimanche, Leigh-Cheri arrivait à Lahaiina. Et quand la Princesse et son chaperon se présentèrent à la réception de l'Auberge des Pionniers, les amateurs d'OVNI commençaient déjà à affluer dans le hall de l'hôtel. « Comme c'est étrange », remarqua la Princesse en voyant les grandes robes flottantes des délégués et leurs yeux dilatés. Il n'y avait là personne qui ressemblât en quoi que ce soit à Ralph Nader.

Mais diable, on était dimanche. Et dimanche, c'est dimanche, même à Hawaii. Aucun nectar d'orchidée, aucun trousseau en plumes de o-o ne pouvait enlever au dimanche sa couleur de... de caramel mou, de dentifrice, de camem-

64

bert. Leigh-Cheri se défiait des conclusions trop rapides tirées un dimanche. Après avoir défait ses valises, elle s'assit sur le *Lanaii* où elle se laissa baigner par le luxurieux crépuscule des tropiques et se plongea dans l'édition du dimanche de l'*Honolulu Advertiser.*

A Hawaii, le mot *lanaii* désigne une véranda. C'est aussi le nom de la plus petite des îles de l'archipel. L'île de Lanaii située juste en face de Maui est en quelque sorte la véranda de Maui. On la voit très bien de Lahaiina. A cette époque, la Dole Corporation, compagnie productrice d'ananas, possédait presque toute l'île et en limitait les possibilités de visites. Mais il n'en avait pas toujours été ainsi. En fait, Lanaii avait même été autrefois un territoire hors-la-loi où se réfugiaient les fuyards. Une convention avait été établie. Les délinquants qui arrivaient à se rendre à Lanaii n'y étaient pas poursuivis. La police de l'archipel avait volontairement suspendu son autorité au rivage de la petite île. De plus, si un prisonnier en cavale ou un inculpé survivait plus de sept ans sur cette terre très pauvre en nourriture et en eau douce, les poursuites dont il faisait l'objet étaient définitivement suspendues et il pouvait réintégrer le monde en homme libre.

Peut-être Bernard Mickey Wrangle, debout sur le rivage de Lahaiina, pensait-il à cela alors qu'il contemplait Lanaii en balançant le poids de son corps d'un pied sur l'autre. « Miam », exhalait-il de temps à autre dans un soupir.

Six ans s'étaient écoulés depuis la dernière évasion de Mickey le Rouge. Dans onze mois, il y aurait pour lui prescription, et il redeviendrait, aux yeux de la loi, un « homme libre ».

Mickey le Rouge fixa l'ancienne île des hors-la-loi jusqu'à ce que les contours de cette dernière fondent comme du sucre trempé dans le thé de la nuit. Puis il traversa la rue en direction de l'Auberge des Pionniers. Dans le vieil hôtel des baleiniers qui venait d'être rénové, l'éternelle foule cosmopolite des parasites de plage — hommes d'équipage de voiliers, aventuriers amateurs, serveuses itinérantes, étudiants de la métamorphose du rat de bibliothèque du Middle West en oiseau de nuit du Pacifique Sud (« l'Université des Ananas est mon alma papaye et je suis diplômé des mangues cum laude »), musiciens de rock plus ou moins célèbres et plus ou moins valables, jeunes divorcées (les plus vieilles allaient à Waikiki), plongeurs (chasseurs de coraux, renfloueurs d'épaves, couples ou autonomes), vendeurs de coquillages, imprimeurs de T-shirts, et radicaux de Berkeley légèrement romantiques — se mettait à son aise, allait et venait, flirtait, se bousculait, prenait des poses, faisait des grâces, retenait puis laissait aller la vapeur, un gin ou un rhum toujours à portée de lèvres, la fortune, le nirvâna ou la révolution toujours hors de portée. Ce dimanche-là, se mêlaient aux habitués les délégués, célèbres et inconnus, du Festival de la Géo-Thérapie, un couple de la planète Argon qui avait fui la réunion sur les OVNI pour boire un jus d'ananas, et Mickey le Rouge.

Mickey le Rouge buvait de la tequila. Il y avait tellement de monde autour du bar, que les garçons n'apparaissaient qu'à de longs et assoiffants intervalles et Mickey le Rouge commandait des triples tequilas. Lanaii, cet aride sanctuaire, lui avait donné soif. Il ingurgitait ses tequilas avec de grands slurp qui ressemblaient beaucoup à des Miam, et scrutait en vain la pièce dans l'espoir d'y voir passer une chevelure rousse. Il sentait constamment le contact presque érotique des sept bâtons de dynamite serrés contre les tâches de rousseur qui parsemaient sa poitrine.

D'accord, la tequila est la boisson préférée de nombreux hors-la-loi. Mais cela ne veut pas dire qu'elle leur ait jamais fait de cadeaux. En fait, la tequila a probablement trahi autant de hors-la-loi que ne l'ont fait leur système nerveux central ou leurs épouses insatisfaites. Tequila, miel de scorpion, aigre rosée des terres de chien, essence aztèque, crème de cactus ; tequila huileuse et thermique comme le soleil en solution ; tequila, géométrie liquide de la passion ; tequila, dieu busard qui copule au milieu des airs avec les âmes des vierges mourantes qui s'élèvent vers les cieux ; tequila, pyromane qui incendie la maison du bon goût ; oh

66

tequila, eau sauvage de sorcellerie, que d'erreurs et de maux
tes gouttes rebelles et sournoises n'ont-elles pas distillés !

C'est sans doute la tequila qui rendit Bernard impatient et
lui embrouilla les idées au point qu'il confondit la conférence
sur les OVNI avec le Festival de la Géo-Thérapie.

Ce qui eut pour conséquence de souffler la réunion des
soucoupes cul par-dessus tasse.

23

Même ivre, Bernard Mickey Wrangle restait un maître de
l'explosion. Il planta la dynamite de telle façon (quatre
bâtons cassés en deux et posés derrière les murs tous les sept
mètres) que l'Auberge des Pionniers s'ébroua comme un
chien mouillé ; ses fenêtres volèrent en éclats, ses panneaux
de revêtement se fendirent, ses appliques lumineuses et ses
pots de fleurs furent projetés sur le sol, un nuage de fumée et
de poussière envahit l'atmosphère et les adeptes des soucoupes, le poil roussi et la peau écorchée, se dispersèrent, fuyant
quelque vaisseau fantôme qui aurait atterri au milieu d'eux,
les arrosant de ses vapeurs infernales. Personne, cependant,
ne fut gravement blessé.

Sur le plan du dynamitage, il s'agissait d'un véritable chef-
d'œuvre de précision. Mais d'un autre côté, c'était ce que
l'on appelle un *faux pas*. Quand il se réveilla le lundi matin,
au grand plaisir de sa gueule de bois (une gueule de bois sans
tête à qui faire mal est comme un philanthrope sans
institution à doter), et apprit qu'il avait lâché le paquet dans
le mauvais tiroir, l'expression ovine de l'éjaculateur précoce
se plaqua sur son visage.

« Ouaou », se dit-il pendant le petit déjeuner, tout en
versant de la bière sur ses céréales le plus discrètement
possible, et en espérant que ses compagnons de table ne
remarqueraient rien. « Ouaou », répéta-t-il sans prendre le
temps de penser qu'il existait peut-être *trois* mantras.

« Ouaou, c'était un peu juste. Les relances risquées sont les seules qu'un hors-la-loi doive accepter, mais tu sais, Mickey, l'affaire d'hier c'était un peu de la folie. Etant donné le niveau que la tequila avait atteint dans ton gosier et la quantité de noix de coco qui hula-houpent dans Lahaiina à toute heure du jour et de la nuit, c'est un miracle que personne ne t'ait vu. »

Eh oui, au dernier quart du XXe siècle, des miracles se produisaient encore. Mais pas cette nuit-là. Car la vieille Giulietta avait assisté à toute l'opération.

24

Giulietta voyait dans les installations sanitaires l'intervention du diable. De toutes les folies du monde moderne, elle trouvait celle-ci la plus inutile. C'était contraire à la nature, malsain et même un peu dégoûtant que d'aller dans des cabinets. En Europe, quand elle était jeune, les servantes relevaient leurs jupes dans les jardins. Giulietta ne voyait pas pourquoi elle n'en aurait pas fait de même à Seattle. S'il était difficile d'y faire ses besoins naturels sans être trempé par la pluie ou sans recevoir d'une ronce une morsure aussi acérée que celle d'une hémorroïde, elle se sentait bien, heureuse même, quand elle pouvait s'accroupir à l'air frais. Et c'était un bon moyen d'espionner les crapauds.

Elle avait laissé Leigh-Cheri dans leur chambre, plongée dans les programmes et communiqués de presse, et était sortie soulager sa vessie dans un lieu convenable. La nuit douce et tiède de Maui semblait faite pour ça. Malheureusement, l'Auberge des Pionniers se trouvait en plein centre de Lahaiina et ne possédait point de jardin. Mais la cour, à onze heures du soir, un dimanche, était très peu fréquentée, et Giulietta se glissa près du mur entre les bananiers et baissa culotte. Avant qu'elle n'ait eu le temps de lancer le moindre jet, Bernard était apparu derrière les branchages, à quelques mètres d'elle. Elle pensa qu'il venait pisser lui aussi et c'était très bien, mais la chose qu'il extirpa de son jean était si longue qu'elle faillit s'exclamer. Et quand il la cassa en deux, elle ne put retenir un cri étouffé.

Giulietta était petite. Elle savait rester totalement immobile. Comme un crapaud. Cachée par les bananiers, contractant ses sphincters, elle avait regardé. Mickey le Rouge alluma une mèche et s'enfuit. Giulietta remonta sa culotte et s'enfuit à son tour. Elle ouvrit la porte de la chambre au moment même de l'explosion. Et soudain, elle sut ce que c'était que de pisser entre quatre murs.

25

Pour le positiviste, ce qu'il y a d'intéressant dans les œufs brouillés, c'est que, quel que soit le sens dans lequel vous les retournez, vous en voyez toujours le jaune. Pour l'existentialiste, ce qu'il y a de désespérant dans les œufs brouillés, c'est que, quel que soit le sens dans lequel vous les retournez, ils sont toujours brouillés. Le hors-la-loi mangeait des céréales arrosées de bière au petit déjeuner et que ce soit la poule qui fasse l'œuf ou l'œuf qui fasse la poule n'était pas son problème. Mais quel que soit le sens dans lequel vous retourniez le Festival de la Géo-Thérapie, vous ne pouviez pas ne pas remarquer que les pétards de Bernard l'avaient indirectement brouillé.

Comme le hall de l'Auberge des Pionniers était dans un sale état, que les flics, la presse et les curieux s'étaient précipités là comme des rats de campagne pour marchander un suicide aux enchères, et que la direction de l'hôtel avait sombré dans une mauvaise crise de nerfs, les organisateurs durent passer toute la journée du lundi à chercher un autre lieu de réunion pour le Festival. Ils s'adressèrent sans grand enthousiasme aux luxueux palaces de Kaanapali, à quelques kilomètres au Nord, sur la côte, et furent presque soulagés d'apprendre que ces derniers ne disposaient d'aucune place. Vieille construction en bois dans le style rococo des mers du Sud, l'Auberge des Pionniers convenait beaucoup mieux à l'esprit du Festival. C'était la première fois, depuis son ouverture en 1901, que l'hôtel accueillait un congrès officiel. Cela avait séduit les organisateurs du Festival, mais les patrons de l'Auberge voyaient maintenant dans cette tentative une erreur qu'ils se promettaient de ne pas réitérer.

Il fallut attendre jusqu'au mardi, pour que la mairie de Lahaiina accorde aux sauveteurs du monde l'autorisation de se réunir sous le figuier banian géant dont les branches ombrageaient presque un demi-hectare du parc de la ville. Super. Beaucoup préféraient ce lieu à l'Auberge des Pionniers qui avait après tout été construite pour abriter des chasseurs de baleines, ironie qui n'avait pas échappé aux membres de la conférence plus particulièrement concernés par la protection des cétacés. Mais rien ne put être organisé sous le figuier banian avant le mercredi. La moitié de la semaine s'était déjà écoulée, et un certain nombre des lumières qui devaient haranguer la foule du Festival étaient reparties ou avaient décidé de ne pas participer à la conférence. Certains ne pouvaient tout simplement pas réajuster un programme chargé aux nouveaux impératifs ; d'autres furent découragés par les délégués des OVNI (et en particulier par le couple de la planète Argon), qui malgré leurs brûlures et leurs bleus restaient en scène et faisaient courir les échos de conspirations et de complots les plus inimaginables ; d'autres, enfin, craignaient de nouvelles explosions, et ils n'avaient pas tort puisque Mickey le Rouge était resté à Maui et que sous sa chemise trois bâtons de dynamite dormaient encore.

26

Pendant ce temps, la Princesse Leigh-Cheri passait de longues heures à traîner un doigt brûlé par le soleil sur la liste des orateurs prévus pour le Festival — Dick Gregory, Marshall McLuhan, Michio Kushi, Laura Huxley, Ram Dass, David Brower, John Lilly, Murray Gell-Mann, Joseph Campbell, Elisabeth Kübler-Ross, Marcel Marceau, etc. — en se demandant ce qui en resterait.

Festival ou non, on se serait attendu à ce que la Princesse goûte les plaisirs de ses îles bien-aimées, mais c'était Giulietta qui se jetait dans les vagues pendant que sa jeune maîtresse, assise à l'ombre d'un koa (les roux prennent facilement des coups de soleil) vérifiait et revérifiait ses listes en faisant la moue comme le koa dont les feuilles ressemblent tant à des lèvres ou à un croissant de lune. Il n'y avait qu'un seul nuage noir au-dessus de Hawaii, et il restait au-dessus de *sa* tête. Elle était déçue, c'est le moins qu'on puisse dire, par ce contretemps. Et avec toutes les déceptions qu'elle avait essuyées ces dernières années, elle commençait à se demander si elle n'était pas victime de quelque mauvais sort. Elle soupçonnait Giulietta d'avoir voulu emmener le crapaud pour la protéger.

« Sacré nom de nom, s'exclama-t-elle. Une princesse mérite mieux que ça ! »

Et elle eut l'impression que l'on passait ses coups de soleil au papier de verre, quand une femme d'une étrange beauté, en grande robe large et en turban, l'arrêta dans le couloir pour lui apprendre (par-dessus le bruit des ouvriers qui remplaçaient les fenêtres cassées) que sur la planète Argon les cheveux roux avaient une réputation maléfique et que si elle avait fait des projets de voyages dans l'espace, elle ferait mieux d'y renoncer. « Ce sont le sucre et le stupre qui rendent les cheveux roux, lui souffla la femme, qui était blonde. Les êtres hautement évolués ne s'adonnent pas au

71

sucre et au stupre. » Aller dire une telle grossièreté à Hawaii où le sucre et le stupre rapportent plus encore que l'ananas et la marijuana ! Et comme Leigh-Cheri n'avait que récemment commencé à éliminer de sa vie toutes ces douceurs — sans que cela ait quelque chose à voir avec ce que les Argoniens pouvaient penser —, les accusations de cette femme touchèrent un point sensible et éveillèrent en elle un sentiment de culpabilité exagéré. De plus en plus mélancolique, la Princesse ne roulait pas plus au Paradis que les quatre pneus lisses d'une ambulance.

Trois événements susceptibles de rechaper son humeur prirent place le mardi en fin d'après-midi. Un, Ralph Nader arriva à l'Auberge des Pionniers et annonça qu'il tiendrait sa conférence comme prévu sous le banian du parc. Deux, un journaliste du magazine *People* lui demanda une interview, et, pour la première fois, elle eut l'impression d'avoir quelque chose à dire à travers ces médias qui, depuis des années, essayaient régulièrement de faire de sa vie une « histoire ». Trois, Giulietta, aussi maigrelette et bleue qu'un tatouage de prisonnier, bondissant en bikini dans les vagues toujours fraîches de l'Océan, courut vers la plage et lui montra du doigt un homme qu'elle désigna par gestes et onomatopées (boum-boum, c'est boum-boum, dans n'importe quel pays, la dynamite parle esperanto) comme le responsable de l'explosion.

La Princesse n'hésita pas un instant. Elle marcha droit vers lui et le mit immédiatement en état d'arrestation.

27

Leigh-Cheri était loin de se douter qu'elle venait d'arrêter un homme dont une demi-douzaine de shérifs américains avaient juré la mort sur leur Bible familiale, un fugitif qui passait depuis dix ans à travers les filets les plus serrés du FBI, pour tout dire, bien qu'il fallût admettre que depuis quelques années, avec la détérioration du climat social et la totale inactivité de Bernard, sa capture ne suscitait plus autant d'intérêt.

Leigh-Cheri, évidemment, avait entendu parler de Mickey le Rouge. Mais à l'époque où il faisait la une des journaux en dynamitant les bureaux de recrutement et les centres d'accueil des nouveaux conscrits dans les derniers jours de la guerre du Vietnam, la Princesse n'était encore qu'une écolière qui ramassait des mûres, câlinait ses nounours, écoutait une histoire pour s'endormir et se mettait du jaune sur le nez en reniflant des boutons d'or. Curieusement excitée par un lavement que lui avait administré Giulietta sur l'ordre de la Reine Tilli, Leigh-Cheri s'était masturbée pour la première fois le soir même de l'exploit le plus infâme de Bernard, et le plaisir déroutant de se toucher en secret — ses joues rouges et chaudes tout d'un coup, les vagues images mentales de jeux cochons avec les garçons, la rosée poisseuse qui sentait l'eau de crapaud et qui perlait autour du poisson-pêche, accrochée à sa petite touffe — cette légère douleur, mystérieuse et honteuse, de l'orgasme avait éclipsé les événements moins intimes de cette journée, et en particulier la nouvelle du dernier attentat du célèbre Mickey le Rouge qui venait de dynamiter un immeuble entier dans une grande université du Middle West.

Bernard Mickey Wrangle s'était faufilé dans Madison, Wisconsin, au plus noir de la nuit. Ses cheveux avaient alors la couleur qui lui avait valu le surnom de Mickey le Rouge ; rouge des urgences et des roses ; rouge des coiffures de prélats et des derrières de babouins ; rouge, couleur du sang et de la confiture de groseille ; rouge qui excite les taureaux, rouge de la mise à mort ; rouge, couleur des cœurs de la Saint-Valentin, couleur des gauchers et du nouveau jeu coupable d'une petite princesse. Il avait alors des cheveux roux, des bottes de cow-boy toutes crottées, et dans son cœur, un essaim d'abeilles musiciennes.

Avec la complicité de son gang, il fit sauter le bâtiment de chimie de l'université du Wisconsin. On y effectuait paraît-il

73

des travaux dont les résultats pouvaient aider la guerre que menait le gouvernement américain dans le Sud-Est asiatique. L'explosion eut lieu à trois heures du matin. Le bâtiment aurait dû être désert. Un étudiant était malheureusement resté cette nuit-là dans son laboratoire. Il terminait les recherches de sa thèse de doctorat.

L'étudiant consciencieux fut retrouvé dans les décombres. Pas tout entier. Mais en suffisamment grande partie pour que l'on se sente concerné. Contraint au fauteuil à roulettes pour le restant de ses jours, il devint disc-jockey dans une boîte de Milwaukee où il échangeait des astuces vaseuses avec de sages employés de bureau pour lesquels il passait des disques de Barry White comme s'il y croyait. Il serait peut-être devenu un scientifique valable. Ses recherches, englouties dans l'explosion, concernaient la mise au point d'une pilule contraceptive pour les hommes.

Bernard réussit à revenir dans l'Ouest sans problèmes. Seules les informations radiophoniques le suivirent jusqu'à la planque de derrière la cascade. Pour une fois, il ne les trouva pas drôles. « J'ai volé les jambes d'un homme, dit-il à Montana Judy. Je lui ai volé sa dignité, je lui ai volé sa mémoire et sa carrière. Pire, je lui ai volé sa femme, elle s'est barrée dès qu'il n'a plus été un homme, ni un futur docteur ès sciences. Pire encore, j'ai peut-être ruiné toutes les chances de la pilule pour hommes. Merde. Je dois payer. Je mérite de payer. Mais je paierai à ma façon, pas à celle de la société. Si mauvais que je sois, il n'y a pas un seul juge qui soit assez bon pour me condamner. »

Un autre pénitent aurait peut-être rejoint quelque culte religieux plus ou moins douteux ou serait resté debout au milieu d'une sombre ruelle en attendant de s'y faire assommer. Bernard, lui, choisit pour expier de se lancer dans la recherche chimique. Il se mit à l'affût de toutes les méthodes ésotériques de contraception qu'il pouvait trouver, les étudia et les testa. « Qui sait, dit-il à Montana Judy, peut-être arriverai-je à de meilleurs résultats que la pilule de ce pauvre bougre. »

74

Dans les traités d'herboristerie, il est écrit que la consoude soigne les entorses et la racine de fenouil les spasmes ; que l'écorce de cascara met fin à la constipation et que les cerises sauvages rendent l'usage de la parole ; pour les saignements de nez, on recommande le nerprun, et pour la pneumonie, le chou d'Amérique. Si le désir sexuel s'empare de vous, on vous prescrira une cure de racine de lis, et si celle-ci n'est pas efficace, si vous ne trouvez pas de racine de lis ou si, dans votre délire, vous oubliez votre traitement, le lierre indien, le nard et les feuilles de framboisier vous aideront toujours à faire un enfant. Bernard découvrit que les traités occidentaux d'herboristerie passaient curieusement sous silence les problèmes de contraception. Il soupçonna l'Eglise de les avoir falsifiés, mais Bernard soupçonnait l'Eglise de bien des méfaits.

Les textes d'anthropologie qu'il volait dans les bibliothèques publiques à l'Est et à l'Ouest des montagnes Rocheuses expliquaient l'influence des hamadryades et des nymphes d'eau sur la fécondité, et, s'il ne remettait pas en question cette influence — depuis qu'ils vivaient en pleine nature les femelles du gang faisaient preuve d'une tendance très accentuée à la procréation —, Bernard se demandait où étaient passés les esprits qui vous défendaient contre le polichinelle dans le tiroir. Les Esquimaux du détroit de Behring, les Huichols du Mexique, les Indiens Nishinam de Californie, les tribus Kafir d'Afrique du Sud, les Basutos, les Maoris et les Annos, tous fabriquaient des petites poupées à l'image de l'enfant désiré, et ce geste de magie homéopathique se soldait par des grossesses galopantes. Mais quelle image façonner pour retenir au port un futur embryon ? Une injection vaginale de décoction de nid de guêpes rendait les nouvelles épousées Lkungen aussi prolifiques que des insectes. Combien de rhinocéros une jeune femme devrait-elle ingurgiter avant de pouvoir rivaliser avec les enfantements peu fréquents de ce pachyderme ?

Aux temps anciens, quand la réussite d'un peuple — et peut-être sa survie — dépendait d'un accroissement régulier de sa population, toute magie susceptible d'accroître la fertilité était retenue. Ce n'est qu'après la Révolution Industrielle que se développa la désirabilité d'une prévention anticonceptionnelle (désirabilité qui s'appliquait aux sociétés en tant que groupes, plutôt qu'aux amants occasionnels), et, au dernier quart du XXe siècle, alors que la surpopulation constituait la plus grande menace qui pesât sur la planète, la magie avait disparu. Où existait-elle encore ? Peut-être qu'en Asie...

A Boulder, dans un bar, Bernard vit, dans une émission de télévision intitulée « Vous nous l'avez demandé », quelques mètres d'un remarquable documentaire. Il existait quelque part en Inde, un village près duquel vivait un cobra albinos. Pendant des années, ce cobra avait joué le rôle principal d'un rite tout à fait unique de la fertilité. Les femmes stériles du village devaient se rendre en pèlerinage dans les rochers, jusqu'à l'antre du cobra blanc. Elles devaient embrasser le serpent sur le sommet de la tête. Et cela ne suffisait pas. Pour être sûres de pouvoir concevoir, elles devaient l'embrasser une seconde fois. Le village perdit beaucoup de femmes stériles. Bernard était fasciné par la puissance de cette image. Il trouvait qu'elle ferait une très bonne publicité pour une haleine fraîche et mentholée. Du genre « Après vous avoir embrassé une première fois, recommencera-t-elle ? » Bernard écrivit aux Bonbons Minth'o. On lui répondit qu'il avait des idées pour le moins douteuses, sans parler de son goût. Montana Judy pensait la même chose.

D'Inde, cependant, il obtint des informations selon lesquelles une infusion de pouliot et de myrrhe pouvait avoir un effet sur la conception dans les sept jours qui suivaient les rapports. Il se rendit immédiatement dans une herboristerie de Missoula et vola à l'étalage les ingrédients recommandés. Les mêmes sources lui apprirent que l'ingestion régulière de graines de carottes constituait une méthode de contrôle des naissances dont l'efficacité avait été vérifiée par d'innombrables générations de femmes. La référence à ces « innombrables générations » ne le rassurait pas tellement, mais il se procura quand même des graines de carottes chez un fournisseur de produits agricoles à côté de Billings, et faillit fichtrement bien se faire prendre. Obtenir les produits astringents utilisés dans le Chi-Link, contraceptif chinois traditionnel à base d'herbes, mit encore à l'épreuve l'ingéniosité de Mickey le Rouge. Dans la préparation du Chi-Link, entraient de la datte de chi je, de la fleur de Chi-Link, de la racine de ling-chouk et de la fleur de gomsomchou. Les Quatre Immortelles. Bon Dieu de bon Dieu ! Naturellement, l'administration qui contrôlait les produits alimentaires et pharmaceutiques s'opposait à l'introduction du Chi-Link aux Etats-Unis. Bernard dut aller jusqu'à San Francisco et forcer à la pince-monseigneur les portes des médecins chinois pour pouvoir mettre sa main rousse sur du ling-chouk. Mais cela ne l'empêcha pas de laisser tomber le Chi-Link aussi soudainement que les graines de carottes ou le pouliot quand il entendit parler de la lunaception. Méthode naturelle permettant aux femmes de déterminer le moment exact de leur ovulation en leur apprenant à resynchroniser leurs cycles avec ceux de la lune, la lunaception atterrit comme un astronaute sur le gruyère de son imagination. Tout en cette méthode lui semblait juste, et en particulier ses liens avec la lune. Les hors-la-loi, comme les amants, les poètes et les compositeurs tuberculeux qui crachent du sang sur les touches de leur piano donnent le meilleur d'eux-mêmes sous les rayons incertains de la lune. Bien que ce soit Mars que l'on appelle la « planète rouge », Mickey était en communication directe avec la lune, sur une ligne plus privée qu'aucun des délégués à la conférence avortée des OVNI.

En y repensant, *tout,* dans la lunaception, ne plaisait pas à Bernard. La lunaception, comme le Chi-Link, le pouliot et les graines de carottes faisait peser toute la responsabilité du contrôle des naissances sur la femme. Cette méthode ne compenserait donc jamais la perte de la pilule pour hommes. Si Bernard s'en inquiétait, Montana Judy, de son côté, s'inquiétait encore plus. Etant donné les circonstances, Bernard ne disposait pas de très nombreux sujets sur lesquels tester ses méthodes contraceptives. Qui allait faire confiance à un gynécologue amateur ? Surtout lorsque ses références comprenaient la liste des dix grands ennemis publics.

Montana Judy en avait marre de servir de cobaye aux expériences de Bernard. Et qu'il en étendît le champ à ses jeunes sœurs, les jumelles Montana Molly et Montana Polly, ne la soulagea pas. Bernard, voyez-vous, fournissait et livrait personnellement le jus où grouillaient les agents actifs de ses essais. Montana Judy décida que Bernard devait payer sa dette envers la société d'une manière plus conventionnelle. Elle le balança aux flics.

Ce livre que l'on dit jeté par les juges à la tête des coupables (le code, probablement ; un roman russe, à la rigueur ; certainement pas un recueil de poèmes) heurta violemment le haricot rouge de Bernard Mickey Wrangle. C'était la fin des haricots. Il en prenait pour trente ans. Le dernier quart du XXe siècle entrerait peut-être à cloche-pied dans l'histoire, mais aucun Mickey ne lui rongerait ses béquilles.

Bernard ayant la réputation de trouver facilement la sortie, l'administration du pénitencier fédéral de McNeil Island, Washington, l'enferma plutôt soigneusement. Il lui fallut plus d'un an pour se faire la belle.

Pendant son absence, le monde avait changé. Normal. Bernard lui aussi avait changé. En observant ses comparses prisonniers, il s'était convaincu que le vol, inspiré par les instincts les plus vils, était indigne d'un hors-la-loi. Prendre l'argent des autres et les berner était bon pour les hommes d'affaires et la racaille. Pas pour un hors-la-loi. Bernard se promit de ne plus jamais voler, à moins de n'y être obligé. Il se promit aussi de faire preuve d'une plus grande sensibilité envers les femmes, à commencer par Montana Judy, s'il la retrouvait. Il ne la retrouva pas. Elle s'était jointe à un gang féministe dont les membres passaient leurs soirées à terroriser les hommes, tous les hommes qui leur tombaient sous la main, sans chercher à savoir s'ils étaient ou non coupables, et à quel point. Ces femmes n'acceptaient autour d'elles que des larbins serviles. Bernard savait trop bien que les hommes avaient ainsi traité beaucoup de femmes pendant de longs siècles mais il ne voyait pas comment un simple renversement de ces rôles pourris pouvait rétablir l'égalité ou aider qui que ce soit. Et il n'était le larbin de personne. Même pas de la lune. Montana Polly faisait partie de la même bande de revanchardes. Montana Molly s'était inscrite dans une école de secrétariat, à Spokane. Le gang de Mickey le Rouge était démantelé. Quatre de ses membres étaient en prison. Un autre était mort à Jackson Hole, tué par un groupe de l'Armée du Salut à coups de chaises pliantes. Trois autres s'étaient lancés dans la politique et travaillaient à changer le système de l'intérieur du système. Un autre faisait de l'immobilier et avait confié son salut au Christ. Willie l'Immigré, enfin, commençait son droit à Stanford. Il vivait dans une maison d'étudiants, ne sniffait plus mais fumait encore de l'herbe de temps en temps. Il voulait un jour travailler pour Ralph Nader. Le monde avait changé.

Bernard ne comprenait pas. Il avait besoin d'action, d'émotions, de frissons. Parce que la guerre était finie, plus personne ne devait s'amuser?

Grâce à Montana Judy, la planque de derrière la cascade était brûlée. Bernard choisit l'anonymat de la ville. Il s'installa à Seattle, trouva du boulot dans un bar fréquenté par les policiers après leur service. Il leur préparait des cocktails. Certains soirs, plusieurs dizaines de flics se pressaient dans le bistro. Leur présence mettait un peu de piment dans la vie de Mickey le Rouge. Ajoutez un zeste de rigolade. Versez du bourbon de seconde classe. Mickey le Rouge attendait son heure.

Un écrivain lui envoya une lettre ouverte dans un grand journal progressiste. Il lui demandait une interview. Jurait le secret. C'était réglo. Il s'agissait d'un homme dont le courage et l'intégrité n'étaient pas à mettre en question. Il trouvait que Bernard avait assez souffert. Que vivre dans la clandestinité constituait une peine aussi pénible que la prison. « L'homme en cavale vit une perpétuelle schizophrénie contrôlée, écrivait-il. La peur ne le lâche jamais. » Il considérait Bernard comme une victime de la guerre du Vietnam. Qu'il ait agi contre les intérêts du gouvernement et non pour les défendre, là n'était pas le problème. Les réalités socio-politiques qui avaient conduit Bernard à risquer sa vie en faisant sauter des centres de recrutement s'avéraient essentiellement semblables à celles qui avaient poussé d'autres jeunes gens à risquer leurs premiers coups de feu dans les rizières. En tant que fugitif, obligé de se cacher derrière un déguisement et toujours sur ses gardes, Bernard, disait-il, n'était pas moins touché que ces pauvres soldats qui avaient laissé le meilleur de leur viande à Da Nang et à Hue.

« Ha ha ».

C'est ainsi que commençait l'ignoble réponse de Bernard.

« Ha ha.

« Victime ? La différence entre un criminel et un hors-la-loi réside en ce que le criminel est souvent victime, mais le hors-la-loi, jamais. En fait, pour devenir un véritable hors-la-loi, il faut avant tout *refuser* de se laisser victimiser.

« Tous ceux qui vivent soumis aux lois élaborées par d'autres sont des victimes. Ceux qui vont contre la loi par avidité, frustration ou vengeance sont des victimes. Ceux qui renversent les lois pour les remplacer par leurs propres lois sont des victimes. (Je parle ici des révolutionnaires.) Mais nous, les hors-la-loi, nous vivons au-delà de la loi. Nous ne vivons pas simplement au-delà de la lettre de la loi — comme beaucoup d'hommes d'affaires, la plupart des politiciens et tous les flics —, nous vivons au-delà de l'esprit de la loi. En un sens, donc, nous vivons au-delà de la société. Nous avons un but commun : renverser les idées établies concernant la *nature* de la société. Quand nous y arrivons, nous faisons monter le degré de joie dans l'univers. Nous le faisons toujours monter un peu, même quand nous n'atteignons pas notre but.

« Victime ? J'ai détesté la laideur de la guerre du Viêtnam. Quand la guerre transforme des populations entières en somnambules, les hors-la-loi n'unissent pas leurs forces à

80

celles des réveille-matin. Les hors-la-loi, comme les poètes, réarrangent le cauchemar à leur façon. C'est un travail exaltant. Les années de guerre furent les plus belles années de ma vie. Je ne risquais pas ma peau pour protester contre la guerre. Je risquais ma peau pour le plaisir. Pour la beauté. « J'aime la magie du TNT. Son éloquence. Ses grondements profonds, ses éclats, ses cris qui résonnent presque aussi passionnément que le murmure de la Terre. Une série de détonations bien orchestrées ressemble à une chorale de séismes. De tous ses échos, la bombe ne dit qu'un mot — « Surprise » — pour s'applaudir ensuite. J'aime les mains brûlantes de l'explosion. J'aime sentir son souffle au diabolique parfum de poudre (ses effets ressemblent tant à ceux de la douce odeur de l'amour). J'aime la façon dont l'architecture, sous l'impulsion de la dynamite, se dissout ; son lent mouvement quand elle se défait délicatement, perdant ses briques comme des plumes, lorsque ses coins s'effacent, que ses sinistres façades s'entrouvrent dans de larges sourires, et que ses soutènements s'élèvent comme s'ils n'en pouvaient plus ; des tonnes de camelote totalitariste emportées dans le tourbillon d'un *tsunami*. J'aime cette précieuse fraction de seconde où les vitres deviennent élastiques et se renflent comme des bulles de chewing-gum avant d'éclater. J'aime les bâtiments publics enfin ouverts au public, avec leurs portes béant devant les citoyens, devant la vie et l'univers. Chéri, tu entres ? Et j'aime la fumée qui s'élève quand tout est fini.

« Oui. Et j'aime le mythe usé et rebattu du hors-la-loi. J'aime le romantisme conscient du hors-la-loi. Sa garde-robe noire. Son sourire fou. J'aime la tequila et la frite du hors-la-loi. J'aime la manière dont les gens respectables ricanent et prononcent son nom. Son bateau navigue à contre-courant, et j'aime ça. Les hors-la-loi font leur toilette là où les carcajous font la leur et j'aime ça. Les hors-la-loi sont photogéniques et j'aime ça. " Quand la liberté sera hors-la-loi, seuls les hors-la-loi seront libres. " J'ai vu cette phrase écrite sur les murs d'Anacortes et je l'aime. Il existe des cartes de hors-la-loi qui conduisent à des trésors de hors-la-loi et j'aime tout particulièrement ces cartes. Le hors-la-loi n'a pas envie d'attendre que l'humanité devienne meilleure. Il vit comme si ce jour était arrivé, et j'aime ça, plus que tout.

« Victime ? Votre lettre me rappelle que Mickey le Rouge est un Mickey béni des dieux. La solitude, les tensions et les fluctuations troublantes d'identité dont vous parlez existent, et j'apprécie humblement votre sympathie. Mais ne vous y trompez pas. Je suis l'homme le plus heureux d'Amérique. J'ai toujours, vieille habitude, des allumettes suédoises dans mes poches de barman. Tant qu'il y aura des allumettes, on pourra mettre le feu aux poudres. Tant qu'on pourra mettre le feu aux poudres, aucun mur ne sera à l'abri. Tant que chaque mur sera menacé, tout pourra arriver. La vie est un supermarché, les hors-la-loi, des ouvre-boîtes. »

28

Y eut-il vraiment une époque assez idiote pour que les jeunes filles d'alors aient laissé tomber leurs mouchoirs — objet purement ornemental, tu peux t'en douter, mouchoirs de soie, brodés de dentelles, sans aucune trace sur leur surface parfumée de la moindre morve —, chaque fois qu'elles voulaient faire la connaissance des gentlemen supposés les ramasser ? Mythe ou non, c'est avec une négligence étudiée, comparable à celle de ces dames quand elles perdaient leurs blaves pleins de sent-bon, que Bernard laissa tomber l'expression « dans mes poches de barman » tout en se promenant sur les mots de sa réponse à ce brave journaliste. Bernard donnait à ses poursuivants un indice. Histoire de rendre les choses un peu plus intéressantes.

La meute sentit peut-être l'appât, mais elle ne trouva pas la tanière de celui qu'elle traquait. Ce fut souvent de justesse. En particulier la nuit où un soûlard arrosa Bernard de bière et où la teinture de ses cheveux dégoulina devant une vingtaine de flics. Mais sa couverture tint bon. Les années

passèrent. Les allumettes suédoises jaunissaient et se perdaient au fond de ses poches. Dans son inactivité, Bernard se
raccrochait à l'idée du plaisir qu'il aurait lorsque son cas
tomberait enfin sous le coup de la prescription : retrouver ses
cheveux roux, les montrer à tous, et leur mettre le nez dans
leur caca. Mais une occasion se présenta. Il se sentit obligé
de parler. Ou plus exactement, de laisser parler la dynamite
en son nom. Et, à la suite d'une légère erreur de tir, il se
retrouvait, à moins de onze mois de la fin de son temps de
fugitif, en état d'arrestation.

Mis en état d'arrestation par Son Altesse Royale la
Princesse Leigh-Cheri Furstenberg-Barcalona, ancienne
supporter, environnementaliste sans portefeuille, altruiste
aux yeux bleus, célibataire aux seins en pamplemousses,
souveraine putative de Mû, seule femme que Mickey le
Rouge ait jamais rencontrée dont les cheveux flamboyaient
d'un roux comparable à celui qui avait été le sien autrefois.

Il n'allait pas se laisser faire comme ça.

29

« Alors c'était vous. J'aurais dû m'en douter.
— Très heureux que vous vous souveniez de moi.
— L'homme qui dit " Miam ".
— Seulement au bon moment.
— Et fait sauter des hôtels, et fout en l'air la plus
importante rencontre de grands esprits qui ait eu lieu depuis
Dieu sait quand.
— Cette rencontre-ci est plus importante. Notre rencon-
tre. Allons-nous-en. Allons prendre un verre quelque part.
— Ne soyez pas ridicule. Vous êtes en état d'arrestation.
Je vous emmène tout droit au poste.
— Je vous avertis, je ne vais pas me laisser faire comme
ça. Les criminels, parce qu'un sentiment de culpabilité

83

empoisonne leur conscience, se rendent souvent tranquillement. Un hors-la-loi jamais, parce qu'il est pur. »

Comme au beau milieu d'une symphonie, les cuivres soudain éclatent et couvrent bois et cordes, la peur monta d'un seul coup, faisant taire la colère et la frustration qui avaient si bien servi la Princesse dans les premières mesures de ce concerto. Elle jeta un coup d'œil autour d'elle pour chercher de l'aide. Quelques jeunes gens, blonds comme une réclame de shampooing et bronzés comme des colombins, surprirent son regard et lui firent un signe de la main.

« N'espérez rien de ces bronzés. Ils ne pensent qu'à la fauche et au surf. Et de toute façon, ils ne me font pas peur. Je suis ceinture noire de Haïku. Et j'ai laissé mon gilet noir chez le teinturier. Ce matin, j'ai rencontré une touriste qui venait de la planète Argon. Elle m'a dit que mon aura ressemblait à du caoutchouc brûlé. Après l'avoir remerciée, je lui ai répondu que le noir était ma couleur préférée, après le rouge.

— Ah, vous aussi, vous l'avez rencontrée. » Leigh-Cheri ne trouva rien d'autre à dire. Elle n'avait pas remarqué jusque-là qu'il portait un short noir. Et qu'il était chaussé de Tong noires. Où avait-il acheté des Tong noires ? Comme tout cela était déroutant. La chair de poule pointa sous son coup de soleil et sa peau prit l'apparence de galets ensanglantés vus d'avion. Elle se sentit comme une rue sous la Révolution française. Elle se tourna vers la sorcière en bikini : « Giulietta, va chercher la police », ordonna-t-elle bien qu'elle sût parfaitement qu'il n'y avait pas un seul agent dans les environs. Tous étaient en ville où ils essayaient de résoudre le mystérieux attentat à la bombe. Et de toute façon, Giulietta ne la comprenait pas.

« N'ayez aucune crainte. Je ne vous ferai pas de mal. Je suis plutôt ravi que nous devenions amis. J'aurais quitté Maui juste après le boum-boum — il sourit à Giulietta — si vous n'aviez pas été là. »

C'était vrai. Un de ses vieux potes du continent, devenu planteur de marijuana sur la côte de Kona, avait accepté à l'avance de faire disparaître Bernard sur son sloop de contrebandier et de l'emmener à Honolulu. Bien que l'explosion se soit produite prématurément, le sloop aurait pu mettre les voiles dès le lundi matin si Bernard l'avait voulu.

« Je ne comprends pas. Vous êtes resté à cause de moi ?

— A cause de vous, ma douce. Et parce qu'il me reste encore de la poudre à explosions.

— Quoi ? » Elle rit, incrédule. « Qu'est-ce que vous dites ? C'est vraiment... dingo.

— Monsieur Dingo.

— Vous voulez recommencer ?

— Tout ce que je veux, c'est vous offrir un verre.

— M'offrir un verre ?

— Une tequila ananas ou une tequila taï. Si vous avez l'âge, bien sûr. Je ne voudrais pas enfreindre la loi.

— Je suis aussi vieille que vous.

— Je suis plus vieux que le sanscrit.

— Et moi, je servais à boire lors de la Cène.

— Je suis si vieux que je me souviens du temps où McDonald n'avait encore vendu que cent hamburgers.

— Vous avez gagné.

— On va prendre un verre ?

— Comment vous appelez-vous ?

— Bernard.

— Bernard comment ?

— Bernard Le Fou.

— Ecoutez, monsieur Le Fou...

— Je n'écoute rien tant que nous ne sommes pas tous les deux assis à une table du Lahaiina Grill. Votre grand-mère peut venir avec nous, bien que la générosité avec laquelle son costume de bain révèle ses charmes me choque un peu.

— Bon », dit-elle. Elle s'arrêta. Elle pensait qu'il valait mieux céder. Elle obtiendrait plus facilement de l'aide en ville qu'ici, sur la plage. Et il fallait avouer que, malgré le manque de soins dentaires qu'il découvrait, son sourire était merveilleux. « D'accord, de toute façon je dois aller à

l'ombre. Les roux prennent facilement des coups de soleil.
— Je sais, dit-il. Je sais. »

30

Sur le continent, la pluie tombait. La fameuse pluie de Seattle. Pluie fine, pluie grise que les crapauds aiment tant. Pluie insistante qui connaît toutes les entrées cachées des cols de manteaux et des sacs. Pluie insidieuse qui peut faire rouiller un toit de tôle sans qu'il ait le temps de dire ouf. Pluie chamanique qui nourrit l'imagination. Pluie aux résonances secrètes, qui chuchote comme le plaisir primitif, celui de l'essence même des choses.

La pluie enveloppait la maison. Cette maison que le Roi Max appelait maintenant Fort aux Ronces. La pluie collait à la maison comme de la laque sur une méduse. A l'intérieur, le Roi et la Reine se battaient avec le lave-vaisselle qu'ils n'arrivaient pas à mettre en marche. Pas le moindre verre à porto ni la moindre petite cuillère n'avaient été lavés depuis le départ de Giulietta, trois jours plus tôt. Chuck aurait pu venir à leur rescousse, mais le destin n'en avait pas voulu ainsi. Chuck avait été appelé à Seattle lundi soir et n'était pas rentré depuis. Il prétextait une maladie de sa sœur, mais il s'agissait évidemment de bien autre chose. Ça bougeait au pays des Furstenberg-Barcalona. Il y avait de la révolution dans l'air. Convaincue que la famille royale était dans le coup, l'administration de Washington voulait resserrer son dispositif de sécurité. Avoir l'œil sur le Roi Max, voilà quels étaient les ordres de la CIA. Chuck toucherait une petite prime (dont il perdrait jusqu'au dernier centime quand Max le forcerait à abattre ses deux paires).

Tout en tripatouillant le lave-vaisselle, Max et Tilli complotaient effectivement. Ils tiraient des plans concernant l'avenir de leur fille.

« Elle aura vingt ans en avril, dit Max. Un an de plus et elle pourra se marier. Si nous voulons mettre le plus de chances possibles de notre côté, il faut nous dépêcher de mettre notre prétendant sur les rangs.

— Ja, répondit Tilli. Ja, da, si. Ze sais, ze sais. Mais ze n'est bas zune raison bour la brézibiter dans les bras d'un siphon.

— D'un quoi ?

— D'un siphon. Un gars siphonné. Comme le fils du brésident. Zeu grinco loco.

— Si vous voulez dire par là que ce gosse raterait un coup franc à trois mètres sans gardien de but, vous avez probablement raison. Mais nous ne pouvons pas rester ici à attendre que des prétendants convenables viennent ramasser des mûres. Le second fils de Idaj Fizel possède des parts dans un club national de base-ball. Il vient à Seattle chaque fois que son équipe rencontre les Sonics. Je crois que je peux arranger quelque chose.

— Si. Mais zil n'est bas de sang royal.

— Non. Mais il est plus puissant et plus riche que ça.

— Arabe, grogna Tilly, Ein Arabe. O O Spaghetti-o. »

Le lave-vaisselle resta hors d'état de marche. Il aurait aussi bien pu lui aussi aller à Maui. Le crapaud l'aurait transformé en condominium. Le couple royal s'énerva et s'essouffla. Il leur sembla à un moment l'entendre se mettre en marche, mais ce n'était que la valve du Roi Max qui claquait. Quand, pour la troisième ou quatrième fois, Tilli cogna malencontreusement son chihuahua contre la porte du lave-vaisselle, elle lui tourna son dos royal.

Le Roi Max ramassa la vaisselle sale. Il l'emporta dans la cour. « La pluie la lavera, dit-il. Il faut bien que la pluie serve à quelque chose. »

En fait, la pluie sert à beaucoup de choses. Elle empêche le sang et la mer de devenir trop salés. Elle administre ses gouttes de valium aux violettes insoumises. Elle fabrique l'échelle avec laquelle le néon monte jusqu'à la lune. Un chercheur peut partir sous la pluie du Grand Nord-Ouest et trouver le nom qu'il voulait se faire. Et, c'est vrai, la pluie enlève les mouchetures de jaune d'œuf et le jus de viande qui maculent les armoiries, les points, la fasce et le nombril de l'écu des héraldiques assiettes des Furstenberg-Barcalona. Mais quand Max alla le matin suivant rechercher sa vaisselle, il en manquait la moitié. La Reine accusa les clochards et les romanichels. Max savait que les ronces s'en étaient emparées.

Ils mangèrent du bœuf Strogonof en boîte dans des assiettes en papier et Tilli dit à Max : « Si seulement Leigh-Cheri était là. »

Mais le Roi répondit : « Il vaut peut-être mieux qu'elle fasse un petit voyage pendant que nous lui cherchons un prétendant. De toute façon, nous pouvons être tranquilles, elle est en bonnes mains à Hawaii. »

31

« Je n'avais encore jamais embrassé d'homme qui portait des lunettes de soleil de Donald.

— Je suis désolé, répondit Bernard. Je suis désolé, je devrais porter des lunettes de Mickey, mais je n'ai pas pu en trouver. »

La Princesse ne savait pas de quoi il parlait. Elle s'en fichait un peu. Elle en était à son troisième tequila perroquet, lui à son quatrième. Ils flottaient dans cet état de grâce qui caractérise la transe religieuse et le début de l'empoisonne-ment par l'alcool. Giulietta leur tournait le dos et regardait le coucher de soleil. Un vrai chaperon.

« Et d'habitude, je n'embrasse pas non plus les hommes qui fument, déclara Leigh-Cheri. Embrasser un fumeur, c'est un peu comme lécher un cendrier.

— J'ai déjà entendu ça quelque part. Et j'ai aussi entendu dire qu'embrasser une personne dogmatique et intransi-geante, c'était un peu comme lécher un cul de mangouste.

— Moi, un cul de mangouste !

— Moi, un cendrier ! » Il sortit le paquet de Camel qu'elle

88

avait vu dans sa poche de chemise. Il n'était pas ouvert. Il le jeta par-dessus son épaule. « Je ne fume que lorsque je suis enfermé. En prison, une cigarette peut devenir une amie. En dehors de ça, les Camel ne constituent qu'une couverture. Un prétexte pour les allumettes que j'ai toujours sur moi.

— Est-ce que vous êtes en train de dire ce que je crois que vous êtes en train de dire?

— Je suis en train d'en dire plus que je ne devrais dire. Je crois que vous avez versé quelque chose dans mon verre pour me faire parler.

— Je crois que vous avez versé quelque chose dans mon verre pour me faire vous embrasser. »

Ils s'embrassèrent. Et rigolèrent comme des souris de dessin animé.

« Quelle heure est-il? demanda Leigh-Cheri.

— Qu'est-ce que ça peut faire? Le commissariat est ouvert toute la nuit.

— J'ai rendez-vous avec un journaliste du *People*. Avant, j'avais le trac. Mais maintenant je crois que je vais bien m'amuser. Maintenant tout m'amuse. Même vous. » Quand il se pencha pour l'embrasser encore, elle lui pinça le bout du nez. Elle chercha du regard une horloge mais aucun mur n'entourait la salle du Lahaiina Grill. Les horloges des arbres avaient trop d'aiguilles et l'Océan était au septième ciel. Si cela n'avait tenu qu'à Bernard, il y aurait aussi emmené Leigh-Cheri.

« Quand allez-vous me faire coffrer?

— Quand vous arrêterez de m'embrasser.

— Alors je suis un homme libre, pour toujours.

— N'y comptez pas. »

Elle le pensait. Mais cette fois quand il l'embrassa, la barricade héroïque des dents de Leigh-Cheri céda devant les prodiges que réalisait sa langue. Il y eut un tintement clair d'émail contre émail, une éruption de salive chaude dans le cratère que formait la bouche de la Princesse. Le poisson-pêche frémit brusquement, et sous le T-shirt PAS DE

NUCLEAIRE BON NUCLEAIRE, les pointes de ses seins devinrent aussi dures que des pépites de plutonium.

« Seigneur, pensa Leigh-Cheri. Comment les hommes peuvent-ils être de telles andouilles, comment peuvent-ils tant ressembler à de vieux chewing-gums collés à vos chaussons de danse et avoir encore tellement de goût. Surtout celui-ci. Ce fou de terroriste. »

Elle s'écarta. D'un doigt brûlé par le soleil elle essuya un filet de salive — la sienne? celle de Bernard? ou de José Cuervos? — de son menton. Elle demanda l'heure à une serveuse qui passait. Elle était en retard.

« Il faut que j'y aille.

— Et si on dînait ensemble après votre interview? Ils ont ici un délicieux poisson, le mahi-mahi. Si bon que l'on répète son nom. Cette façon qu'ont les Polynésiens de doubler les mots est vraiment charmante. J'aimerais rester en tête à tête avec vous à Pago-Pago, mais j'ai peur d'attraper le béribéri.

— Non-non, non-non, répondit la Princesse. Pas de miam-miam ce soir. Pas de miam-miam.

— Demain?

— Je serai au Festival toute la journée.

— Demain soir?

— Ralph Nader fait sa conférence demain soir. Je ne raterais pas cela pour tous les mahi-mahi de Maui Maui. D'autre part, il se pourrait que vous soyez en prison demain soir. Vous feriez peut-être mieux de ramasser vos Camel.

— Vous allez me dénoncer?

— Je ne sais pas. Ça dépend. Vous allez vraiment utiliser le reste de votre dynamite?

— Il y a des chances.

— Pourquoi?

— Parce que c'est mon truc.

— Mais la conférence des OVNI est terminée.

— Je ne visais pas le congrès des OVNI. Ce fut une erreur. Je suis venu ici pour faire sauter le Festival de la Géo-Thérapie.

— Quoi? » C'était *elle* que la bombe venait de souffler.

« Boum-boum Festival. » Il fit glisser le reste de sa tequila dans la fente de son sourire.

Elle se leva brusquement. « Vous êtes fou, lui dit-elle. Complètement pété. » Elle arracha Giulietta à son coucher de soleil et se tourna vers la sortie.

« Vous allez me dénoncer ?

— Je vais me gêner... »

32

Le royaume de Mû. Cette idée lui était venue à Maui. Assise à l'ombre d'un koa, Leigh-Cheri regardait Giulietta jouer les sirènes octogénaires et se demandait ce qu'elle allait bien pouvoir raconter au journaliste du *People* sans paraphraser les brochures du Festival ni violer le code des Furstenberg-Barcalona. Et elle pensa soudain à tous ces rois, reines, princes et princesses inemployés qui vivaient dans le monde. Royautés dont le trône avait été emporté par les guerres et les révolutions, et qui, bien que destinées à diriger, présider ou tout au moins symboliser, passaient la plus grande partie de leur existence dans une riche oisiveté.

Le Comte de Paris, par exemple, prétendant à la couronne de France, dont les onze enfants s'adonnaient à diverses activités fort distinguées : publication d'un magazine d'art, comme le duc d'Orléans, ou direction d'une galerie de peinture comme le Prince Thibault. Au Brésil, la famille d'Orléans Braganza ne comptait pas moins de dix-huit cousins qui disposaient tous de temps, d'énergie et d'argent. Otto von Habsbourg, héritier de l'empire d'Autriche, avait sept enfants qui poursuivaient de vagues études en dilettantes. Les princes Enrico d'Assia et Amédée de Savoie géraient le patrimoine financier de leurs familles et partageaient la dévotion de la Reine Tilli pour l'Opéra. Sans oublier le Prince Alexandre de Yougoslavie, le Roi Leka I d'Albanie (un cousin éloigné de Leigh-Cheri), la famille impériale japonaise, etc, etc.

Puisque rois et reines n'avaient plus de royaumes à servir, pourquoi ne s'unissaient-ils pas afin de servir le monde ? La terre deviendrait leur royaume. Et ils pourraient associer leurs intelligences et leurs talents, leurs noms illustres et leurs immenses richesses (les Furstenberg-Barcalona étaient de loin les plus pauvres de tous), leur influence et leur prestige dans une royale croisade pour l'écologie, la protection de la nature et sa préservation ; pour le bien du doux royaume de Terre. Ils se donneraient pour but d'être utiles et efficaces. On les honorerait de nouveau. Et s'ils voulaient des couronnes, eh bien, ils en auraient. Ils constitueraient la monarchie du Mû. Mû, le continent perdu, l'île mère ; le pays des musiques qui chantent et dont les temples parfumés sombrèrent un jour au fond des océans. Chaque membre de la monarchie serait au même titre que les autres un dirigeant de Mû, chacun souverain d'une nation sans frontières.

« Et comme les îles d'Hawaii sont les sommets des montagnes englouties de Mû, expliqua Leigh-Cheri, la monarchie pourrait envisager d'installer son quartier général, sa cour, en quelque sorte, à Hawaii. Et peut-être ici même, à Lahaiina. Car Lahaiina, ancienne capitale du royaume de Hawaii, a l'habitude des privilèges royaux.

— C'est une idée fabuleuse », la complimenta Reed Jarvis, journaliste du *People*. Jarvis était vraiment content. La monarchie de Mû lui donnait un noyau d'informations, un cœur de propos sérieux autour desquels il broderait à son goût. Un peu d'eau de rose, maintenant. Allons-y. Vers le côté humain. « Que ressent une vraie princesse au sang bleu, comme vous, lorsqu'elle grandit dans une vieille maison pleine de courants d'air de l'Etat de Washington, qu'elle va au lycée et devient supporter ? » Continuons, entrons enfin dans ce qui constitue pratiquement l'intérêt exclusif des lecteurs et de la direction, l'argent et le sexe.

« La disparition de votre fortune familiale vous rend-elle quelquefois amère ?

92

— C'était il y a si longtemps. Avant ma naissance. Il existe des choses plus importantes que la fortune.

— Avez-vous un petit ami? Quelqu'un de spécial, parmi tous ceux qui vous font la cour?

— Non.

— Personne?

— Personne.

— Mais enfin, belle et intelligente comme vous l'êtes, vous avez sûrement une vie sentimentale?

— Qui a encore une vie sentimentale? Les gens ont aujourd'hui des vies sexuelles, pas sentimentales. Et beaucoup renoncent même au sexe. Je n'ai pas de vie sentimentale car je n'ai jamais rencontré d'homme qui sût *comment* avoir une vie sentimentale. Peut-être que moi non plus, je ne le sais pas. »

Là les larmes jaillirent des yeux de Leigh-Cheri comme des amibes sauvages sortant du paddock d'un rodéo de laboratoire biologique.

Si seulement Reed Jarvis avait su que le sang bleu de Leigh-Cheri était à ce moment précis légèrement teinté de tequila, peut-être aurait-il rendu à la gnôle sa part de responsabilités dans les larmes de Leigh-Cheri. Mais il ne le savait pas et en fit une statue de neige prise dans une fournaise. Quoi qu'il en soit, le portrait qu'il traça de la princesse, celui d'une romantique aux yeux embués de larmes, correspondait un peu plus à la vérité que les « beauté tragique » et « princesse tourmentée » qui allaient suivre son exil au grenier dans les potins mondains.

Il y a deux sortes de folies : les folies essentielles et les folies secondaires.

Ces dernières ont un caractère solaire ; les premières sont reliées à la lune.

Les folies secondaires constituent un mélange fragile d'ambition, d'agressivité et d'angoisse adolescente (saloperie qui aurait dû depuis longtemps être balancée à la poubelle). Les folies essentielles correspondent à ces impulsions que l'on sait instinctivement être justes et bonnes, même si les autres les trouvent louftingues.

Les folies secondaires provoquent des problèmes. Des problèmes avec soi-même. Les folies essentielles provoquent des problèmes avec les autres. Il vaut toujours mieux avoir des problèmes avec les autres. En fait, c'est peut-être même essentiel.

La poésie, la bonne poésie, est lunaire et concernée par les folies essentielles. Le journalisme est solaire (les noms de nombreux journaux évoquent le matin ou le lever du jour ; aucun ne parle de la nuit ou de la lune) et ne s'occupe que des folies secondaires.

Sur Leigh-Cheri, il aurait mieux valu écrire un poème qu'un article. Reed Jarvis, avec sa Remington SL3, écrivit un article. Ce n'était pas le dernier. Restait à Bernard Mickey Wrangle, avec sa dynamite, d'écrire le poème.

33

Après son interview, la Princesse alla directement se coucher. Giulietta lui raconta une histoire pour l'endormir. L'histoire fit son effet. Leigh-Cheri s'endormit très vite et rêva de Ralph Nader. Pendant la nuit, elle ne se réveilla qu'une fois ; au moment où Ralph Nader entrait dans un restaurant et commandait des cuisses de grenouilles. Elle cria et se retrouva assise dans son lit.

Leigh-Cheri avait prévu d'aller voir la police après le petit déjeuner et avant la cérémonie d'ouverture (enfin !) du Festival. Mais la salle à manger de l'Auberge des Pionniers était archicomble et elle attendit si longtemps avant d'être servie qu'elle eut à peine le temps de manger et de traverser Hotel Street pour entendre l'invocation sous le figuier banian. Elle fut bientôt captivée par la conférence du Dr John Lilly sur le rôle des mammifères marins dans l'avenir de la race humaine. Comme il fallait s'y attendre, le parc était bondé. Leigh-Cheri était arrivée trop tard pour trouver un abri à l'ombre du banian, qui couvrait pourtant délicieusement presque un demi-hectare de parc. Elle entendait à peu près, et distinguait sans trop s'abîmer les yeux les photos projetées par le Dr Lilly, mais elle devenait à chaque minute de plus en plus rouge. Le soleil la griffait douloureusement. Elle faillit s'évanouir. Elle avait droit, Reed Jarvis le lui avait rappelé, aux privilèges des VIP pendant toute la durée du Festival. Elle qui hésitait toujours à utiliser son titre, elle sentit que d'un moment à l'autre elle allait le brandir comme un drapeau blanc pour avoir une place à l'ombre.

Mais un bon génie veillait sur elle. Une ombre l'enveloppa tout à coup. Elle craignit tout d'abord une attaque fatidique du nuage porte-malheur. Mais non. Bernard était à côté d'elle et tenait au-dessus de sa tête un parasol tout déchiré.

« Qu'est-ce que vous faites ici ? » Sa question chuchotée ne résonna pas de l'hostilité qu'elle aurait voulu y mettre.

Il secoua ses boucles noires vers l'écran. Un marsouin y nageait tranquillement.

« Les requins sont les criminels de la mer, dit-il. Les dauphins ses hors-la-loi.

— Quelle banane !

— Eh bien, laissez-moi vous flamber quelque peu.

— Non-non-non. Banane n'est pas la couleur des cheveux de celui que j'aime. »

Cette allusion aux couleurs de cheveux le fit tressaillir. Elle ne remarqua rien. Elle avait reporté son attention vers le Dr Lilly.

« Bon. Si vous voulez me voir, j'ai une adresse.

— Je ne veux pas vous voir. Mais les autorités voudront peut-être. De toute façon, où trouver cette adresse ? Dans l'annuaire des givrés ? Et je ne veux pas dire les pages blanches.

— Regardez. Maintenant. Regardez. »

Elle leva les yeux. Elle ne put s'en empêcher. A l'intérieur du parasol, elle lut ces mots griffonnés sur la toile, PORT DE

LAHAIINA SLOOP *C'EST LA FÊTE.* Bernard glissa le manche du parasol dans la main de la Princesse, approcha ses dents toutes gâtées de son oreille. « Miam », soufflat-il. Un instant plus tard, il avait disparu.

34

Elle déjeuna de papaye pou pou ou de quelqu'autre fou fou de fruit éclatant de voyelles tropicales trop mûres. Dans les pays chauds, A offre une arche ombragée, O un siphon où l'on assouvit sa soif et U un bain frais où se glisser. A se tient comme un surfer, les jambes écartées, O pend comme un citron de sa branche, U balance ses hula-hanches, I et E grimacent les cris des singes et des oiseaux de la jungle. Les consonnes, comme les hommes à la peau trop pâle supportent mal les climats torrides. Les voyelles sont construites pour le plaisir de vivre des pays du Sud, les consonnes pour la hâte nordique. Mais O que les indigènes sont bOOgIE bOOgIE alors que les colons VaLSeNT.

Elle mangea de l'avocat aloha ou peut-être de la goyave alava. Giulietta mâchonna du rôti de veau à la missionnaire. Des surfers s'approchaient de leur table en disant des inconvenances. Giulietta agitait son bras maigre comme un manche à balai pour écarter ces jeunes chiens. Elle semblait s'amuser. Chasser les surfers qui ennuyaient la Princesse était sûrement plus drôle que chasser les mouches qui agaçaient la Reine. Leigh-Cheri était ailleurs. Elle essayait de décider si oui ou non elle allait livrer Bernard avant la reprise des conférences.

Bon, d'accord, il l'avait sauvée du soleil. Mais la princesse qui a été sauvée par le dragon ne peut s'attendre à ce que le conte finisse bien. C'est vrai, il était plein d'esprit et de charme. Mais Lucifer, dit-on, était le plus bel ange du ciel, et les têtes de morts sourient toujours. Il venait de gâcher deux journées entières du Festival, et qui sait ce qu'il était encore capable de faire. Elle n'avait pas à hésiter. Une seule question restait : maintenant ou plus tard ?

« Maintenant, décida-t-elle brusquement. Si je me dépêche. » Elle tendit à Giulietta un billet pour régler l'addition. Giulietta attaquait justement son veau à la missionnaire avec un zèle de missionnaire. « Je te retrouve dans le parc dans dix minutes », dit Leigh-Cheri en ajoutant les signes appropriés.

Comme elle courait vers la sortie, un surfer l'interpella. « Hé, la rousse, où est le feu ? Entre tes jambes ? Ha ha ha. »

En traversant le *lanaii,* elle rencontra les blonds extra-terrestres d'Argon. « Mutante », siffla la femme enturbannée. « Tu es repérée sur toutes les planètes du système, ajouta l'homme au fez. Tu ne vois pas que tu as subi une mutation ? Tu ne comprends pas que les radiations solaires ont été suractivées par les excès de sucre et d'hormones sexuelles présents dans ton corps ? On ne trompe pas le soleil. »

« Seigneur ! » jura la Princesse. Elle descendit la rue en courant jusqu'aux quais. « J'ai quelquefois envie d'acheter une bouteille de Régé-Color et de changer cette saloperie de couleur de cheveux. »

Quand elle arriva au sloop *C'est la Fête,* une surprise l'attendait. Le visage familier qui lui apparut dans l'écoutille était maintenant auréolé de boucles au moins aussi rousses que les siennes.

35

« Si vous venez encore une fois m'arrêter, lui dit Bernard, enroulant négligemment une boucle flamboyante autour de son index, il faut que je vous apprenne ma véritable identité. Le flic avisé connaît son prisonnier. Mais si vous êtes venue parce que je ne vous suis pas indifférent, peut-être vous le serais-je encore moins maintenant que vous savez ce que nous avons en commun.

— Je vois. Nous sommes tous les deux des mutants.

— Pardon ?

— Non, rien. Vous êtes roux, je veux bien. C'est votre vraie couleur ?

— Vous voulez savoir si je descends vraiment de Henné ? Roux étaient mes cheveux quand je sortis du ventre de ma mère. Les dernières gouttes de teinture noire sont en train de couler par le tuyau de la douche dans l'Océan. Le commandant Cousteau doit nager sous le bateau, persuadé qu'une pieuvre écrit encore ses mémoires avec un stylo qui fuit.

— Bon, vous êtes aussi roux que moi. Mais c'est tout ce que nous avons de commun.

— Comment en êtes-vous si sûre ?

— Il y a deux sortes de gens dans ce monde : ceux qui participent à la solution et ceux qui participent au problème.

— Je vois. Je fous le bordel et toi tu ranges. Alors, je vais te dire : il y a deux sortes de gens dans ce monde, ceux qui regardent la vie et voient du sucre glace sur un potiron, et ceux qui la regardent et voient de la bave sur un gâteau. »

(En fait, il y a deux sortes de gens dans ce monde : ceux qui croient qu'il y a deux sortes de gens dans ce monde, et ceux qui sont plus malins. Mais Leigh-Cheri et Bernard s'étaient perdus dans les variations d'une danse compliquée. Soyons sympa, ne les saquons pas.)

Ils étaient sur le pont, sous le soleil de midi : Leigh-Cheri avait ouvert le parasol et Bernard s'était accroupi dans l'ombre de la bôme de grand-voile. Le Pacifique, apaisé par les rochers de la jetée les balançait aussi doucement qu'un pochard son verre de vin. « J'ai l'impression de vous connaître, maintenant. Je crois bien avoir vu des photos de vous.

— J'ai effectivement un excellent agent publicitaire. Il place mes photos un peu partout.

— Où ça ? Sur les murs des bureaux de poste ? Vous devez être quelque infâme vaurien, non ?

— Pas exactement. Quand j'étais jeune, c'est vrai, j'ai eu maille à partir avec la justice. Tu sais comment sont les garçons.

— Non, raconte-moi.

— Il n'y a pas grand-chose à raconter. Un malentendu concernant la fille d'un conseiller municipal et une voiture empruntée. Mais un malentendu... lourd de conséquences. Après trente jours dans la cage à tantes et à mouchards, ce qui est une autre histoire, je fus désigné prévôt. Les quartiers des prévôts se trouvaient au second étage, comme les cuisines. Tous les prévôts avaient accès aux cuisines. Et moins d'une semaine après mon arrivée, trois couteaux de cuisine et une lame de couteau électrique de quarante centimètres de diamètre disparurent. Les matons fouillèrent de fond en comble nos dortoirs et la salle de télé. Mais ils ne trouvèrent rien. Alors ils nous alignèrent dans le couloir, où d'autres gaffes, armés de mitraillettes et de grenades lacrymogènes nous surveillèrent. Un par un ils nous firent passer dans une petite pièce et déshabiller devant un capitaine qui tenait une lampe de poche dans sa main, et plusieurs autres matons. Ils me mirent face au mur, m'attrapèrent les fesses et me firent me baisser pour regarder dans mon rectum si je n'y cachais pas trois couteaux de cuisine et une lame de couteau électrique de quarante centimètres de diamètre. Pas d'argenterie, bien sûr, dans aucun de nos rectums. Mais ils trouvèrent des doubles pages de *Playboy,* trois cubes de glace, cinq plumes, l'Atlantide, le délégué grec aux Nations Scoutes, un gâteau avec une lime planquée dans la crème, un Noël blanc, un Noël bleu, Pablo Picasso et son frère Elmer, un sandwich à la moutarde, deux soldats de l'infanterie japonaise qui ne s'étaient pas encore rendu compte que la guerre était finie, le Prince Buster de Cleveland, un bateau à fond de verre, le testament d'Howard Hughes, un dentier complet, haut et bas, les quatre premières mesures de *La vie en rose* chantées par la chorale de l'Ecole des Roches, le

99

testament d'Howard Hughes (deuxième version), la veuve du soldat inconnu, six pigeons voyageurs, la morale petite bourgeoise, le prix Goncourt et une banane.

— Seigneur », jura Leigh-Cheri. Elle ne savait pas s'il fallait rire ou sauter par-dessus bord. « Ecoute, qui es-tu ? A quoi joues-tu ?

— Mickey le Rouge est mon nom, et mon jeu, celui du hors-la-loi. Je suis recherché dans cinquante Etats et au Mexique. C'est agréable de se sentir aussi désiré. J'aimerais que toi aussi, tu me désires. En fait, je n'ai largué mon déguisement que dans l'espoir de t'ouvrir les yeux et d'adoucir ton cœur. Voilà. J'ai abattu mes cartes. Ton vieux père comprendrait ce que cela veut dire.

— Seigneur ! Mickey le Rouge. Bernard Wrangle. J'aurais dû deviner. »

Le sourire frondeur de Bernard avait disparu. Si les sourires avaient une adresse, il faudrait écrire à celui de Bernard, Poste Restante, Lune. Il la regardait maintenant avec cette sorte de sérieux plaqué que les comédiens revêtent quand ils ont enfin la chance de jouer Hamlet. Mais cette expression était empreinte de tendresse et d'espoir sincères.

« C'est vraiment trop pour moi », dit Leigh-Cheri. Malgré la chaleur, elle tremblait. D'abord, pourquoi était-elle venue sur le bateau ? Elle aurait simplement pu y envoyer la police. « Il faut que je retourne au Festival. » Effectivement, le débat sur le contrôle des naissances devait commencer dans exactement sept minutes. Il essaya de l'aider à remonter sur le quai, mais elle repoussa sa main. Elle partit très vite, traînant derrière elle le parasol dépenaillé qui battait comme les pans de la chemise du loup-garou. Elle se retourna. « Ils finiront par t'avoir, tu sais. »

Le sourire de Bernard revint. « Ils ne m'ont jamais eu et ils ne m'auront jamais. On ne prend pas le hors-la-loi. Seuls les gestes des autres peuvent le punir. Comme le tien, maintenant, me punit. »

36

Dès l'annonce du Festival de la Géo-Thérapie, ses organisateurs furent submergés par les demandes des fabricants et commerçants de produits « écologiques » qui voulaient y vendre leurs marchandises du Nouvel Age — thés et herbes, sacs de couchage et tubs, teepees et moulins à vent, distilleurs d'eau et purificateurs d'air, fours à bois et yaourts gelés, art et artisanat, livres et Saint Frusquin, sous-vêtements bio-magnétiques et gâteaux aux brisures de caroubes. Les organisateurs du Festival refusèrent. Ils n'avaient rien contre les foires écologiques et les profits cosmiques, mais le Festival était conçu pour échanger, dirent-ils, « des idées, pas des objets ».

Maintenant, évidemment, la ligne de démarcation entre idées et objets est peut-être très étroite, mais n'essayons pas de la passer d'emblée. Galilée avait raison de jeter des objets plutôt que des idées du haut de sa tour. Et le Festival aurait peut-être mieux fait d'échanger aussi des objets. *Dans la gamme normale de nos perceptions,* la conduite des objets est mesurable et prévisible. Oublions pour l'instant qu'entre certaines mains, presque tous les objets, y compris ce livre que vous tenez en ce moment, peuvent devenir la pièce à conviction n° 1 d'un procès criminel ; oublions aussi que tous les objets peuvent, ce qui est beaucoup plus intéressant, avoir leur vie secrète ; oublions tout cela et nous pouvons affirmer sans prendre trop de risques que les objets, tels que nous les connaissons, sont relativement stables, alors que les idées sont totalement instables et que non seulement elles *peuvent* aboutir à des abus, mais encore qu'elles suscitent ces abus. Et que plus une idée est bonne, plus elle est volatile. C'est ainsi que seules les meilleures idées tournent au dogme, par un processus mortel qui transforme une idée neuve, stimulante et humanitaire en un dogme rigide. Par une transposition vectorielle, on peut comparer la transformation des idées en dogmes à celle de l'hydrogène en hélium, de l'uranium en plomb ou de l'innocence en corruption. Et c'est un processus presque aussi implacable.

Le problème commence au niveau secondaire, non pas avec celui qui donne naissance à une idée, mais avec ceux qui, séduits par cette idée, la font leur et s'y accrochent jusqu'à ce que leur dernier ongle casse. Car les adeptes manquent toujours de l'ouverture d'esprit, de la flexibilité, de l'imagination, et, ce qui est plus grave, du sens de l'humour, indispensables au maintien d'une idée dans son sens originel. Les idées sont l'œuvre des maîtres, les dogmes celle des disciples, et Bouddha est toujours assassiné en chemin.

Mal couramment répandu et particulièrement peu plaisant, la vision-tunnel, pour tous les dégâts qu'elle entraîne, devrait venir en tête de liste des priorités reconnues par l'Organisation Mondiale de la Santé. La vision-tunnel est une maladie dans laquelle la perception est affaiblie par l'ignorance et distordue par le bon droit. Elle provient d'un champignon oculaire qui se multiplie quand le cerveau est moins énergique que l'égo et peut être suivie de graves complications si le sujet est en contact avec la politique. Les filtres et compresseurs de la vision-tunnel ordinaire réduisent les dimensions et la valeur d'une idée. Mais il y a plus grave : ils donnent à cette idée une nouvelle configuration dogmatique par laquelle elle produit des effets contraires à ce pour quoi elle était originellement conçue.

C'est ainsi que l'amour prôné par Jésus-Christ aboutit aux sinistres clichés du christianisme. C'est ainsi que virtuellement toutes les révolutions de l'histoire ont échoué, les oppressés, dès qu'ils ont le pouvoir, devenant oppresseurs et totalitaristes, afin de « protéger la révolution ». C'est ainsi que les minorités qui luttent contre une injustice deviennent intolérantes, que les minorités qui veulent l'égalité deviennent pharisaïques, que les minorités qui défendent la paix deviennent militantes et celles qui recherchent la libération, agressives (un trou du cul contracté étant le premier symptôme de l'autorépression).

Ce petit sermon vous était offert par le service des Folies Essentielles de l'Université Hors-la-loi, dans l'espoir de vous faire comprendre comment le Festival de la Géo-Thérapie, avec tant de grands maîtres à son programme et tant d'idées savoureuses à son menu, tourna en eau de boudin.

« Un dialogue continu avec des cétacés pourrait transformer notre relation avec toutes les espèces vivantes et la planète que nous partageons avec elles. » Le Dr John Lilly avait à peine prononcé la conclusion de sa conférence sur l'intelligence des mammifères marins qu'il fut violemment pris à partie par ceux de son auditoire qui considéraient ces essais de communication avec des animaux comme une perte de temps et d'argent. « Et le dialogue entre êtres humains ? » demandèrent-ils. « Mon ex-mari, cria une femme, ne comprenait pas un traître mot de ce que je lui disais. Et vous croyez qu'il comprendrait un marsouin ? » « Est-ce qu'un gros poisson, demanda quelqu'un d'autre, va sortir mes frères du ghetto et leur donner du travail ? Sinon, pourquoi je m'emmerderais à causer à ct' entubé ? »

Vision-tunnel.

Leigh-Cheri trouvait toutes ces questions intéressantes, quoique grossièrement formulées. Elle se sentit gênée pour le Dr Lilly. Mais celui-ci répondit tranquillement à ses antagonistes, et, à côté de ce qui allait se passer l'après-midi, la matinée du mercredi s'écoula aussi facilement que la sueur des dauphins.

Grâce à cet enfant de salaud sans cervelle qu'était Mickey le Rouge, le Festival avait deux jours de retard sur son programme, et il fallut doubler les sessions. (Hawaii, terre du mahi-mahi et du loma-loma, y semblait prédestinée.) Les débats sur le contrôle des naissances et sur l'éducation furent réunis en une seule session, celle du mercredi après-midi. Sous le figuier banian, d'un bout à l'autre de l'estrade, étaient assis des experts. Faits et chiffres se formaient sur leurs lèvres comme de l'écume. Dès le début de la discussion,

103

une philosophie dominante se dégagea : les bébés n'étaient pas apportés par les cigognes et c'était bien dommage ; non seulement ils auraient dû l'être, mais peut-être pourrait-on aussi dresser ces échassiers à élever les enfants.

L'atmosphère était houleuse. « Nous ne voulons pas de contrôle des naissances, nous voulons un contrôle des braquemards ! » cria une femelle du troisième rang. Les applaudissements couvrirent la voix de la conférencière qui analysait, eh oui, les pouvoirs contraceptifs de la graine de carotte. « Quand même, se dit Leigh-Cheri, je me demande s'ils ne vont pas un peu loin. »

L'ambiance tournait au chahut. Le soleil n'arrangeait rien. Beaucoup quittèrent le parc pour aller prendre un bain et boire un verre. Giulietta, apparemment en aurait bien fait autant. Leigh-Cheri pendouillait lamentablement au bout de son manche de parasol, cible facile qui s'offrait aux balles du pouvoir intellectuel.

Sur l'estrade, une grande journaliste new-yorkaise, femme élégante dont on disait que son intelligence — et tout en elle, bouche, cœur ou vagin — se refermait sur ses proies comme un piège d'acier, prit la parole. « L'éducation d'un enfant commence au moment même de sa conception et il est ignoblement injuste de demander aux femmes neuf mois de baby-sitting, vingt-quatre heures sur vingt-quatre, sans aide ni répit. » D'une voix qui rappelait à Leigh-Cheri le son d'un marteau pneumatique de bijoutier en train de trouer les perles d'un collier, la journaliste décrivit à l'assistance les dernières techniques obstétriques qui allaient faire de l'insémination artificielle et de la gestation en éprouvette des pratiques courantes grâce auxquelles les femmes, enfin libérées, pourraient se réaliser, socialement et individuellement. Mettre des enfants au monde en restant vierge ne suffisait pas à la journaliste. Une fois nés, les bébés devaient profiter des avantages offerts par nos sociétés hautement spécialisées. Il fallait absolument que le festival adopte une résolution demandant au gouvernement fédéral une subvention pour la création de crèches où serait assuré par des experts un développement standardisé des jeunes et qui garantiraient l'indépendance des parents.

La Princesse emmagasinait dans son ordinateur toutes ces données. Elle trierait plus tard. Un vieil humoriste, que l'on avait invité afin d'apporter une « perspective différente » dans le débat répondit à la journaliste. Il l'accusa de sulfater les roses de la vie.

« Quel genre de bébés aurons-nous quand les formules chimiques remplaceront la baise ? lui demanda-t-il. Des bébés avec deux yeux, deux oreilles, un nez et cinq orteils à chaque pied, je n'en doute pas. Mais leur volonté sera-t-elle assez forte, leur imagination assez créative ? Leur âme communiquera-t-elle avec le mouvement infini de l'univers ? Ne s'enlisera-t-elle pas plutôt dans le dépôt vaseux du fond de l'éprouvette ? L'enfant extrait à l'heure exacte d'un ventre de plastique où il aura été privé du rythme, du contact maternel et du charivari de la vie quotidienne, ne gardera-t-il pas entre ses deux yeux un creux empli de liquide de synthèse, ne portera-t-il pas au plus profond de son cœur, si ce n'est ailleurs, la marque androïde ? »

La journaliste échangea avec l'assistance un long regard entendu. « Craignez-vous, demanda-t-elle à l'écrivain, qu'un enfant qui ne serait pas conçu comme au bon vieux temps, ne comprenne pas vos plaisanteries ? »

Dans l'assistance quelqu'un cria au poète : « La ferme, avec tes conneries mystiques ! » Mais, trop décidé ou trop soûl pour y prêter attention, le poète continua. « Et quelle sorte de société pensez-vous que ces enfants engendreront, une fois devenus adultes ? Ces enfants couvés sous contrôle étatique, ces enfants que feront roter des robots, que chatouilleront des techniciens, que réconforteront des cassettes enregistrées par des psychologues ? Imaginez-vous une seconde que des humains endoctrinés dès leur naissance par le gouvernement fassent jamais autre chose que servir ce gouvernement ? Pensez-vous qu'ils ne seront ni résidents ni présidents de nations policières totalitaristes dont la tyrannie dépassera les cauchemars les plus horribles de... »

105

La salle sifflait et huait le poète. Au-delà des cinq premiers rangs, sa voix se perdait dans le chahut. Il sortit une bouteille de gin et s'adressa directement à elle. Gentiment. La journaliste new-yorkaise arborait un sourire forcé. Plusieurs injures et quelques papayes trop mûres furent lancées vers le podium. La discussion dégénéra en un échange d'amabilités que tous ceux qui ont vécu au dernier quart du XXe siècle connaissent bien : les femmes accusèrent les hommes de manger les cerises à l'eau-de-vie et de laisser le chocolat qui les entourait ; les hommes leur répondirent qu'elles pissaient bien en douce dans la piscine.

Un professeur de Sheridan, Oregon, réussit à prendre la parole. « J'ai l'impression que toutes ces chamailleries nous ont fait oublier les enfants. En oubliant les enfants, nous oublions le futur, le futur que ce Festival s'était donné pour but de servir. » Il arborait le sourire discrètement triomphant de celui qui ramène les autres à la raison. Dans l'assistance, quelqu'un se leva et lui envoya au visage un vieux tampax sanguinolent. « Espèce d'existentialiste ! » cria-t-il en s'essuyant la joue.

« Si t'aimes tant les bébés, hurla une femme, fais-les toi-même ! »

« C'est vrai, ça », renchérit un de ses jeunes voisins. La femme et le jeune homme échangèrent une cordiale poignée de main. De tels gestes résoudront peut-être un jour le problème de la surpopulation.

Un yogi renommé, délégué du Festival, essaya à sa manière de faire cesser le désordre. Il s'installa tranquillement sur l'estrade, s'assit en lotus. Il rayonnait. Sereinement, méticuleusement, il déchira une toile d'araignée et la reconstitua. (Il n'en restait rien.) Il avala trois papillons, rota, et les trois papillons s'envolèrent sains et saufs. Cela n'impressionna que ceux des spectateurs qui étaient déjà initiés. Ce yogi puait l'éternité. Et pour beaucoup, l'éternité, c'était fini.

La situation se détériora. De désagréable, elle devint carrément pénible. Je vous épargnerai les détails. Trop, c'est trop. Un banian envoie ses racines aventureuses dans le sol. Elles s'étendent quelquefois très loin. Quand toutes les conditions requises sont réunies, ses branches portent des figues. Thomas Jefferson aimait les figues. Seul le génie de Jefferson empêcha la révolution américaine d'être aspirée par le tunnel plus vite qu'elle ne le fut. Jefferson était roux. Cela n'implique pas cela. Mais ceci implique peut-être que tout est lié.

Le débat tournant à la violence — ou, pire, à l'assemblée générale —, Leigh-Cheri abandonna le parc du figuier banian. Les palmiers de l'avenue, les romantiques palmiers d'Hawaii se bouchaient les oreilles de toutes leurs feuilles. Comme elle les comprenait! « Grands dieux », soupira-t-elle. Elle se sentait comme un gourmet qui se serait fait faisander en Sologne. « C'est mon pâté, et je pleurerai si je veux. »

Arrivée au bar de l'Auberge des Pionniers, elle s'assit sous l'un des harpons qui décoraient les murs. Elle commanda un mai tai puis changea d'avis et demanda à la place une tequila. Dehors, l'Océan se cognait la tête contre les flancs de la jetée. Elle pensait qu'il y avait de quoi. Dedans, montait une marée d'un genre différent, des vagues de jeunes hommes aux glandes vrombissantes. La nouvelle sauta de l'un à l'autre comme un poisson volant : la police avait arrêté l'auteur du mystérieux attentat à la bombe. « L'ont alpagué y'a environ une heure », entendit Leigh-Cheri dans le brouhaha du bar.

37

De l'autre côté des mers, il continuait à pleuvoir. Tard dans la nuit, les gouttes de pluie devenaient flocons de neige, mais à l'heure où les ingénieurs, vacillants dans le petit matin se présentaient aux grilles des usines Boeing, leur thermos de café sous le bras, il pleuvait de nouveau. Il pleuvait toujours et sans cesse. Un vent glacial débarqua, dernier passager de la pluie, avec une étiquette Alaska sur chacune de ses valises. Il se glissa sans une égratignure à travers les ronces et s'invita chez le Roi et la Reine sans plus de façons.

« Pas étonnant que la CIA ait tant de fuites », dit Max. Il était emmitouflé des pieds à la tête. « Ils ne connaissent vraiment rien à l'isolation. »

Chuck sortit le carnet où il notait ses observations secrètes. Le Roi Max le vit hésiter sur l'orthographe. « I-S-O-L-A-T-I-O-N », épela Max gentiment. Si le Roi savait que dans son pays une insurrection se préparait, il le cachait bien.

« Il me prend pour un con », se dit Chuck. Grâce au poste que l'on avait installé dans la cuisine, il surprit une conversation téléphonique entre Max et un certain A'ben Fizel.

« Il a conclu un accord avec les Arabes, fit-il savoir à la CIA.

— A-t-il été question d'armes ? demanda le correspondant de Chuck.

— Y z'ont parlé d'avions à réaction, et d' fusées missiles, je crois. »

Max s'était arrangé pour que, dès son retour d'Hawaii, la Princesse Leigh-Cheri rencontre A'ben Fizel. Tilli et Max chaperonneraient leur fille et Fizel. Ils iraient tous ensemble à un match de basket. Les Supersoniques de Seattle contre les Rockets de Houston. Au Palais des Sports.

« Y z'ont aussi parlé d'un combat au Palais.

— Nom d'une pipe, se dit l'agent secret. Ça c'est un tuyau. »

La Reine Tilli se plaignit à son chihuahua dont elle avait habillé la tremblante petite carcasse d'un manteau de laine pourpre à col de fourrure. « Bazketbôle... Bazketbôle... Za m'aurait édonnée qu'un Arabe aime l'Obéra. »

38

« Tu pleures.

— Non je ne pleure pas.

— Ah bon. Tu ne pleures pas. Et tu n'es pas essoufflée. Ça tombe bien, parce qu'ici on n'accepte pas les cavaleuses. Est-ce encore un pétard que j'ai dans ma poche, ou suis-je simplement content de te voir ? »

Leigh-Cheri renifla. « Tu n'as pas un Kleenex ? demanda-t-elle.

— Mais si, bien sûr. Je vais te trouver quelque chose. Entre. »

Leigh-Cheri se pencha pour entrer dans la cabine. Elle déroula un grand morceau du rouleau de papier Q que lui tendait Bernard, l'arracha et se moucha. Les larmes dégagèrent la piste.

« Mais... Tu es là ?

— Apparemment oui, je suis là. Mais ce n'est pas une raison pour pleurer.

— Je ne pleurais pas. J'ai eu une sale journée. Une de plus. Une sale journée parmi tant d'autres. Remarque, je ne me plains pas. Chacun son lot. Mais des journées comme ça, ça prend du temps. Je suis une jeune fille très occupée. Je ne faisais que passer. J'avais cru comprendre qu'on t'avait arrêté.

— Oh oh ? Tu m'as donné ?

— Non, justement, je ne t'ai pas donné. Les flics ont agrafé quelqu'un pour l'attentat de l'Auberge. Un coup d'épée dans l'eau. Ils ont dû prendre le premier venu, je sais. Mais j'ai pensé que ça pouvait être toi.

— Que tu aies pensé une chose pareille me blesse un peu, mais je suis ravi que tu sois venue vérifier. J'ai la joie de t'annoncer que si ne pas être enfermé c'est être libre, je suis libre comme l'air.

— Mais alors, je me demande qui la police a arrêté.

109

— Je crains qu'il ne s'agisse d'un incident international ou plus exactement, interplanétaire. La police a jugé bon d'incarcérer nos hôtes de la lointaine Argon.

— Sans blague? C'est vrai? Comment est-ce arrivé, pourquoi eux?

— Parce qu'un interlocuteur anonyme a affranchi les flics qui ont trouvé ensuite deux bâtons de dynamite dans la Toyota qu'ils avaient louée. Hmmm...

— Bernard!

— Chuttt. J'essaye d'imaginer à quoi peut ressembler un permis de conduire argonien. L'un d'eux avait forcément un permis de conduire, sinon ils n'auraient pas pu louer de voiture.

— Bernard, c'était ta dynamite.

— Tu crois?

— Mais pourquoi deux bâtons? Tu en avais trois.

— Vas-y, continue, dis-moi que je ne suis qu'un égoïste. Un mauvais chrétien. Je ne peux pas m'en empêcher. Pourquoi tout leur donner? On ne sait jamais, peut-être en aurais-je un jour besoin. »

Elle choisit de lui répondre sur le même ton anodin et respira longuement, calmement. « Mais qu'est-ce que tu veux prouver avec ta dynamite?

— Prouver? La dynamite n'est pas venue ici pour expliquer quoi que ce soit. Elle est venue pour réveiller.

— Tu crois que la dynamite peut rendre le monde meilleur?

— Meilleur que quoi? Qu'Argon?

— Quel faux cul! J'essaye de comprendre et tu t'en sors toujours par une pirouette. » Sa petite main brûlée par le soleil froissa nerveusement le papier hygiénique plein de morve et de larmes.

« Peut-être que tu ne poses pas les bonnes questions. Si tout ce qui t'intéresse, c'est rendre le monde meilleur, alors retourne au Festival et adresse-toi à Ralph Nader...

— Mais j'ai bien l'intention d'aller écouter Ralph. Ralph

110

Nader quoi. » Elle rougit. Elle avait l'impression d'avoir trahi l'intimité de ses plaisirs secrets.

« C'est bien. Vas-y. Mais si *vivre* un monde meilleur t'intéresse un tant soit peu, alors, reste avec moi.

— Ah ouais? Ce serait — *peut-être* — super pour nous deux. Mais les autres?

— Il faut bien commencer quelque part. Pourquoi pas ici, entre toi et moi? »

Elle se tut, pensive. Elle défroissa le bout de papier Q, comme ça, juste pour garder une contenance. Cela lui rappela le yogi et la toile d'araignée. « Bernard, demanda-t-elle, tu crois que j'attache de l'importance à des choses qui n'en ont pas?

— Je ne sais pas, bébé. Je ne sais pas ce qui est important pour toi parce que je ne connais pas tes rêves. Nous *pensons* souvent attacher de l'importance à ceci ou cela, mais nos rêves nous apprennent toujours ce qui nous intéresse *vraiment.* »

Leigh-Cheri pensa à ses rêves. Certaines images encore vivaces lui revinrent à l'esprit. Elle rougit à nouveau et sentit en même temps le poisson-pêche devenir tout mouillé. « Je ne me souviens jamais de mes rêves, mentit-elle.

— Chaque nuit, nous rêvons pendant des heures, mais lorsque nous nous réveillons, nous avons oublié quatre-vingt-dix pour cent de ces rêves. C'est pour ça que les poètes sont des éléments importants de la société. Ils nous rappellent les rêves que nous avons oubliés.

— Est-ce que tu es un poète?

— Je suis un hors-la-loi.

— Est-ce que les hors-la-loi sont des éléments importants de la société?

— Les hors-la-loi *ne sont pas* des éléments de la société. Cependant ils peuvent avoir une certaine importance *pour* la société. Les poètes nous rappellent nos rêves, les hors-la-loi les accomplissent.

— Ah oui? Et les princesses? Est-ce qu'une princesse est quelqu'un d'important?

111

— Elles l'étaient autrefois. Elles représentaient la beauté, les sortilèges et les châteaux de contes de fées. C'était vachement important. »

Leigh-Cheri secoua lentement la tête, de droite à gauche. Ses tresses rousses se balancèrent comme les rideaux des plantations la nuit où le Vieux Sud fut vaincu. « Arrête un peu. Tu ne dis pas ça sérieusement ? Tu ne vas pas me faire croire que Mickey le Rouge avale toutes ces conneries à l'eau de rose ?

— Ha ha ha. Toi qui aimes tant la Terre, sais-tu qu'elle est creuse ? La Terre est une boule creuse, Leigh-Cheri. A l'intérieur de la boule, il y a une roue de fil de fer et sur la roue, un écureuil qui court. Un petit écureuil qui se crève à courir pour toi et moi. La nuit, juste avant de m'endormir, j'entends l'écureuil. J'entends le bruit de sa course folle, j'entends son petit cœur qui bat, j'entends craquer la cage, la roue est vieille et délabrée maintenant. Elle est complètement rouillée. L'écureuil se tape tout le boulot. Tout ce que nous avons à faire, c'est huiler la roue, de temps en temps. Avec quoi crois-tu que nous huilions la roue, Leigh-Cheri ?

— Tu crois vraiment que c'est ça, Bernard ?

— Croix de bois, croix de fer, si je meurs, je vais en enfer.

— Je... Moi aussi, je le crois. Mais je me sens coupable. J'ai l'impression de me laisser aller à toutes mes lubies.

— Ceux qui font taire les caprices du monde connaîtront la roideur de la mort avant leur heure. »

Le *C'est la Fête* faisait douze mètres de long, sans compter son bout-dehors. Quatre personnes seulement pouvaient y dormir, car il avait été transformé de façon à transporter le plus de marchandise possible sans que cela ne se voie trop. Il était en teck, avec des garnitures de cuivre et dégageait une odeur de bateau à épices, ce qu'en quelque sorte il était. Leigh-Cheri était assise à l'arrière, dans la cuisine. Il y avait sur la table une carte marine des îles Hawaii que protégeait une plaque de verre. Les tasses à café et les verres de tequila y avaient laissé des marques circulaires, atolls poisseux d'un Pacifique jonché de miettes de pain. De ses doigts libres,

112

Leigh-Cheri suivait les récifs inconnus. « Tu sais, dit-elle enfin, ce que tu m'as dit sur les princesses me fait du bien. Avec la plupart des hommes que j'ai connus, je me sentais coupable d'être princesse. Ils se seraient esclaffés en douce à la moindre évocation de beauté, de sortilèges et de... de quoi d'autre as-tu parlé à propos des princesses ?

— Enchantement, prophéties spectaculaires, cygnes glissant sur les douves des châteaux, pièges à dragons...

— Pièges à dragons ?

— Toutes ces conneries romantiques qui rendent la vie intéressante. Les gens en ont autant besoin que d'essence pas trop chère à leur pompe Texaco ou que de café sans mort-aux-rats. Les hommes avec qui tu as été ne te suçaient probablement pas bien les seins tellement ils devaient avoir peur d'avaler des pesticides. »

En entendant leur nom, ses tétons se dressèrent, attentifs.

« A un certain moment de mon passé de hors-la-loi, quand exactement, n'a aucune importance, si ce n'est que je venais pour la première fois de m'évader d'une prison fédérale, j'ai participé à un détournement d'avion. Castro, ce vieux renard, m'offrit refuge. Mais je n'étais pas à Cuba depuis un mois que j'empruntai un petit bateau à moteur hors-bord et teuf-teufai comme un diable vers la Floride. L'uniformité du système socialiste m'étouffait d'ennui. Pas de mystère, à Cuba. Pas de changements, pas de nouveauté, et, ce qui est plus grave, pas de choix. Malgré les vices ignobles que le capitalisme encourage, au moins, il s'y passe quelque chose. Les possibilités sont ouvertes. Au moins, en Amérique, la lutte est une lutte individuelle. Et si l'individu fait preuve d'assez de force et de volonté, ses possibilités sont quand même plus épaisses que le rembourrage en polyester de l'attaché-case d'un vendeur de bagnoles. Dans le système socialiste, tu n'es ni mieux ni pire que tous les autres.

— Mais c'est l'égalité !

— J' t'en ficherais, moi, de l'égalité. Du baratin, oui ! Du baratin antiromantisme et antiplaisir. L'égalité ne consiste pas à considérer comme semblable ce qui est différent,

113

l'égalité consiste à considérer différemment ce qui est différent.

— Tu as peut-être raison. » Elle tripotait toujours son bout de papier Q. Elle le posa sur la table, et, sans y penser, fit disparaître tout un archipel. (Ne serait-ce pas ce que l'on appelle la « main de Dieu » ?) « Je ne me sens en tout cas sûrement pas comme tout le monde. Surtout quand je suis près de toi. Mais ça me donne seulement envie d'aider ceux qui n'ont pas autant de chance que moi.

— Il y a toujours la même quantité de chance et de malchance dans le monde. Si la malchance ne te poursuit pas, c'est qu'elle poursuit quelqu'un d'autre à ta place. Et il y a aussi toujours la même quantité de bien et de mal. Nous ne pouvons extirper le mal de ce monde, nous ne pouvons que l'éviter, le forcer à se pousser de l'autre côté de la ville. Et quand le mal s'en va, un peu de bien s'en va avec lui. Mais nous ne pouvons jamais changer la proportion qui existe entre le bien et le mal. Tout ce que nous pouvons faire, c'est tourner sans arrêt afin que ni le bien ni le mal ne se solidifient. Parce qu'alors, la situation devient grave. La vie est une fricassée qu'il faut faire cuire en remuant pour qu'elle n'attache pas. » Il fit une pause. « De toute façon, d'après ce que je t'ai entendu dire, tu n'as pas tellement eu de chance, ces temps-ci.

— Ça pourrait changer. Tu m'as redonné envie de croire au romantisme, et Ralph Nader commence sa conférence dans quarante minutes. Mais dis-moi encore une chose avant que je ne m'en aille. Si mon rôle est de jouer les ingénues de contes de fées et les pièges à dragons — *piège à dragons* — toi, à quoi sers-tu ?

— Moi ? Je représente l'incertitude, l'insécurité, le désordre, la surprise, l'illégalité, le mauvais goût, la rigolade et les trucs qui font boum dans la nuit.

— Le trip du desperado, quoi ! Avec toutes ses vilaines actions, détournements d'avions, attaques de banques...

— Non. Pas les banques. Je les laisse aux voleurs. Quel

114

que soit le côté du guichet d'où ils opèrent. Jamais un hors-la-loi ne...

— C'est vraiment si *différent,* un hors-la-loi ?

— Oh non, pas si différent que ça, je ne crois pas. Un jour ou l'autre, si tu es honnête, tu dois toujours remettre en question ton échelle des valeurs. Et ça t'oblige à distinguer ce qui est juste de ce qui est légal. C'est la cavale philosophique. Les hors-la-loi de ce genre sont nombreux en Amérique. Je suis allé un peu plus loin, c'est tout.

— Tu as sauté de la marmite dans le feu croisé, hein, Bernard ? C'est courageux. Vraiment. Mais pour parler franchement, j'ai l'impression que tu es devenu un parfait stéréotype.

— Tu as peut-être raison, mais ça m'est égal. Tous les fanas de bagnoles te le diront, les vieux modèles sont les plus beaux, même s'ils réalisent de moins bonnes performances. Ceux qui sacrifient la beauté aux performances récolteront ce qu'ils auront semé.

— Tu arrives peut-être à n'être qu'un beau stéréotype qui ne se soucie pas de la société, mais ma conscience ne me le permet pas. Et puis merde, je ne veux pas être un piège à dragons. Je suis tout aussi capable de venir à ton secours que toi au mien.

— Je suis un hors-la-loi, pas un héros. Je n'ai jamais eu l'intention de t'aider. Tout à la fois dragon et héros, chacun doit se sauver soi-même de lui-même. Pourtant, même les hors-la-loi rendent à la société quelques menus services. J'ai apporté ces quelques bâtons de dynamite à Maui pour rappeler à tous ceux du Festival l'égale banalité du bien et du mal. Quant à toi... comment voulais-tu que je ne perde pas la tête dès que j'ai vu tes cheveux ? »

Leigh-Cheri ramena devant ses yeux une mèche de ses longs cheveux. Comme pour les comparer, elle se pencha vers Bernard, assis en face d'elle, et examina une de ses boucles rebelles. Les cheveux roux ont en général une nuance orange. Pas ceux de Bernard. Ils étaient rouges, comme la première couleur du spectre et la dernière que les mourants distinguent, de ce vrai rouge au sang bleu des voitures de pompiers.

Le profond silence embarrassé qui suivit fut enfin rompu par le bruit étouffé de la main de Mickey plongeant dans son propre jean. Avec autant de succès que le Petit Tailleur, il en retira un poil qu'il tendit au-dessus de la table. « Tu as de quoi faire ? » défia-t-il.

Tu vas voir, mec. Tu-vas-voir-tu-vas-voir.

Sous la table, sous la carte d'Hawaii et sous ses atolls inconnus, elle envoya une main sous-marine glisser au creux de sa taille et s'enfoncer dans les profondeurs de sa jupe. Dernier barrage, l'élastique de sa culotte fut écarté. Elle tira. Ouille ! Merde, raté. Elle tira encore. Et voilà ! Un poil dur et frisé, aussi rouge que les fils dont on tisse les bannières socialistes.

« Qu'est-ce que tu dis de ça ? » demanda-t-elle fièrement. Puis elle aperçut, pendant au bout du poil comme la tête d'un têtard, une minuscule perle dénonciatrice de rosée poisseuse. Doux Jésus, pas ça ! Son autre main s'ouvrit. Le bout de papier froissé tomba par terre comme une colombe abattue en plein vol. Son visage s'enflamma, aussi pourpre que le poil qu'elle tendait à Bernard. Elle aurait voulu disparaître.

« Ce que je dis de ça ? » La voix de Mickey le Rouge était emplie d'une grande douceur. « Je pense que cela peut nous aider à rendre le monde meilleur. »

39

« La concentration verticale des conglomérats alimentaires, celle par exemple de l'industrie volaillère, s'est nettement accélérée dans le dernier quart du XXe siècle. Malheureusement, l'Amérique urbaine ne s'est pratiquement pas rendu compte du développement de ce " servage " des producteurs de volaille. »

Auréolé par la lumière de la lune qui filtrait à travers les feuilles du grand figuier banian, le Héros s'adressait à la foule. Habillé d'un costume gris bon marché et d'une cravate désespérément beige, il aurait aussi bien pu se trouver à Philadelphie qu'à Lahaiina, mais son intégrité était telle qu'au son de sa voix les mangoustes cessèrent de poursuivre les caniches de la bibliothèque publique, et que même les copines de Montana Judy, qui avaient pourtant gueulé comme les diables des sept enfers le matin même, restaient assises sur la pelouse dans un silence plein de respect. En fait, à part quelques éventails japonais de plastique et les lèvres sèches du Héros, seule bougeait dans le parc du banian la silhouette d'une vieille duègne qui traversait la foule lentement, rangée après rangée, à la recherche de celle dont elle devait répondre.

« *Comment, par exemple, la ménagère peut-elle détecter les résidus d'hormones, d'antibiotiques, de pesticides et de nitrates dans la viande qu'elle achète, sans parler des surplus d'eau des poulets, du jambon et des viandes préparées ? Et que pourrait-elle faire si elle les détectait ?* »

Baisers baveux, langues léchées et surplus d'eau. Leigh-Cheri et Bernard s'embrassaient follement. Les dernières larmes de la Princesse disparurent sous les lèvres de Bernard. Et il embrassa aussi les petites traînées de morve, nettoyant son visage comme un animal lèche le sel au creux des rochers. Il envoya un doigt en renfort dans la bouche de Leigh-Cheri et lut en braille ce qui s'y écrivait. Elle suça ce doigt et pressa si fort son corps contre lui qu'il faillit perdre l'équilibre et tomber sur tribord : dans le port, l'Océan dansait avec la marée montante, et ils n'avaient pas encore le pied marin. Doucement, centimètre par centimètre, Bernard glissa sa main sous sa jupe. La culotte de Leigh-Cheri fondit presque sous son étreinte. Ouahouu ! Si Max lui avait demandé à ce moment-là la cote de la chasteté, son bookmaker lui aurait immédiatement répondu huit contre un.

« *L'industrie chimique et ses marchands ont fait en sorte que le gouvernement ne pousse pas la recherche de méthodes alternatives moins dangereuses dans le domaine de la lutte contre les parasites agricoles.* »

117

Bernard lui tendit un comprimé et un verre de tequila pour l'avaler. « Tiens. Prends ça.

— Qu'est-ce que c'est ?

— Chi-Link. Contraception chinoise. C'est très ancien et très efficace. Un comprimé fait effet pendant plusieurs mois.

— Mais, je ne sais pas... C'est fait avec quoi ?

— Les quatre immortelles.

— Quatre, seulement ? Six me paraîtraient plus sûres.

— Prends-le, bébé. »

Elle l'avala en essayant de ne pas penser à ce défilé de Chinois qui, alignés par huit, faisaient le tour du globe.

« Plus tard, je t'enseignerai la lunaception : tu apprendras à observer la coordination de ton cycle avec celui de la lumière. Et tu arriveras à synchroniser ton corps aux phases de la lune. Plus de polichinelles indésirables. Ce qui ne t'empêchera pas de rester en harmonie avec l'univers. C'est chouette, non ? »

Leigh-Cheri était si heureusement surprise par ce qu'elle venait d'entendre, si contente que ce fou de terroriste se soucie de son ventre, qu'elle se jeta à son cou, et embrassa avec passion ce rare spécimen d'une espèce en voie de disparition. Elle se déshabilla dans les rires et les baisers. Rongez vos poings, vieux Présidents républicains.

« *La concurrence, la liberté d'entreprise et l'économie de marché n'ont jamais été destinées à jouer le rôle de feuilles de vigne du socialisme corporatiste et du capitalisme monopolistique.* »

Le Héros réalisait-il, en disant cela, que d'autres feuilles moins symboliques protégeaient son costume lustré des folâtres rayons de lune ?

A bord du *C'est la Fête,* la dernière feuille de vigne était tombée. Le short — noir évidemment — de Bernard, avait glissé sur le sol au moment même où Leigh-Cheri mettait un pied hors de sa culotte tombée à terre. Leurs habits jonchaient le plancher, ramassant la poussière comme des villes fantômes qu'on abandonne quand les mines de nylon sont épuisées.

Ils se jetèrent sur la banquette inférieure. Il était déjà

118

arrivé à Leigh-Cheri de se sentir aussi excitée, mais jamais elle n'avait été aussi détendue en même temps. Ses genoux encadraient son visage souriant. Elle lui présentait une cible qu'il aurait été difficile de rater. La lumière de la lune, claire comme un citron, pénétra dans le sloop par le hublot et fit miroiter l'œil-de-bœuf. Bernard alla droit au but. Il s'enfonça jusqu'à la garde. « Doux Jésus », cria Leigh-Cheri. « Miam-mm », murmura-t-il. La mer balançait le bateau, unissant son rythme au leur.

« *Rarement énoncés devant le public, les raisonnements qui font de la pollution le " prix du progrès " et la " rançon de l'emploi " restent cependant toujours considérés comme opérationnels par les grandes entreprises.* »

Deux parts d'oxygène, une part d'azote, et trois parts de buée d'amour, de vapeurs passionnées et de fumées cupidoniennes. Dans la cabine arrière, l'air s'épaississait. Leur senteur moite ondoyait au-dessus d'eux comme une voile. Elle les poussait de vague en vague, de spasme en spasme. A l'odeur de son con, les écoutilles se refermèrent. La senteur de son sperme inonda les cales.

« Ooh, dit Leigh-Cheri émerveillée, comme nous sentons *beau.*

— Assez pour être mangés. » Il pensa à ce qu'il venait de dire. Cela lui donna une idée.

« *Les groupes d'étudiants et de citoyens concernés par les problèmes de l'environnement ont oublié ou écarté une institution fondamentale.* »

Ils restèrent immobiles un moment. Le temps de reprendre leur respiration, de laisser s'apaiser le tempo de leurs cœurs, de se regarder dans les yeux, hypnotisés, figés dans la transe amoureuse de la découverte de l'autre. Leigh-Cheri rompit le silence. « Tu sais, Bernard, c'est pas très sympa d'avoir fait ça.

— Pardon. Je croyais que tu aimais. Certaines femmes sont très inhibées en ce qui concerne... cette partie de leur corps. Peut-être que ça leur fait mal. J'ai essayé de faire doucement, et ça n'avait pas l'air de te déplaire.

— Mais non, idiot, pas *ça.* Je ne parle pas de ça. Bien sûr

119

que j'ai aimé. C'était la première fois. Pas même un doigt, tu imagines ? Aucun de mes amants n'a jamais dû penser que les princesses aussi avaient un cul. » Elle embrassa Bernard avec gratitude.

« Le coup de la dynamite, je voulais dire. Les pauvres ambassadeurs d'Argon. Quand même, leur faire porter le chapeau !

— Ceux-là ? Ecoute, bébé, premièrement, s'ils ont réussi à venir sur la Terre de là-bas, ils ne devraient avoir aucun mal à sortir de la prison de Lahaiina. Deuxièmement, ce qu'ils disaient sur les roux constituait un véritable crime contre nature. Nature demande justice. Et troisièmement, Mickey le Rouge est fier de ce qu'il fait, même quand il a joué à côté de la plaque. Et il ne laissera pas ces goinfres de gloire venus d'ailleurs profiter de ce qui fut un assez bel ouvrage de dynamiteur professionnel. Un jour, il rétablira la vérité. Mais pas tout de suite. Sa prescription tombe dans onze mois. Mickey le Rouge pourra alors se montrer sous un jour plus amusant.

— Dans onze mois tu seras libre ?

— Si c'est ça, la liberté, oui.

— Quelque chose fait que j'en suis très heureuse.

— Je me demande quoi. »

Ils se serrèrent l'un contre l'autre, et quand ils furent aussi près l'un de l'autre qu'ils le pouvaient sans se retrouver l'un derrière l'autre, ils recommencèrent à s'embrasser. Il enfonça son majeur dans le vagin de Leigh-Cheri, mais elle l'en retira et l'introduisit, non sans mal mais avec un plaisir extatique, dans l'anus royal.

« Territoire hors-la-loi », souffla-t-elle.

« *Le public doit exiger une libéralisation des lois et de la technologie permettant de désarmer le pouvoir des grandes sociétés qui oppose la nature à l'homme. Mesdames et Messieurs, merci.* »

Je me demande si le figuier banian prit les applaudissements pour lui. La lune, elle, savait certainement qu'en ce dernier quart du XXe siècle elle ne devait attendre aucun encouragement. Le Héros hocha la tête sans courbettes,

120

descendit du podium et traîna modestement ses godillots vers la sortie.

Si le succès est applaudi et l'échec hué, Giulietta ne méritait ce soir-là que des sifflets. Après une heure de recherches diligentes, ne sachant toujours pas où trouver sa jeune maîtresse, Giulietta quitta le parc à son tour.

Bernard et Leigh-Cheri auraient pu s'applaudir à juste titre, mais après l'amour, les amants manifestent rarement leur satisfaction ainsi. De toute façon, ils étaient bien trop épuisés pour se faire l'ovation qu'ils méritaient. Et eux aussi se préparaient à prendre congé.

Ils s'assirent sur la banquette. Partagèrent une tasse de tequila et les gâteaux roulés d'Hostess Twinkies. Comme des touristes visitant un site géologique, ils regardaient la lave translucide descendre le long des jambes de Leigh-Cheri.

« Tu en étais vraiment plein à ras-bord.

— Fourré à la crème comme une bonne Hostess Twinkies. »

Elle trempa son pouce dedans et le porta à sa jolie bouche. Elle poussa un petit rire.

« Il paraît que ça a un goût de plastique, lui dit Bernard.

— Crème de terroriste. Un jour, j'en prendrai un bol entier.

— Tu sais comment ouvrir la boîte. »

La Princesse se leva. Elle semblait rêveuse. « Je ne sais pas si je vais pouvoir marcher, dit-elle à Bernard.

— Eh bien, je te porterai.

— C'est ça, l'amour?

— Je ne sais plus ce qu'est l'amour. Il y a une semaine j'avais plein d'idées sur la question. Maintenant que je suis amoureux, je ne sais plus rien. Amoureux et bête en face de l'amour. »

Leigh-Cheri aussi se sentait bête. Elle eut beau chercher partout, elle ne put retrouver sa culotte. « Elle a dû fondre », plaisanta-t-elle en se serrant contre Bernard pour lui dire au revoir. Mais elle soupçonnait au fond d'elle-même les dieux de l'avoir pulvérisée dans leur courroux parce qu'elle avait donné son corps à un hors-la-loi et non son âme à une cause. En fait, une mangouste, attirée par le parfum naturel qui émanait du sloop, était montée à bord et l'avait emportée. Après en avoir mâché tout le sel, la mangouste avait abandonné la culotte dans un caniveau de Hotel Street. Le lendemain matin, le Héros, hélant un taxi pour se rendre à l'aéroport, la piétina sans s'en rendre compte. Les dentelles gémirent inutilement sous ses semelles implacables.

40

Enfin elle était reine à Hawaii. Hawaii s'ouvrit à elle comme elle s'était ouverte à Bernard, comme une fleur à la corolle profonde et moite, comme un livre aux pages de satin, comme un fruit si gonflé de jus qu'il se tend douloureusement vers la pointe du couteau. Malgré les objections timides de Giulietta, Leigh-Cheri passa la journée du jeudi avec Bernard, et partout où nos deux rouquins se rendirent, Hawaii était là pour les accueillir.

Ils pique-niquèrent dans une forêt au pied du volcan. Les fourmis, chacune portant peut-être un minuscule collier de fleurs, arrivèrent en foule pour leur souhaiter la bienvenue. Bernard mordit dans une tomate. Il cracha les pépins. Les pépins formèrent un cercle sur le sol. Bernard et Leigh-Cheri s'assirent dans le cercle. Les fourmis, pour leur dire « Aloha » attaquèrent la circonférence, mais le cercle ne se rendit pas. Leigh-Cheri passa les cornichons à Bernard. Bernard tendit le fromage à Leigh-Cheri. Quelque part dans la brousse, le vent faisait se cogner des bambous les uns contre les autres. Clac-clac-clac. Leur musique résonnait comme les dents des idoles de bois quand leur bouche se referme. Les portes jaunes des gingembres en fleur, tournant sur des gonds qui ne grinçaient jamais, s'ouvraient et se refermaient dans le vent.

Bernard déboucha une bouteille de Primo, la bière d'Hawaii. Bien que la bière fasse partie des rares aliments totalement neutres, n'étant ni yin ni yang, ni acide ni alcaline, ni solaire ni lunaire, ni masculine ni féminine, ni totalement dynamique ni complètement inerte, bien que la bière se traîne perpétuellement dans la neutralité et convienne par conséquent parfaitement à ce dernier quart du xxᵉ siècle indécis et sans passions, la Princesse ne buvait pas de bière. Elle se contenta des doux zéphyrs de Maui. Et après le déjeuner, sous le regard des fourmis, qui n'arrêtèrent pas pour cela leurs frénétiques allées et venues, elle but le jus de son amant. « Miam-mm. Ça n'a pas un goût de plastique, pensa-t-elle. Ça ressemble beaucoup au poï. » Ah, Hawaii.

De même qu'il existe une façon de manger tout à fait nocive, faire l'amour peut être très mauvais. Les fameux gâteaux à la crème de framboise de Thrift-E Mart vous paraissent peut-être tentants, et font peut-être chanter Noël à des centaines de papilles gustatives de votre bouche, mais un jour tout ce sucre, ces additifs et ces calories boursouflées bouchent vos artères, disloquent vos cellules, vous engraissent et pourrissent vos dents. Même des aliments potentiellement nourrissants peuvent être mal préparés. Il existe aussi dans le domaine du sexe de mauvaises combinaisons et des préparations impropres. Eh oui, on doit se préparer à baiser, comme le prêtre éclairé se prépare à célébrer la messe, comme le grand matador se prépare aux arènes : il faut se renforcer, se purifier, faire consciemment appel à un pouvoir sacré. Mais même cela ne suffit pas si les ingrédients ne vont pas ensemble : les huîtres et les fraises sont des aliments délicieux, mais les manger ensemble... (?!) Toute bonne recette sexuelle comprend au moins une pincée d'amour, et les coups qui se voient décerner quatre étoiles par les gourmets et les fanas de la vie saine en utilisent toujours plusieurs cuillerées. Non pas que le sexe doive être considéré comme une thérapeutique ou exercé dans un but médical — il faudrait vraiment être crétin pour accrocher un tel boulet au cou fragile de la baise —, mais aborder l'érotisme avec négligence, d'une manière superficielle et détachée, sans aucune chaleur, c'est dîner tous les soirs dans des assiettes grasses. Avec le temps, le palais perd toute sensibilité et l'on souffre (sans s'en apercevoir) de malnutrition émotionnelle, la peau de l'âme se couvre d'ulcères scorbutiques, les dents du cœur se carient. La durée ou les engagements officiels ne constituent pas nécessairement la bonne mesure. Certaines explosions de passion éphémère entre deux êtres qui ne se sont jamais vus sont souvent plus chargées d'érotisme que de longues années de mariage. Il y a des séances d'un soir à Jersey City plus glorieuses que des liaisons de plusieurs mois à Paris. Mais c'est l'engagement réel qui compte, si bref soit-il ; la pureté, même passagère, la vulnérabilité, même cachée, la générosité d'esprit, même entachée par le besoin, un véritable souci de l'autre, même déformé par le désir, voilà les ingrédients indispensables à des relations saines, voilà ce qu'il faut mettre dans le sexe si l'on ne veut pas s'empoisonner lentement. Après avoir consommé pendant des années du sexe de pacotille (souvent indéniablement bon à s'en lécher les babines), la Princesse Leigh-Cheri se retrouvait maintenant devant une abondance de nourriture sensuelle aussi savoureuse que saine, qui, inutile de le dire, lui convenait parfaitement. Ils essayèrent de faire l'amour debout dans les vagues de Kaanapali (les touristes de la plage ne se doutèrent de rien), elle joua avec l'image de son amant reflétée (jusqu'au moindre poil roux) dans un étang caché par les arbres de la brousse, fit rebondir sur une selle son derrière encore tout douloureux des ébats de la veille le long des pistes de Makawao (elle n'avait jamais vu personne se tenir debout sur un cheval ou cueillir une mangue en lançant un couteau : Ah, ce Bernard !). C'était comme si tout ce qu'elle avait imaginé en rêvant devant ses posters se réalisait enfin.

41

Et pourtant elle sentait encore le petit pois sous son matelas. Malgré le rembourrage, elle l'entendait émettre — bip bip bip — sa lancinante litanie : pauvreté, gaspillage, injustice, pollution, maladie, armement, sexisme, racisme, surpopulation ; le triste inventaire des maux sociaux au-dessus desquels la chair d'une princesse n'arrive jamais à confortablement s'installer.

Poussée par le petit pois, elle envisagea de revenir ce soir-là au Festival de la Géo-Thérapie et au but initial de son voyage à Maui. Mais à travers les vignes de Kamaaiina, arrivèrent jusqu'à elle les échos de la dernière session du parc au figuier banian. Ce qu'elle entendit la fit bouillir (et révéla certains aspects de son caractère de rousse qui n'étaient pas des plus attirants). Apparemment, les micros des conféren-ciers avaient été pris d'assaut : la bande de Montana Judy avait d'abord vocalisé sur les trente-huit vers de la célèbre ballade *Tous les hommes violent* (phénomène assez curieux, beaucoup d'hommes dans le public avaient chanté en même temps) ; Dédé le Pédé et ses amis lurent ensuite un long manifeste poétique intitulé *Nous sommes tous des homosexuels ;* enfin, le révérend Booker t. Kilimanjaro, la Bible dans une main et une machette dans l'autre, se lança dans son sermon préféré, *Pilate était un ignoble impérialiste et Jésus-Christ un Nègre*, tout en dansant disco sur les derniers tubes à la mode. Avec tout ça, le séminaire sur l'énergie solaire fut éclipsé, et la conférence sur les produits qui nous apporteront un jour l'immortalité, prématurément tuée. Le yogi qui avait déchi-queté la toile d'araignée essaya, à la demande des organisa-teurs, de faire jouer son charme cosmique sur les fauteurs de troubles afin qu'ils abandonnent le podium. Il fut violem-ment jeté à bas de l'estrade et la dernière fois qu'on le vit, il boitait vers la tente de premiers secours, penché dans l'Asana de la Clavicule-Cassée.

Leigh-Cheri était furieuse. « Tu sais ce qu'on devrait faire ? Et je ne rigole pas. On devrait prendre ce dernier bâton de ce-que-tu-sais, l'emporter là-bas et faire gicler hors du parc ces grossiers emmerdeurs. De toute façon, le Festival de la Géo-Thérapie s'est révélé être un vrai panier de crabes. Autant en finir carrément.

— Ah oui ? Tu veux dire que tu me ferais mettre une bombe quelque part, simplement parce que je ne suis pas d'accord avec ce qui s'y passe ? Pour qui me prends-tu ? Un vandale ? Un fasciste ? Un enfoiré de censeur ?

— Merde, répondit Leigh-Cheri. Non, je n'ai jamais pensé que tu sois rien de tout ça. Je pense que tu es un hors-la-loi. Et je commence à croire que le hors-la-loi-isme tel que tu le pratiques comporte autant de règles que tout le reste. »

Là, ça faisait mal. Ils étaient assis devant la fenêtre, au deuxième étage du Blue Max, et, comme pour écarter cette accusation cinglante, il fut tenté un instant de tirer de sous sa chemise ce dernier bâton de tu-sais-quoi et de le balancer dans Front Street. Mais il se reprit et répondit à son tour : « Tes connaissances en matière d'explosifs viennent apparemment directement d'heures passées à regarder des dessins animés à la télévision. Tous ces animaux de basse-cour et ces toutous psychopathes qui se jettent du TNT à la tête ! Eh bien tu vois, les vraies bombes ne se contentent malheureusement pas de brûler les poils. Et il n'y a pas de dessinateur qui recolle les morceaux pour l'image suivante comme à Hollywood. La dynamite n'est pas un gâteau à la crème manipulé par des chats furibards et des canards vengeurs. Ce n'est pas une plaisanterie dont on peut se servir pour...

— Ça va, ça va. Pas la peine de t'excuser. J'ai compris. Un hors-la-loi a de lourdes responsabilités. Exactement comme un juge ou un général. »

Cette fois, c'était trop. Il arracha le cylindre mortel de sa ceinture et d'un geste décidé en exposa la pointe à la flamme de la bougie qui brûlait consciencieusement sur leur table, apportant la note de romantisme bidon indispensable à ce genre de restaurant. Mais au lieu de jeter la dynamite dans la

126

rue, il la tint au-dessus de sa tête comme la torche de la statue de la Liberté. Leigh-Cheri le regardait, paralysée d'horreur. Et elle n'était pas la seule, parmi les clients du Blue Max à le regarder ainsi. Une serveuse retrouva sa voix et cria. Un surfer plongea au-dessus du bar. L'amorce lançait des étincelles et crépitait comme une vie intensément vécue. « Voilà comment il faut brûler », semblait-elle dire à la bougie docile et placide. « Brillante, extatique, irrépressible. Voilà ce que doit être une flamme. »

Mais l'amorce avait un rendez-vous qui ne pouvait attendre. Elle ne saurait jamais si la bougie avait eu le courage de suivre ses conseils.

42

A la dernière seconde, Bernard enfonça l'amorce dans sa bouche. Elle grésilla dans sa salive. Il l'arracha avec ses dents.

« Aïe », cria-t-il. Pas un mot de plus ne fut prononcé.

Il finit son verre de tequila-perroquet en une gorgée, aida la Princesse à se lever et l'entraîna vers l'escalier. Personne n'essaya de les arrêter. Le Blue Max, si bruyant d'habitude, était calme comme une prière.

Ils marchèrent ensemble jusqu'à l'Auberge des Pionniers. « Monte faire tes valises, dit Bernard. Retrouve-moi au bateau avec Giulietta le plus vite possible. » Il se pencha pour l'embrasser, puis pensa qu'il ne valait mieux pas. Il avait une vilaine brûlure sur la langue.

43

Le coucher de soleil traîna longuement ce soir-là. On aurait dit que quelqu'un avait renversé un mai tai dans le ciel. Des zébrures de grenadine, de triple sec, de marasquin et de rhum tombaient sur l'horizon, éclaboussaient la mer. Comme une mite gourmande, le *C'est la Fête* glissait vers le verre renversé.

Le planteur de marijuana et son associé s'occupaient de la navigation. Giulietta s'était blottie contre la rambarde arrière, aussi immobile qu'un crapaud. Leigh-Cheri et Bernard bavardaient à l'avant.

« Pardon de t'avoir fâché, dit Leigh-Cheri. Ce n'est pas facile d'être une Princesse aujourd'hui.

— Non, et ce n'est pas non plus facile d'être un hors-la-loi aujourd'hui. Il n'y a plus de consensus moral. Quand tout le monde arrivait à se mettre à peu près d'accord sur ce qui était bien et ce qui était mal, un hors-la-loi n'avait qu'à faire ce qui était mal et qui devait être fait, pour la liberté, la beauté ou le plaisir. Les distinctions ne sont plus aussi nettes aujourd'hui. Exécuter délibérément un acte mauvais — ce qui, pour le hors-la-loi est bien — peut être aussi considéré par beaucoup d'autres comme bien, ce qui, pour le hors-la-loi est mauvais. On ne peut pas abattre des moulins qui bougent tout le temps. » Son regard se perdit un instant vers l'horizon, puis il retrouva son sourire. « Mais cela ne me préoccupe pas vraiment. Dans tous les trous ronds, je me suis toujours senti comme une cheville carrée, dans tous, sauf un.

« Tiens, puisqu'on en parle, ce n'est pas non plus facile de s'aimer aujourd'hui. Avec un taux de divorce de 60 p. 100, comment peut-on encore se présenter devant M. le maire en toute honnêteté ? Je vois des amoureux marcher main dans la main, ils se regardent comme si rien n'existait autour d'eux, et je ne peux m'empêcher de penser que dans un an ou deux, ils seront chacun avec quelqu'un d'autre. Ou en train de recoller les morceaux de leur cœur brisé. A la vérité, la plupart des amants ne se donnent pas assez de mal pour leur amour. Ou alors, ils manquent d'imagination, ou de générosité. Mais même ceux qui font tout ce qu'ils peuvent ne semblent pas si bien réussir. Qui sait ce qu'il faut faire pour que l'amour demeure ? »

Il réfléchit un moment avant de répondre.

« Il me semble que l'amour est le grand hors-la-loi. »

Elle aurait voulu qu'il lui en dise plus, et peut-être allait-il le faire, quand il s'écria soudain : « Regardez ! » « Doux Jésus ! » s'exclama-t-elle à son tour. Ce que cria Giulietta ne rentre pas dans les possibilités de la Remington SL3, et les voix des deux contrebandiers furent couvertes par le whoush.

Cela fit « whoush », et quelque chose traversa le ciel. Un long cigare brillant, couvert de pois lumineux de toutes les couleurs qui scintillaient, passa à une vitesse incroyable à trois cents mètres environ au-dessus de la mer, et avala les dernières traces du coucher de soleil comme un aspirateur de l'espace.

En fait, lorsqu'ils en discutèrent par la suite, tous, sur le bateau, tombèrent d'accord : les lumières qui scintillaient n'étaient pas de *toutes* les couleurs. Le rouge brillait plutôt par son absence.

Par la radio du bord, ils apprirent cette nuit-là que de nombreux témoins avaient affirmé avoir vu un OVNI s'élever au-dessus du Haleakala et disparaître de l'autre côté du Pacifique. Mais les apparitions d'OVNI à Maui faisaient maintenant partie du folklore et le présentateur ne s'étendit pas sur cette nouvelle. En revanche, il développa longuement les détails concernant l'évasion qui avait eu lieu à la prison de Lahaiina. L'homme et la femme accusés de l'attentat de l'Auberge des Pionniers s'étaient enfuis. Maui n'était qu'une petite île, et la police pensait qu'il ne lui faudrait pas plus de quelques heures pour rattraper les fuyards.

44

Bien que le passage du vaisseau spatial, si vraiment c'en était un (la station météorologique de Pearl Harbor affirma qu'il s'agissait d'un météore), ait complètement fait perdre le Nord au compas du *C'est la Fête,* ce dernier se reprit au bout d'une heure et retrouva sa fidélité obséquieuse envers son maître venu du froid. En attendant, pour garder le cap, Bernard releva au sextant les hauteurs de la lune et des constellations d'Orion et de Budy Holly. Ils passèrent bientôt le détroit de Kaoli, en direction d'Honululu. Le vent les tenait dans ses bras. La mer les berçait sur ses genoux.

« Tu crois qu'ils venaient vraiment d'Argon ? demanda Leigh-Cheri.

— De là ou de LA.

— Ils avaient une drôle d'odeur.

— Ils sentaient la naphtaline.

— C'était donc ça ?

— Ils avaient trouvé leurs robes et leurs turbans dans un vieux coffre, à moins que, dans le monde d'où ils venaient, la naphtaline ne soit utilisée comme déodorant corporel.

— Bernard, supposons qu'ils viennent d'une autre planète. Pourraient-ils avoir raison en ce qui concerne les roux ? Sommes-nous vraiment des timbrés, des mutants dont le soleil trahit les faiblesses ?

— Je ne saurais te le dire. En Amérique centrale, en Amérique du Sud et au Mexique, de nombreuses légendes racontent comment une race d'Indo-Européens aux cheveux roux conquit il y a des milliers d'années tout le continent, tribu après tribu, grâce à leur magie bienfaisante. En fait, les Incas, les Aztèques et les Mayas attribuaient même le haut niveau de développement de leur civilisation à ceux qu'ils appelaient les « Barbes Rouges ». Les pyramides et autres immenses constructions du Nouveau Monde auraient été bâties par ces demi-dieux. Toutes les traditions orales des grands groupes ethniques de ce continent s'accordent là-dessus. Le mythe des Barbes Rouges se retrouve même en Océanie. On dit que les statues de l'île de Pâques sont les portraits de ces poils de carotte..

— Je déteste qu'on m'appelle poil de carotte.

— Moi aussi. Jamais une carotte n'a eu la couleur de mes cheveux.

— Bon, continue.

— La Mythologie est une cristallisation de l'Histoire. Tous ces récits ne coïncident pas par hasard. Ainsi, en supposant qu'il ait existé une race de demi-dieux aux cheveux roux, et qu'un jour ils aient disparu dans l'espace — les légendes s'accordent aussi toutes sur ce point —, cela nous laisse un joli panier où lancer notre ballon de balivernes romantiques.

— Oui ?

— Bon, un exemple. Les Barbes Rouges avaient d'extraordinaires pouvoirs. Ils maîtrisaient, entre autres, l'énergie des pyramides, incroyable mise en œuvre d'énergies naturelles, si mystérieuse et complexe que la science moderne n'en comprend pas encore le premier mot. D'où les Barbes Rouges tenaient-ils des connaissances aussi éloignées du savoir que les hommes avaient acquis au cours de leur évolution sur la terre ? Etaient-ils des extraterrestres ? A partir de là, si nos modestes intelligences nous le permettent, nous pouvons essayer d'élaborer notre petite hypothèse personnelle. Les Barbes Rouges viennent d'Argon. Ils apportent avec eux sur la terre l'énergie des pyramides et bien d'autres techniques avancées. Pendant ce temps, une révolution éclate sur Argon. Les Barbes Rouges qui dirigeaient la planète sont renversés. Les rebelles envoient des forces armées sur la Terre et en font disparaître toutes les colonies des Barbes Rouges. A moins que les Barbes Rouges ne se soient au contraire exilés sur la Terre après une révolte ou une guerre. Quelque temps plus tard, le nouveau pouvoir argonien — une race aux cheveux blonds, comme le couple de Lahaiina — trouve que les exilés deviennent trop

131

puissants sur notre petite planète et, afin d'éliminer tout risque de contre-révolution, lance une expédition dont la mission est de faire disparaître les Barbes Rouges de la terre. Comment? Nous ne saurions même pas l'imaginer. Pfftt! Sayonara Les Barbes Rouges. Nous pourrions broder toutes sortes de variations sur ce scénario. Mais quel que soit le bout par lequel on le prend, il expliquera toujours la présence des Barbes Rouges et leur soudaine disparition, ainsi que l'antipathie éprouvée par les Argoniens d'aujourd'hui pour les roux. Les Barbes Rouges avaient peut-être un lien avec Mars, la planète rouge. Mais le conflit qui se déroula sur Argon opposait plus probablement des forces solaires à des forces lunaires. Les Barbes Rouges étaient sûrement une race lunaire : mystique, ésotérique, changeante, féministe, pacifique, agreste, érotique et artiste. Alors que les Cheveux Jaunes étaient un peuple solaire : abstrait, rationnel, prosaïque, militariste, industriel, patriarcal, froid et puritain. C'est un conflit classique sur la terre. Comme il y a des soleils et des lunes dans tout l'univers, ce conflit pourrait s'étendre à travers tout le cosmos, ou tout au moins à travers notre système solaire. Il remonte à la lutte qui opposa Lucifer à Jehovah. Le soleil est à Jehovah, mais Lucifer tient sous sa coupe c'te pauvre vieille lune.

— Grands dieux! s'exclama Leigh-Cheri. Tu devrais écrire des scénarios de bandes dessinées pour flippés. Mais nous, rouquins d'aujourd'hui, comment entrons-nous dans l'histoire? Sommes-nous des descendants des Barbes Rouges?

— Peut-être. Il est possible qu'ils se soient accouplés avec des créatures terrestres. Ou qu'ils soient intervenus dans notre génétique d'une autre façon, plus ésotérique. Mais je croirais plutôt que la nature, sous l'influence de la lune, essaye en ce moment de faire évoluer une nouvelle race supérieure, de recréer en quelque sorte les Barbes Rouges. La nature sème toujours ses graines rouges. Certaines germent. Pas toutes. D'autres se développent bizarrement. Beaucoup de faux départs et d'imperfections. La nature lunaire est en train de mettre au point le nouveau modèle afin de pouvoir ensuite passer au stade suivant de cette évolution. Pendant ce temps, le soleil lève sa dîme.

— Alors les roux sont soit des descendants de demi-dieux, soit des demi-dieux en puissance ? C'est chouette. Ça me plaît bien. » Elle lui embrassa l'oreille, lui pinça la fesse. « Une chose est certaine. Toi et moi, nous faisons mieux l'amour que de simples mortels.

— C'est un fait.

— Mais savons-nous ce qu'il faut faire pour que l'amour demeure ?

— Je n'arrive même pas à y penser. Tout ce que je peux faire, c'est le vivre au jour le jour.

— A une époque comme la nôtre, je me demande si qui que ce soit peut y arriver.

— Ne te laisse pas victimiser par l'époque à laquelle tu vis. Ce n'est ni l'époque ni la société qui nous abattront. Quand tu rends la société responsable, tu finis par te tourner vers la société pour trouver des solutions. Exactement comme ces pauvres malades du Festival. On a tendance aujourd'hui à éliminer la responsabilité morale individuelle et à traiter les gens comme des victimes des circonstances sociales. Si tu marches là-dedans, tu payes de ton âme. Ce ne sont pas les hommes qui limitent les femmes, ce ne sont pas les hétérosexuels qui limitent les homosexuels, ni les Blancs qui limitent les Noirs. Ce qui nous limite, c'est notre manque d'imagination et de caractère. C'est notre putain de faiblesse et de conformisme. Notre incapacité à jouer notre propre film, sans parler de le mettre en scène. Berk.

— Berk ?

— Miam.

— Miam ?

— Miam. Nous arrivons maintenant à la fin d'une époque et sommes encore loin du début de la suivante. Pendant cette période de transition, aucun moratoire ne sera accordé à la conscience individuelle. En fait, d'importants événements

133

vont éclore dans le vide. C'est merveilleux de vivre aujourd'hui. Tant qu'on a assez de dynamite.

— Ou de stup », dit le capitaine en apportant une soucoupe pleine de cocaïne. Bernard se fit une ligne. Leigh-Cheri hésita. « Vas-y, dit Bernard. C'est si bon que Jules César en redemanda jusqu'à son dernier souffle. " Stup quoque, mi fili ", a-t-il dit en mourant. Vas-y, essaye. » Leigh-Cheri se fit une ligne. Giulietta se fit une ligne. Peut-être cela lui rappelait-il la schnouf que ses royaux patrons sniffaient dans le bon vieux temps. Le bon vieux temps des cygnes qui glissaient sur les douves du château. Jamais alors elle n'aurait imaginé se retrouver un jour sans crapaud, naviguant sous les rayons de lune avec une cargaison de défonce et d'amour.

Le sloop atteignit Honolulu le samedi après-midi. Le lendemain matin, la Princesse et Giulietta — ainsi que Bernard Mickey Wrangle (toujours sous le nom de T. Victrola Pétard) — reprirent l'avion, vers tout ce que la ruche américaine leur réservait de miel et de dards.

45

Qui sait ce qu'il faut faire pour que l'amour demeure ?
1. Dis à l'amour que tu vas chez Goldenberg, au 7 rue des Rosiers, Paris IVᵉ, acheter un strüdel et que s'il reste, il pourra en avoir la moitié. L'amour restera.

2. Dis à l'amour que tu veux un souvenir de lui et débrouille-toi pour qu'il te donne une boucle de ses cheveux. Brûle les cheveux dans un encensoir de quatre sous qui porte gravés sur ses trois côtés les symboles du yin et du yang. Tourne-toi vers le sud-ouest. Marmonne n'importe quoi au-dessus de la fumée, mais dans une langue qui ait vraiment l'air exotique. Enlève les cendres de l'encensoir et sers-t'en pour te peindre une fausse moustache. Va voir l'amour. Dis-lui que tu es quelqu'un d'autre. L'amour restera.

3. Réveille l'amour au milieu de la nuit. Dis-lui que le monde est en train de brûler. Lève-toi précipitamment et va pisser par la fenêtre. Recouche-toi comme si de rien n'était et rassure l'amour en lui disant que tout ira très bien. Endors-toi. L'amour sera là le lendemain matin.

Bernard Wrangle, dit Mickey le Rouge, qui avait bafoué, pour ne pas dire foulé aux pieds, les règles de conduite de toute une civilisation, se rebella, c'est bien naturel, contre l'idée d'avoir à obéir aux code et règlement d'une maison royale de second ordre. Mais il se résolut à laisser sa fierté de côté et finit par obéir. Car il voulait vraiment que l'amour demeure.

Encouragé par Max et Tilli, A'ben Fizel, milliardaire arabe amateur de sports, faisait sa cour à Leigh-Cheri. Si Bernard voulait la voir, il devait, lui aussi, la courtiser officiellement. Elle l'aimait comme une folle, mais il fallait observer la règle. Elle n'avait pas l'intention de perdre son privilège royal. « Les choses sont en train de changer dans le pays de mes pères. Ça remue drôlement. Peut-être qu'un jour le trône sera restauré. Je pourrais éventuellement être reine. Pense à tout le bien que je ferais. » Comme il ne répondait rien, elle ajouta : « Pense comme nous pourrions nous amuser. Je te confierais l'arsenal. »

Il faisait donc sa cour. Il la traitait comme si sa cramouille était un morceau de gâteau viennois orné de sucre glace aux motifs rococo. Comme si des petits soldats de plomb montaient la garde devant les grilles vaginales.

Pour Max et Tilli, il n'était qu'un roturier rencontré sur les païennes îles d'Hawaii. Ils ne lui auraient jamais accordé le statut de prétendant si Giulietta ne l'avait soutenu. En remerciement, il avait offert à Giulietta un crapaud en plastique plein de cocaïne (substance pour laquelle elle s'était récemment mise à éprouver un certain penchant).

Bernard vivait en ville, à Pioneer Square. Il avait loué la suite Charles Bukowski à l'hôtel Ça-va-si-mal-depuis-si-longtemps-que-cet-endroit-semble-planant. Un appartement de célibataire dans un immeuble où ne restaient que des pensionnaires sans le sou et des souris. Le canapé du living se transformait en lit. Quelquefois, pendant la nuit, alors que Bernard y dormait, il essayait de se retransformer en canapé. Dans la salle de bains, où Bernard s'était reteint les cheveux, le siège des toilettes était couvert de brûlures de cigares. La baignoire était rouillée et les rideaux pleins de suie. Sur les murs il y avait des araignées, des traînées de graisse et un calendrier si vieux qu'il croyait encore que les jours de congé pouvaient tomber au milieu de la semaine.

Habillé d'un costume noir, d'une chemise noire, d'une cravate, de bottes et de chaussettes noires, le hors-la-loi quitta Pioneer Square au volant d'une vieille Mercédès décapotable et se dirigea vers la banlieue. La pluie s'était arrêtée, mais le ciel était bas. Le ciel était gris comme une taupe. Le ciel de Seattle rappelait à Bernard les draps de lit des prisons. Triste présage.

Le Roi et la Reine recevraient Bernard dans la bibliothèque. La pièce sentait le renfermé, mais un tapis blanc très rare et très cher en recouvrait le plancher. Ce tapis était plus blanc que les colombes, plus blanc qu'un mal de dents, plus blanc que le souffle de Dieu. Bernard n'avait pas vu Leigh-Cheri depuis presque deux semaines. Il décida de lui faire parvenir un petit mot en cachette par l'intermédiaire de Giulietta. Dans cette lettre, il lui conseillerait d'être habile. « Que des bébés huîtres affamés nous croquent si nous n'arrivons pas à concocter quelque secrète rencontre. » En attendant ses futurs beaux-parents, il alla au bureau et commença à griffonner sa lettre. Dans son émoi, il renversa l'encrier sur le tapis blanc d'Orient.

L'encre était noire. La tache indélébile.

La Reine Tilli, me diras-tu, réagit certainement avec une grande amabilité. Faux. Elle ne fit même aucun effort pour cacher son extrême mécontentement. Elle caressa son chihuahua dans un silence d'ivoire. Pesant et tendu, le soir se fit aussi triste que le ciel.

Le thé fut servi dans une théière en argent dont le bec

s'était autrefois courbé devant Winston Churchill. C'était un thé absolument délicieux. Mais le prétendant aurait préféré de la tequila. Le Roi fit la conversation. Il parla de basket. Il parla des ronces. La Princesse avait peur de regarder Bernard dans les yeux. Aucun oiseau n'aurait pu voler à travers le désir ardent qu'ils avaient l'un de l'autre. Aucune ronce de mûrier n'aurait pu pénétrer ce désir. A neuf heures pile, le prétendant se vit donner congé. Chuck essaya de filer Bernard jusque chez lui, mais il le perdit quand la Mercédès brûla six feux rouges d'affilée, dont deux en marche arrière.

Le lendemain, Bernard réussit à joindre Leigh-Cheri au téléphone. Elle lui apprit que la Reine était inconsolable. On ne le réinviterait pas au château. « Il faut que tu trouves quelque chose.

— C'est déjà fait. Allons vivre dans une grotte, j'en connais de très belles, sur une île, en face des côtes panaméennes. Je te jouerai de l'harmonica et tu attacheras tes cheveux avec des feuilles de coca.

— Rien à faire, répondit-elle. Tu dois présenter des excuses. »

Quelques jours plus tard, Bernard acheta deux douzaines de roses et partit pour Fort Les Ronces. Il savait que le Roi Max était à l'hôpital pour un contrôle de routine. C'était aussi bien. Il verrait la Reine. Il se répéta tout au long du chemin les excuses les plus émouvantes. Il était désespéré. Peut-être pourrait-il lui proposer un dédommagement.

Une certaine gêne se lisait dans les yeux de Giulietta quand elle le fit entrer. Elle lui expliqua par gestes qu'il devait attendre dans le salon de musique. « D'accord, mais j'ai oublié mon harmonica », dit Bernard. Giulietta voulut prendre les fleurs. « Non », dit Bernard. Il tenait à les garder. Il se rendit au salon de musique et s'assit sur le divan.

En s'asseyant, il sentit sous lui quelque chose de chaud et entendit un tout petit snap / crac / pop, un tout petit bruit sec comme celui d'un grain géant de pop-corn dans lequel un crocodile aurait mordu. Ses cheveux teints se dressèrent sur sa tête en même temps que lui sur ses jambes. Le chihuahua adoré gisait sur le divan. Il s'était assis sur lui. Et lui avait brisé le cou.

Il ne lui restait rien d'autre à faire qu'ouvrir le piano à queue, étendre délicatement le chihuahua mort sur les cordes, le recouvrir de roses et refermer le piano. Il partit sans dire au revoir.

Fais dodo, mon petit frère le temps, fais dodo, nous aboierons après les chats des pharaons dans les cours de l'au-delà. Car ce soir-là, Bernard Mickey Wrangle ne pourrait ni dormir ni faire la fête. Le destin avait poinçonné son billet. L'amour lui avait réservé une place dans un train qui ne s'arrête pas au clair de la lune.

Cette fois, Chuck avait eu plus de chance dans sa filature. Assoiffé de tequila, Bernard se précipita vers une oasis de Pioneer Square où il ne se serait jamais arrêté en temps ordinaire. Au Bar Râ, l'énergie solaire régnait en maître. Même le juke-box faisait les poches du soleil pour faire tourner ses disques. Pendant que Bernard disait deux mots à ce juke-box, espérant que la voix de Waylon Jennings le ramènerait à la réalité, Chuck, de l'autre côté de la rue, téléphonait dans une cabine publique à son contact de la CIA. L'agent secret exultait. La tasse que Chuck lui avait apportée deux jours plus tôt était couverte d'empreintes. Et si elle avait été ornée autrefois des marques digitales de Winston Churchill, la CIA n'y avait trouvé maintenant que celles de Mickey le Rouge. « Le FBI va s'occuper de lui, dit l'agent secret. Il s'est payé leur tête pendant des années. Nous chercherons ensuite à déterminer son rôle exact dans le complot du Roi Max. Ne le perds pas de vue. »

En moins d'une heure, Bernard était arrêté. Dix mois exactement avant sa prescription. Il cria aux clients du bar qui regardaient les flics l'emmener : « Ils ne m'auront pas. Ils ne m'auront jamais ! » L'administration du Pénitencier fédéral de McNeil Island lui avait réservé une cellule dont elle prétendait que Houdini lui-même n'aurait pu s'échapper.

138

Et bientôt la Princesse Leigh-Cheri préparerait son grenier, cellule conçue pour empêcher l'amour de s'échapper, musée du vide dédié à ce que chacun d'entre nous désire et ne peut obtenir, aux peines et aux joies de ce désir.

C'est peut-être le moment de verser une larme, unique et parfaite, douce-amère et brillante de rêves résignés. Mais non. Comme le serpent a réchauffé un jour son venin au soleil de l'Eden, attendant patiemment l'occasion d'éventer la plus grosse mèche de toute l'éternité, un paquet de Camel se tient dans les coulisses et prépare une entrée en scène à laquelle tu ne t'attends vraiment pas.

Interlude

La Remington SL3 a eu droit à un petit coup de peinture. J'ai laqué la coquine en rouge. Ne me demande pas pourquoi. C'est la seule façon pour moi de continuer à travailler avec cette sacrée machine. Extérieurement, au moins, l'effet est intéressant. Presque choquant. Presque indécent. Elle vibre maintenant sur mon bureau, aussi cramoisie et indiscrète qu'un sac en plastique transparent plein de suçons.

Intérieurement aussi, elle a peut-être changé. Pour le meilleur et pour le pire, elle va avoir affaire désormais à des lettres, des mots et des structures grammaticales dont aucune machine à écrire n'a jamais eu l'expérience. Mais laisse-moi t'expliquer.

Lors d'un récent voyage à Cuba, je me suis retrouvé un jour sur la place d'un village, entouré d'adolescents qui me demandaient poliment des chewing-gums. Si j'avais su que les chewing-gums étaient une friandise rare à Cuba, j'aurais pu en faire passer discrètement quelques boîtes des Etats-Unis. Mais je ne le savais pas et n'avais ni les chewing-gums ni, je m'en aperçus plus tard, les moyens linguistiques de l'expliquer à ces garçons.

143

J'ai toujours cru que le verbe espagnol *hablar* signifiait « avoir », et que quand quelqu'un disait « Si, hablo español », cela voulait dire « J'ai l'espagnol — j'ai, je possède l'espagnol. » Sans aucune conscience de mon erreur, je répondis à ces jeunes et beaux Cubains : « *No hablo chewing-gum.* » Ils sourirent poliment.

« Je ne parle pas chewing-gum », voilà ce que je leur avais dit.

Quand on me l'expliqua, je me sentis plutôt bête. « Mais au fond, pensai-je ensuite, c'est vrai. Je ne parle *pas* chewing-gum. »

Puis, je me demandai : « Pourquoi est-ce que je ne parle pas chewing-gum ? »

Pendant les mois qui ont suivi, je me suis appris à parler chewing-gum. Et laisse-moi te dire une chose, c'est plus facile de parler chewing-gum que de le lire ou de l'écrire.

Il reste néanmoins tout à fait possible que dans les pages suivantes, je me laisse aller à la prose chewing-gum. Le sujet l'exige presque.

J'espère que la Remington SL3 sera à la hauteur.

La lune a-t-elle un but ? Les roux sont-ils des êtres surnaturels ? Qui sait ce qu'il faut faire pour que l'amour demeure ? Je vais soumettre toutes ces questions, et peut-être même d'autres non moins importantes, à la Remington SL3. Cela peut durer longtemps. Aussi longtemps qu'une guerre de magiciens. Et le résultat final ne sera peut-être pas ce dont il aura l'air.

Mais si la Remington SL3, fraîchement repeinte, peut écrire chewing-gum, alors cette délicate entreprise collera peut-être. Il faut bien que quelque chose colle. J'en appelle à Elmer, dieu grec de l'adhésif.

Phase 3

Part 3

46

Après un intervalle de temps décent, la Reine Tilli s'offrit un autre chihuahua. Max y tenait. Il ne pouvait plus supporter ses pleurnicheries pendant les publicités de Canigou, et la petite urne qui contenait les cendres du pauvre trésor lui donnait la chair de poule. Un jour il éteignit simplement les bougies noires et la conduisit à un chenil.

Un amant hors-la-loi ne se remplace pas si facilement.

Leigh-Cheri refusa de voir A'ben Fizel. Elle refusa de voir les journalistes qui téléphonaient tous les jours. Les journalistes ne voulaient pas lui parler de Mickey le Rouge — personne n'était encore au courant de leurs liens — mais de la monarchie de Mû. Car deux jours après l'arrestation de Bernard, le dernier numéro du *People Magazine* parut dans tous les kiosques. La presse sembla trouver que la monarchie de Mû était une bonne idée. Plusieurs monarques déposés avaient été interviewés à ce sujet et semblaient également trouver l'idée fort bonne. Même le roi Max qui ne s'était jamais montré le moins du monde concerné par son environnement naturel, si ce n'est, évidemment par les ronces qui tambourinaient contre ses murs de leurs millions d'ongles acérés, trouva que c'était une bonne idée. Il aurait tant aimé qu'elle voie les journalistes. Il aurait tant aimé qu'elle voie A'ben Fizel. Mais Leigh-Cheri ne voulait voir personne. Personne, sauf, bien entendu, Bernard. Et jusque-là, la prison du comté où il était détenu jusqu'à son jugement, lui avait refusé toute visite.

Pas non plus de liberté sous caution pour Mickey le Rouge. Heureusement pour les joyaux de la couronne qui se seraient retrouvés autrement au Mont-de-Piété, et pour le code des Furstenberg-Barcalona qui en aurait pris un vieux coup sur la tiare.

« L'amour est ce qu'il y a de plus important, disait Leigh-Cheri. Maintenant je le sais. Il ne sert à rien de sauver le monde si c'est pour perdre la lune. »

Leigh-Cheri envoya ce message à Bernard par l'intermédiaire de son avocate. Elle lui disait ensuite : « Je n'ai pas encore vingt ans, mais grâce à toi, j'ai appris quelque chose que les femmes d'aujourd'hui ne savent pas : le Prince Charmant *est* un crapaud. Et la Belle Princesse a mauvaise haleine. La morale de l'histoire c'est que a) les êtres humains ne sont jamais parfaits, mais l'amour peut l'être, b) c'est la seule façon dont les médiocres et les méchants peuvent changer un jour, et c) c'est ainsi qu'il se fait. L'amour fait l'amour. L'amour se fait en se faisant. Nous perdons notre temps à chercher l'amant parfait au lieu de créer l'amour parfait. Cette constante création ne serait-elle pas ce qu'il faut faire pour que l'amour demeure ? »

Le jour suivant, l'avocate de Bernard lui remit cette réponse :

« L'amour est l'ultime hors-la-loi. Il ne suit absolument aucune loi. Le mieux qu'on puisse faire, c'est d'en devenir le complice. Aide et assistance plutôt qu'honneur et obéissance. La sécurité devient alors hors de question. Les verbes " faire " et " demeurer " impropres. Mon amour pour toi ne tient pas avec des cordes. Je t'aime pour de vrai. Je t'aime pour de libre. » Leigh-Cheri sortit dans le champ de ronces et pleura. « Je le suivrai au bout du monde », sanglotait-elle.

D'accord, ma belle. Mais le monde n'a pas de bout. Christophe Colomb a fini par nous en persuader.

47

Des ronces.

Rien, ni champignons, ni fougères, ni mousse, ni mélancolie, rien ne poussait aussi dru, aussi intraitable dans les pluies du Puget Sound que les ronces. Les fermiers les repoussaient hors de leurs champs à coups de bulldozer. Les propriétaires de villas coupaient et déracinaient, mais elles revenaient toujours. Les jardiniers des parcs les tenaient en respect avec des lance-flammes de l'autre côté des grilles. Même en pleine ville, la moindre parcelle de terrain laissée quelques mois à l'abandon en était envahie. Pendant les pluies, les ronces poussaient de manière si incontrôlable et si rapide qu'elles engloutissaient quelquefois des chiens et des petits enfants dont on n'entendait plus jamais reparler. Et quand la saison arrivait, même les adultes ne s'aventuraient pas à aller ramasser des mûres sans escorte militaire. Les ronciers s'infiltraient dans le béton, s'immisçaient dans la bonne société, s'agrippaient aux jambes des filles vierges et essayaient de faire des guirlandes autour des nuages. L'agressivité, la rapidité, la dureté et la mobilité des ronces symbolisaient tout ce que Max et Tilli détestaient en Amérique, et en particulier l'Ouest et son esprit pionnier.

Bernard Mickey Wrangle aimait les mûres.

Pendant le thé, Bernard avait expliqué au Roi l'intérêt qu'il y aurait à planter des ronciers sur les toits de tous les immeubles de Seattle. Ces plantes ne demandaient aucun soin, il faudrait simplement les arranger en tonnelles au-dessus des rues, d'un toit à l'autre ; en faire des arches de verdure naturelle. En très peu de temps, les gens pourraient marcher à travers la ville sous les pluies battantes de l'hiver sans en sentir la moindre goutte. Tous les acheteurs qui courent de boutique en boutique, tous les amateurs de théâtre, tous les flics en service et tous les clochards qui ronflent sur les trottoirs seraient bien confortablement au sec. La pâle lumière verte que laisseraient filtrer de telles charmilles pourrait inspirer une nouvelle école de peinture : pendant des siècles, les critiques d'art parleraient du « clair des mûres », comme ils l'avaient fait autrefois du clair-obscur. Les ronces attireraient les oiseaux. Les oiseaux chanteraient. Un oiseau dont l'estomac est plein de pulpe de mûres est comme un Italien dont le cœur est plein de pathos. Des petits animaux se promèneraient le long des arches. Beaucoup de petits animaux, mais pas de souris. « Regarde, Billy, là-haut, au-dessus de l'Ecole Dentaire, un blaireau ! » Et les fruits, important, les fruits ! Ils nourriraient les affamés et empêcheraient les pauvres de se révolter. Les poivrots les plus entreprenants distilleraient leur propre tord-boyaux. Seattle deviendrait la Capitale Mondiale de l'Alcool de Mûres. Chaque année, les touristes dépenseraient des millions en tartes aux mûres. Les gens de bon goût tartineraient leurs toasts de confiture de mûres de Seattle. Les chefs des restaurants français apprêteraient les canards de sauces pourpres et régaleraient leurs clients de *gâteaux aux mûres de ronces.* On pourrait donner aux prostituées un gentil surnom, genre boudins aux mûres. Les entraîneurs mettraient sur pied des équipes de ramasseurs de mûres. Et à la fin de l'été, quand les ronces proliféreraient follement, quand elles pousseraient plus vite que l'œil humain ne peut voir, l'énergie de leur furieux développement pourrait être récupérée par des générateurs qui la transformeraient en courant électrique et alimenteraient la ville entière. Une utopie végétale, voilà ce que ce serait. Seattle, Ville des Mûres, ville capsule, autosuffisante, florissante sous son plafond vivant, blanche de fleurs au printemps, rouge de fruits à l'automne. Des mûres, de plus en plus de mûres. Un avenir de mûres. Et pensez à la protection que ces ronces offriraient. Quelles troupes ennemies aéroportées réussiraient jamais à traverser leurs branches entrelacées ?

Le cœur de Max avait cliqueté comme les chaînes d'un spectre dans un film d'horreur. Tout tremblant, le Roi avait changé de sujet de conversation. Ils ne parlèrent plus que de basket-ball.

« O O Spaghetti-o », avait soupiré la Reine Tilli.

L'encre serait-elle restée dans sa bouteille et l'innocence du tapis aurait-elle été préservée, que Bernard n'aurait peut-être quand même pas été réinvité au château.

Maintenant, après l'assassinat du chihuahua et l'arrestation retentissante dont son amant avait fait l'objet, Leigh-Cheri ne pouvait attendre aucune sympathie de ses parents, ni aucune aide, évidemment. Elle pleura contre le poitrail osseux de Giulietta. Puis, quand il ne resta plus une seule larme au fond du tonneau, elle se reprit, s'habilla, et partit en autobus vers la ville. Elle avait rendez-vous avec l'avocate de Bernard. La ronce serait désormais son emblème, son symbole, son exemple, sa muse. En d'autres termes, elle avait choisi de s'obstiner jusqu'à l'extrême limite de l'obstination. Elle allait avancer comme une ronce le long du chemin qui menait à son homme.

48

L'autobus de banlieue la laissa au coin de la Première Avenue, une des plus vieilles artères de la ville, dont le seul nom évoquait pour tous les habitants de Seattle un commerce encore plus vieux. Une petite pluie fine et régulière tombait sur la ville. Les reflets des néons sur le macadam humide faisaient ressembler la rue à un cimetière sous-marin pour perroquets. Leigh-Cheri marchait vers le centre. L'atmosphère se faisait de plus en plus tapageuse. Derrière les vitres des maisons de prêts, saxophones et pistolets semblaient la fixer. D'autres regards l'attendaient dans les librairies pour « adultes » et devant les cinémas pornos. Les bouches d'air laissaient échapper des zéphyrs qui sentaient le vieux hot-dog et la literie humide. Si Leigh-Cheri n'avait bu ne serait-ce qu'une bière dans chaque bistrot devant lequel elle passa, une caisse entière ne lui aurait pas suffi après quelques pâtés de maison. Mais si la bière, dans sa mousseuse neutralité, constituait probablement la boisson parfaite du dernier quart du XXe siècle, Leigh-Cheri n'en buvait pas, et quand bien même en aurait-elle bu, ce n'aurait certainement pas été dans des endroits comme le Bar des Paumés, la Taverne des Gueules Cassées ou le Rendez-Vous des Matelots. Elle s'arrêta pour regarder les sirènes, les aigles trompettant et les sinistres hommages à Maman dans la vitrine d'un salon de tatouage. *Né pour perdre.* A travers les gouttes de pluie qui dégoulinaient sur la vitre, elle déchiffra ces mots sur la carte tape-à-l'œil de l'artiste en tatouage. Né pour perdre, une phrase si expressive, si lourde de sens, que des hommes la gravaient pour toujours dans leur peau. Elle l'imagina inscrite sur ses maigres biceps en se demandant si tatouer son royal épiderme lui ferait perdre ses royaux privilèges. Tout ce qu'elle savait, c'était qu'une fois tatoué, on ne pouvait être enterré dans un cimetière juif orthodoxe. On ne pouvait même pas y être enterré si on avait les oreilles percées. Etrange théorie de la mutilation, de la part de gens qui ont eu l'idée de couper la peau du zizi.

La Princesse continua son chemin.

Elle croisa des marins qui tanguaient. Elle entendit des bûcherons jurer. Elle rencontra la troupe de l'Opéra des Chôm'dus qui essaya de l'entraîner dans ses chambres d'hôtel à trois dollars la nuit qu'éclairaient des ampoules électriques nues et mourantes et dont les papiers peints étaient morts depuis longtemps. Elle rencontra des ivrognes. Beaucoup d'ivrognes. A différents degrés de soûlographie. Mais qui semblaient tous avoir fait la paix avec la pluie. Comme si leur ambassadeur avait négocié un traité avec le gouvernement de la pluie, un compromis connu depuis sous

152

le nom d'Accords de Tokay[1]. Les Indiens, surtout, ne semblaient pas du tout pressés par la pluie, et elle se souvint de ce que Bernard lui avait dit : « L'homme blanc regarde les horloges, mais les horloges regardent les Indiens. »

La Princesse portait un imperméable de vinyl jaune et un chapeau assorti. C'était très beau avec ses cheveux rouges. Elle continua son chemin.

La Première Avenue suit une déclivité. La Princesse qui faisait route vers le sud descendait la colline. Comme les rigoles de pluie. Comme le XXe siècle. En bas de la Première Avenue, là où celle-ci croisait Yesler Way, il y avait une petite place pavée que gardaient nuit et jour les yeux de bois d'un totem. Là, à Pioneer Square, l'ambiance changeait soudain. Autrefois aussi cradingue et duraille que le haut de l'avenue, Pioneer Square avait été rénovée. Galeries d'art, boutiques et boîtes de nuit y avaient remplacé les églises d'arrière-cour, et les gargotes de bas étage avaient laissé la place à des restaurants qui se distinguaient par leurs eaux minérales d'importation et leurs serveurs efféminés qui vous attendaient derrière chaque plante verte.

C'était à Pioneer Square, là où les quartiers chics côtoyaient le sordide, que se trouvait le bureau de Nina Jablonski. Comme elle avait des idées progressistes, Mme Jablonski s'était portée volontaire pour défendre Bernard Mickey Wrangle contre les Etats-Unis d'Amérique, bien qu'elle ne partageât pas le point de vue de son client qui considérait le match Mickey le Rouge-Etats-Unis comme un combat loyal. En fait, Mickey pensait même avoir un certain avantage, et il aurait aimé défier en même temps le Japon, l'Allemagne de l'Est et les pays arabes.

Nina Jablonski était rousse. Pas aussi rousse que Leigh-Cheri ou Bernard, mais vraiment rousse, et la Princesse était persuadée que c'était en partie pour ça, et peut-être aussi parce qu'elle était enceinte de sept mois (Bernard gardait

---

1. L'auteur fait ici un jeu de mots sur les Accords de Tokyo et le vin de Tokay (*N.d.T.*).

toujours un certain regret d'avoir ruiné l'avenir de la pilule pour les hommes), qu'il avait accepté de la laisser le défendre. Leigh-Cheri devait avouer qu'elle aussi se sentait rassurée par les tresses de Mme Jablonski — autre victime du sucre et du stupre ? autre allié contre Argon et le soleil ? — en revanche le ventre rond de l'avocate lui rappelait qu'elle n'avait pas eu ses règles depuis Maui, et elle se sentit soudain aussi énervée que les chiens de salon de la Reine.

Mais Nina Jablonski avait de bonnes nouvelles. L'avocate, dont les traits étaient si forts que toutes les taches de rousseur du monde n'auraient pu réussir à les adoucir, avait obtenu que son droit de visite soit restitué à Bernard. Leigh-Cheri pourrait aller le voir le dimanche suivant, dans trois jours.

« Seulement il y a des conditions », ajouta Jablonski en tendant à la Princesse un mouchoir pour essuyer ses larmes de joie. « Des conditions requises non pas par la Justice, mais par M. Wrangle lui-même.

— Quelles conditions ?

— Voilà : vous pensez bien, ma chère, que votre conversation sera écoutée. M. Wrangle est soupçonné d'avoir participé à un complot international visant à rendre son trône à votre père. Tout ce que vous pourrez dire concernant votre famille ou votre relation avec M. Wrangle, sera interprété de manière à étayer ces soupçons et nous risquerions de voir nous échapper toute chance de condamnation minimum. Je voulais établir pour votre conversation une sorte de schéma de sécurité. M. Wrangle est allé plus loin. Il pense qu'une conversation vous ferait à tous deux plus de mal que de bien. Un dialogue poignant, dit-il, rendra votre séparation encore plus difficile. Il n'a nullement l'intention d'étaler devant la CIA la tendresse que vous éprouvez l'un pour l'autre. Il veut vous voir. Il a envie d'entendre votre voix. Mais il désire que vous n'échangiez rien de personnel au cours de cette visite.

— Mais... Qu'est-ce que je vais faire ? Je ne peux pas rester assise comme ça en face de lui et parler de cette putain de pluie qui fait pousser les ronces. Que dois-je lui dire ? » (Sortie des larmes de joie. A gauche de la scène les larmes d'incompréhension font leur entrée ; elles avancent sous les projecteurs.)

« M. Wrangle suggère que vous lui racontiez une histoire. »

— Une histoire ?

— Oui, n'importe quelle histoire. Il désire vous regarder. Il désire vous entendre parler. Vous aurez dix minutes. Racontez-lui simplement une histoire. Je suis sûre que vous trouverez quelque chose. »

Leigh-Cheri regarda d'un air hébété les posters antinucléaires qui tapissaient les murs du bureau. La puissance nucléaire. Une ignoble tromperie dont le peuple américain était victime. Mais comme cela lui semblait secondaire, maintenant !

Mme Jablonski enleva ses lunettes. De grandes lunettes très à la mode. Elle se leva. « J'ai demandé à M. Wrangle à quoi vous ressembliez. " Jus de frelon et boutons de roses sur viande de gazelle ", m'a-t-il répondu. Quel langage coloré ! »

Leigh-Cheri enfila son imper encore tout dégoulinant de pluie et s'en alla. Elle prit un taxi. Elle n'était pas d'humeur à d'autres « Né pour perdre ». La voiture remonta la Première Avenue. Leigh-Cheri réfléchissait. « Une histoire ? Mais, je *connais* une histoire. C'est même la seule que je connaisse. Il faudra faire avec. »

49

Et c'est ainsi que le dimanche après-midi, un dimanche après-midi taillé, comme presque tous les dimanches après-midi, dans un navet bouilli, la Princesse, assise dans l'austère parloir de la prison du comté, séparée de Bernard Mickey Wrangle par un épais panneau de verre transparent, raconta à ce dernier, avec lequel elle communiquait par un système de téléphone intérieur, une histoire. *L*'histoire. Celle que Giulietta lui avait racontée presque tous les soirs pour

155

l'endormir depuis qu'elle était née. Ils se regardaient dans un sourire immobile, intense ; leurs cœurs battaient la chamade ; la vieille soupe hormonale bouillonnait à nouveau. Pourtant, Bernard restait silencieux, et Leigh-Cheri, sur un ton étonnamment monotone, dévidait son histoire. Dès qu'elle s'était assise en face de lui, malgré le désir douloureux qu'avaient ses lèvres de forcer leur chemin à travers la vitre, Leigh-Cheri avait décroché le combiné et s'était courageusement mise à parler. « Il était une fois... » Il remarqua qu'elle avait pris quelques kilos, elle vit que quelques-unes de ses taches de rousseur semblaient avoir tourné, mais ils ne dirent rien de ces observations. Il écoutait intensément, elle racontait.

« Il était une fois... » Exactement comme Giulietta commençait toujours, bien que dans la langue de Giulietta, « Il était une fois » rendît le même son qu'une pomme de caoutchouc sur laquelle une poule s'étranglerait.

« Il était une fois, il y a très longtemps, quand il servait encore à quelque chose de faire des vœux, vivait un roi. Les filles de ce roi étaient toutes très belles, mais la plus jeune d'entre elles était si jolie que le soleil lui-même, qui voit tant de choses et en oublie si peu, s'émerveillait chaque fois qu'il éclairait son visage.

« Cette fille du roi avait un jouet favori, une balle d'or qu'elle aimait tendrement. Quand les journées étaient chaudes, elle partait dans la sombre forêt qui s'étendait près du palais et passait de longues heures à lancer et à rattraper sa balle d'or à l'ombre des feuillages. Elle aimait à jouer près d'une source dont elle buvait ensuite l'eau fraîche pour apaiser sa soif.

« Mais il arriva un jour que la balle d'or, au lieu de retomber dans les petites mains de l'enfant, rebondit sur le sol et roula dans l'eau de la source. La princesse regarda sa balle s'engloutir, mais la source était profonde. Si profonde qu'on n'en voyait pas le fond. L'enfant se mit à pleurer. Ses plaintes étaient si déchirantes qu'à les entendre on savait son petit cœur brisé.

« Pendant qu'elle gémissait ainsi, elle entendit une voix enrouée qui lui parlait. — Allons, allons, fille du roi, que se passe-t-il ? Jamais je n'ai entendu quiconque pleurer si fort.

« Elle regarda autour d'elle pour voir d'où venait cette voix, mais ne vit qu'un vilain crapaud qui tendait sa grosse tête hors de l'eau. — Oh, c'est toi, vieux prophète de malheur, lui dit-elle. Eh bien, si tu veux savoir, je pleure parce que ma belle balle d'or est tombée dans la source et qu'elle s'est si profondément engloutie que je n'arriverai jamais de l'en sortir.

— Calme-toi. Ne pleure plus. Je crois pouvoir t'aider. Que me donneras-tu si je retrouve ton jouet ?

— Tout ce que tu veux. Tu auras tout ce que tu veux, cher crapaud. Mes habits les plus fins, mes perles, mon carosse et même ma couronne.

« Le crapaud répondit : — A quoi me serviraient tes habits, tes perles ou même ta couronne ? Mais écoute. Si tu promets de t'occuper de moi, de me laisser jouer avec toi et devenir ton compagnon, m'asseoir à ta table, manger dans ton assiette, boire dans ton verre et dormir dans ton lit à tes côtés, je plonge immédiatement et te rapporte ta balle d'or.

« La princesse s'arrêta tout de suite de pleurer. — Bien sûr, lui dit-elle, bien sûr. Je te promets tout ce que tu veux, si tu me rapportes ma balle.

« Mais elle pensait en même temps : " Qu'est-ce que c'est que ces bêtises ? Comme si cette stupide créature pouvait faire autre chose que nager et coasser avec les autres crapauds, comme s'il pouvait faire un compagnon agréable ! "

« Cependant le crapaud, dès qu'il entendit la promesse, plongea sa tête verte dans l'eau et disparut au fond de la source. Au bout d'un moment qui lui sembla long, la princesse le vit réapparaître à la surface dans une gerbe d'eau, tenant la balle d'or dans sa bouche. Il lança la balle sur l'herbe.

157

« Inutile de dire que la fille du roi était folle de joie. Elle la ramassa promptement, et, jouant de nouveau avec sa balle, courut vers le palais.

— Arrête, arrête, cria le crapaud. Porte-moi, je ne peux pas courir aussi vite !

« Mais sa voix se perdit. Il eut beau coasser, elle ne l'écoutait plus. Elle rentra chez elle, et se dépêcha d'oublier le pauvre crapaud, persuadée qu'il était resté près de la source.

« Le jour suivant, la princesse dînait à la table du roi avec toute la cour. Ils faisaient bonne chère. On entendit soudain un bruit de pas rapides sur les marches du grand escalier de marbre et des coups frappés à la porte. Une voix criait : — Laisse-moi entrer, plus jeune fille du roi, laisse-moi entrer.

« Naturellement la princesse alla voir qui cela pouvait bien être. Mais quand elle vit le crapaud qui haletait en haut de l'escalier, elle lui claqua la porte au nez et retourna s'asseoir, le cœur battant.

« Le roi, qui trouvait étrange l'attitude de sa fille, lui demanda : — Mon enfant, pourquoi es-tu si effrayée ? Un géant t'attendait-il derrière la porte pour t'emporter ?

— Non, répondit-elle. Ce n'était pas un géant, rien qu'un vilain crapaud.

— Vraiment ? Et que voulait ce crapaud ? demanda le roi.

« De grosses larmes coulèrent sur les joues de la plus jeune fille du roi. Effondrée, elle raconta à son père ce qui lui était arrivé la veille dans la forêt. — Et maintenant, ajouta-t-elle, il est là, derrière la porte, et il veut que je le fasse entrer avec moi.

« Tous alors entendirent le crapaud frapper encore et crier :

— Plus jeune fille du roi
Ouvre-moi !
Près de la source profonde,
Que m'as-tu promis ?

— Tes promesses, tu dois toujours tenir, lui dit sévèrement le roi. Va lui ouvrir immédiatement.

158

« Elle alla à la porte et le laissa entrer. D'un bond, le crapaud fut sur ses talons. Il la suivit jusqu'à sa chaise. Là, il la regarda plein de colère et lui dit : — Soulève-moi, que je puisse m'asseoir avec toi.

« Comme elle hésitait le roi lui ordonna de faire ce que demandait le crapaud.

« Une fois sur la chaise, le crapaud exigea d'être posé sur la table. Assis sur la nappe, il la regarda, encore plein de colère : — Pousse ton assiette vers moi, que nous mangions ensemble, lui dit-il.

« Elle obéit à contrecœur, et le crapaud festoya avec appétit alors que chaque bouchée qu'elle avalait semblait se coincer au fond de sa gorge.

— Je suis rassasié, dit enfin le crapaud. Et je suis fatigué. Emmène-moi à ta chambre et prépare tes draps de soie sur ton lit pour que nous puissions y dormir ensemble.

« La princesse en avait assez. Elle recommença à pleurer et à geindre. Elle ne voulait pas de ce crapaud visqueux et froid dans son joli lit douillet. Le roi se mit en colère.

— Tu as fait une promesse quand tu avais besoin d'aide, lui dit-il. Maintenant, si désagréable que ce soit, tu dois la tenir.

« Avec une moue dégoûtée, elle prit le crapaud et l'emmena dans sa chambre. Elle le posa dans un coin sur un vieux chiffon. Puis elle se glissa dans son lit. Mais avant qu'elle n'ait eu le temps de s'endormir, le crapaud sautilla jusqu'au lit.

— Prends-moi avec toi dans le lit, ou je le dis à ton père.

« Cette fois, c'en était trop. Folle de rage, elle attrapa le crapaud.

— Fiche-moi la paix, sale crapaud ! cria-t-elle, en le lançant de toutes ses forces contre le mur.

« Quand il retomba par terre, il n'était plus un crapaud. Il s'était transformé en un beau prince au regard très doux et au sourire charmant. Le prince crapaud prit la main de la plus jeune fille du roi et lui raconta comment une méchante sorcière lui avait jeté un sort dont seule la princesse, dans son innocente beauté, pouvait le sauver. Puis il lui demanda de l'épouser. Elle accepta. Le roi leur donna son consentement, et ils se marièrent. Ils partirent ensuite au pays du prince, y furent couronnés roi et reine, et vécurent toujours heureux. »

Fin de l'histoire. Une fin comme même ce triste Jean-Sol Partre sait que toutes les histoires devraient en avoir. Au même moment, un gardien s'approcha de Bernard et lui tapa sur l'épaule. Il devait rentrer dans sa cellule. Bernard semblait perdu dans ses pensées. Il continua à regarder fixement Leigh-Cheri, toujours souriant, comme s'il n'avait pas entendu le gardien. Celui-ci l'agrippa par le col de sa chemise — qui n'était pas noire — et le força à se lever. Leigh-Cheri craqua. Elle poussa un cri et se jeta contre la vitre, se colla à la vitre de tout son corps, comme si, en se faisant la plus plate possible, elle pouvait s'immiscer entre ces lâches molécules de silicone et glisser de l'autre côté comme de la mayonnaise dans des trous de gruyère. Bernard envoya valdinguer le gardien d'un coup d'épaule dans la mâchoire et saisit le combiné. Il allait lui parler ! Vite, elle attrapa le combiné qui était de son côté et le porta à son oreille. Un coup de sifflet retentit, d'autres gardes entrèrent en courant et elle comprit qu'il ne pourrait dire que quelques mots. « Oui, mon cœur, oui ?
— Qu'est-il arrivé à la balle d'or ? » demanda Bernard.
Et ce fut tout. « Qu'est-il arrivé à la balle d'or ? Arrr... »
Ils l'emmenèrent.

50

Pendant toutes ces années, Leigh-Cheri elle aussi s'était posé des questions sur cette histoire. Elle se demandait surtout pourquoi le beau prince voulait épouser cette petite amphibiaphobe qui ne tenait pas ses promesses. Leigh-Cheri croyait que les crapauds ne se transformaient en princes que par la magie d'un baiser. Pourquoi celui-là n'avait-il échappé à son mauvais sort qu'en étant violemment lancé contre un mur. Pouvait-il s'agir d'un masochiste ? Pas étonnant, alors, qu'il ait été attiré par une telle petite garce. Et ils vécurent probablement toujours heureux. Peut-être même utilisèrent-ils des accessoires de cuir.

A la vérité, Leigh-Cheri n'avait jamais très bien compris cette histoire, et elle en voulait même aux frères Grimm d'avoir dépeint une princesse sous un jour aussi peu flatteur. C'était déjà assez pénible d'avoir à servir de piège à dragons. Cependant, malgré toutes ces critiques, elle avait complète-ment oublié la balle d'or. C'est vrai, la balle d'or jouait un rôle important au début du conte. Mais on n'en parlait plus jamais, ensuite. Parce que c'étaient les personnages qui comptaient. La balle n'était qu'un accessoire, un jouet, un *objet*.

Peut-être la princesse garda-t-elle la balle d'or jusqu'à ce que ses enfants soient assez grands pour jouer avec elle, ou peut-être encore, abandonna-t-elle son jouet favori dès qu'elle eut un prince pour le remplacer (elle en était fort capable) et la balle d'or fut rangée dans une caisse du grenier, volée par une femme de chambre, offerte aux Œuvres de Bienfaisance ou tout simplement jetée à la poubelle. Quoi qu'il en soit, Leigh-Cheri ne s'en était jamais préoccupée, et les psychiatres et mythologues qui avaient analysé ce conte — ils prétendaient que la source « si profonde qu'on n'en voyait pas le fond », symbolisait l'inconscient, et que le crapaud, comme dans tous les contes, symbolisait le pénis, toujours laid et repoussant pour une petite fille, mais dans lequel cette même petite fille, quand elle devenait femme, voyait une certaine beauté et des promesses de bonheur — restaient persuadés que la balle d'or représentait la lune, mais ils ne s'étaient eux non plus jamais demandé ce qu'elle était devenue.

Seul Bernard avait soulevé cette question, et, dans les jours vides qui suivirent sa visite à la prison, Leigh-Cheri se demanda pourquoi cela pouvait être si important pour lui.

161

La CIA, elle aussi, se le demandait. La CIA soupçonnait ce conte d'être un message codé bourré d'informations concernant la mise en place d'une révolution dans l'ancien royaume de Max et de Tilli. La CIA soumit la bande sur laquelle elle avait enregistré l'histoire de Leigh-Cheri — et la réponse apparemment urgente de Bernard — à ses spécialistes du chiffre. Nina Jablonski reprocha à Leigh-Cheri d'avoir justement choisi une histoire qui mettait en cause une famille royale et dont la fin parlait d'un roi et d'une reine qui vécurent ensuite toujours heureux. A cause des micros de la CIA, et bien que Leigh-Cheri l'en ait suppliée, Jablonski refusa de demander à Bernard pourquoi le destin de la balle d'or l'intéressait tant. « On laisse tomber la balle », dit-elle d'un ton qui n'admettait pas de réplique.

Parce qu'il avait résisté aux gardiens, Bernard se vit retirer son droit de visite. D'autre part, des fuites concernant l'incident arrivèrent jusqu'aux oreilles des journalistes. Alors que les médias n'avaient montré qu'un intérêt poli pour le projet d'une jeune et belle princesse qui voulait enrôler les royautés sans trône au service de l'environnement, ils se jetèrent sauvagement sur les liens qu'une jeune et belle princesse entretenait avec un célèbre hors-la-loi spécialiste de la dynamite. Politique ? Romance ? Politique et romance ? Si le royal téléphone des Furstenberg-Barcalona avait fréquemment sonné la semaine précédente, il s'épuisait maintenant en un monstrueux marathon tintinnabulant, couvert cependant quelquefois par les coups frappés à la porte. S'il n'y avait pas eu les ronces, les journalistes auraient campé dans la cour.

Max vivait dans l'angoisse de ne jamais arriver à voir une émission sportive sans être plusieurs fois dérangé, et Tilli et son nouveau chihuahua attrapèrent une diarrhée nerveuse. Chuck devenait chèvre à force de se précipiter pour intercepter tous les appels téléphoniques et d'essayer de photographier avec sa caméra miniature tous les étrangers qui frappaient à la porte. Giulietta continuait à faire marcher la maison vaille que vaille était donné les circonstances, mais elle s'était mise à sniffer une quantité si prodigieuse de cocaïne que son système nerveux central vibrait souvent en même temps que la sonnerie du téléphone. Assez curieusement, Leigh-Cheri était la plus calme de tous. On peut en partie attribuer cette attitude à l'amour qui l'enveloppait comme une fièvre de soie, mais cela était dû également au fait que mercredi, avec deux semaines de retard, à bout de souffle, gênées mais ne s'excusant point, émues mais n'offrant aucune explication, ses règles débarquèrent. Sans prévenir ni frapper, elles passèrent la porte et s'imposèrent pendant cinq jours, désagréables et ennuyeuses, aussi rouges que les cheveux de la Princesse, puis disparurent à nouveau, laissant derrière elles un bel amoncellement de tampons joyeusement colorés et une suite de soupirs de soulagement à faire claquer les drapeaux de tous les parcs de bagnoles d'occasion de Los Angeles.

Pour fêter cette preuve d'efficacité du Chi Link, Leigh-Cheri se fit livrer à domicile un repas chinois. (Chuck prit un rouleau entier de photos du jeune Oriental qui apporta la commande de Leigh-Cheri.) « J'aurai un jour un enfant de Bernard, quand les circonstances le permettront », se dit Leigh-Cheri en mâchant longuement une bouchée de riz cantonais. « Et il aura une balle d'or pour jouet, ou tout ce que son papa voudra lui donner, à condition, évidemment que ce ne soit pas de la dynamite. Mais pour l'instant... »

Pour l'instant, elle consacrait toute son énergie à obtenir de Nina Jablonski qu'elle trouve quelque chose pour lui permettre de revoir encore une fois Bernard avant le procès. Et Nina Jablonski n'avait pas le cœur de lui dire qu'il n'y aurait pas de procès.

51

Pour l'anniversaire de Leigh-Cheri, Giulietta fit un gâteau au chocolat recouvert d'un glaçage dans lequel elle planta vingt bougies. Bien que trop fâchés contre leur fille pour lui faire fête, Max et Tilli se montrèrent dans la salle à manger le temps de chanter l'air traditionnel autour du gâteau qui brillait sur la grande table de chêne comme une raffinerie de pétrole. Après un lourd silence, la Princesse, d'un souffle désespéré, éteignit les bougies. « Le monde entier zait quel vœu elle a vait », se lamenta Tilli à l'oreille du nouveau chihuahua.

Vingt bougies sur un gâteau. Vingt Camel dans un paquet. Vingt siècles en dessous de la ceinture, et où cela nous mène-t-il ?

Cela ramena Leigh-Cheri en ville, dans le bureau de Nina Jablonski.

« Vous avez du chocolat sur la joue, lui dit l'avocate.

— C'est mon anniversaire, répondit Leigh-Cheri.

— Alors je vous offre un verre. »

Elles allèrent dans un bar chic et commandèrent des kir-champagne.

« A la justice, dit Jablonski.

— A l'amour, dit Leigh-Cheri.

— Vous en pincez salement, hein ?

— Non, j'en pince merveilleusement. » La Princesse termina d'une gorgée son kir-champagne et commanda un tequila perroquet.

« Dites-moi, Nina, vous êtes mariée depuis plusieurs années...

— Deux fois. J'ai été mariée deux fois pendant plusieurs années.

— Et... et vous pensez que l'on peut faire en sorte que l'amour demeure ?

— Bien sûr. Il arrive souvent à l'amour de durer toute une

vie. C'est la passion qui ne reste pas. J'aime toujours mon premier mari. Mais je ne le désire pas. L'amour demeure. Le désir vous quitte quand vous n'y faites pas attention, le désir fait ses valises..., et l'amour sans désir ne nous suffit tout simplement pas.

— Tout le monde peut baiser avec tout le monde, Nina. Mais combien peuvent jouer ensemble dans les champs du véritable amour ?

— Brrrr... Pourquoi faire de l'amour, du véritable amour, un picnique réservé à une certaine élite ? Quelle idée prétentieuse et fausse ! S'il y a bien un sentiment démocratique, c'est l'amour. »

Leigh-Cheri sentit dans les paroles de Jablonski un reproche à ses origines royales. Elle choisit de l'ignorer. « Eh bien, répondit-elle, je n'en suis pas si sûre. J'ai idée que l'amour est beaucoup plus exclusif que les chansons populaires veulent nous le faire croire. Mais le désir, oui. Le désir est démocratique. Le désir se rend accessible à n'importe quel clown ou quel clone capable de rassembler assez d'énergie pour sécréter une hormone. Mais comme vous l'avez dit, il ne traîne jamais longtemps ses guêtres au même endroit. Peut-être qu'il en a marre de la démocratie au bout d'un moment, peut-être qu'il s'ennuie avec les médiocres. Peut-être que le désir et l'amour exigent tous les deux quelque chose dont très peu d'entre nous sont capables. A l'époque actuelle, c'est certain, les gens se soucient beaucoup plus de faire carrière que de vivre un grand amour.

— Vingt ans aujourd'hui ? »

La Princesse saisit l'allusion de l'avocate à son immaturité, mais, bien que peu familière avec la néoténie, elle continua simplement. « Oui, j'ai vingt ans aujourd'hui, et, croyez-le ou non, je ne sais même pas quel âge a Bernard. Il a au moins une douzaine de permis de conduire, tous avec des noms et des dates de naissance différents. » Toujours écologique, elle détourna vers sa gorge une quantité de tequila qui autrement aurait stagné ou serait descendue dans les tuyaux d'évacuation et aurait fini par empoisonner les poissons. « Est-ce que vous vous êtes jamais demandé à quoi ressemblaient les permis de conduire, sur la planète Argon ?

— Je crois qu'il vaudrait mieux que je vous appelle un taxi. » Jablonski regarda Leigh-Cheri de cet air en même temps amusé et plein de reproches que prennent toujours ceux qui restent sobres quand vous commencez à être plein.

Mais en fait, Jablonski regardait aussi Bernard de plus en plus souvent avec cet air-là. Et pourtant, un chien de rabbin aurait plus facilement déniché des côtes de porc dans Tel Aviv que Bernard ne pouvait obtenir de la tequila dans la prison du comté. Jablonski en était arrivée à trouver que Bernard avait quand même trop pris son pied. Mettre des bombes était une chose, y prendre plaisir en était une autre. « Lutter contre le système est une chose sérieuse », avait rappelé l'avocate à son client. « Ce sont les choses sérieuses qui *créent* le système », avait répondu Bernard. Il avait l'air de considérer son futur procès comme une fête que le gouvernement donnait en son honneur et de l'attendre avec l'impatience d'un chanteur amateur frustré avant la kermesse annuelle des Joyeux Pinsonnets du Dimanche. Jablonski décida finalement qu'éviter un procès (le climat social s'étant modifié depuis la dernière condamnation de Bernard, le pouvoir judiciaire avait proposé à ce dernier d'être jugé à nouveau) servirait mieux les intérêts de son client et des radicaux américains. Elle demanda à Bernard si cela l'ennuyait de plaider coupable. Il fut ravi. « Si on considère la société innocente, tous ceux qui ne sont pas coupables vivent une vie qui n'a pas de sens, déclara-t-il. En outre, un hors-la-loi est coupable par définition. » Elle utilisa cet aveu de culpabilité pour marchander la défense de son client et l'échangea contre une réduction de peine. Tout fut arrangé avec le procureur lors d'une audience en référé.

« Nina, dit Leigh-Cheri, dont le sang d'anniversaire essaimait avec les sauterelles liquides de la libation, il faut que je le voie avant le procès. Et il faut le sortir de là, même si pour cela je dois tout faire sauter.

166

— Chut ! » Jablonski regarda autour d'elles. « Ne prononcez jamais de telles paroles, même pour plaisanter. Écoutez, j'ai de bonnes nouvelles, pour vous. Bernard ne va pas avoir à plaider à nouveau. Il va être transféré à McNeil Island. Demain matin. Pour puger une peine de dix ans. Ce qui veut dire qu'il sera libérable sur parole dans seulement vingt mois. »

Vingt bougies sur un gâteau. Vingt Camel dans un paquet. Vingt mois dans un pénitencier fédéral. Vingt gorgeons de tequila derrière la cravate. Vingt siècles depuis la dernière fois que Notre Seigneur est tombé sur le cul, et après tout ce temps, nous ne savons toujours pas où va la passion quand elle s'en va.

52

Le pivert grimpe autour des troncs d'arbres en décrivant une spirale parfaite. Relier l'hélice ainsi définie à la spirale microcosmique de notre système stellaire, à la spirale microcosmique de la molécule d'ADN ou aux centaines de spirales naturelles qui existent entre ces deux extrêmes — coquilles d'escargots, cœurs des marguerites et des tournesols, empreintes digitales, cyclones, etc. — serait peut-être attribuer à la géométrie plus de signification que le commun des mortels n'en attend. Qu'il nous suffise donc de dire que le pivert est d'un côté du tronc puis de l'autre, qu'il apparaît et disparaît pour réapparaître ensuite légèrement plus haut.

Comme le pivert, Bernard Mickey Wrangle avait une fois de plus disparu, cette fois, dans le quartier de haute sécurité du pénitencier fédéral de McNeil Island, mais personne sauf peut-être la Princesse Leigh-Cheri, ne s'attendait à le revoir de sitôt. C'est vrai, il pouvait être libéré sur parole dans vingt mois s'il se tenait à carreau. Mais qui aurait pensé qu'il se tiendrait à carreau ? En tout cas, certainement pas les responsables de McNeil. Ils le mirent au secret. Seule Nina

167

Jablonski était autorisée à le voir, et elle ne le vit qu'une seule fois car il l'envoya bouler dès qu'il se retrouva emprisonné sans avoir eu le plaisir d'un procès. Jablonski qui expliqua que s'il avait été jugé, il aurait pu avoir à purger le reste de son ancienne peine de trente ans, plus une autre peine pour s'être échappé, ou qu'il aurait eu une nouvelle condamnation pratiquement aussi dure, surtout s'il avait transformé son procès en une cérémonie barbare à la gloire du hors-la-loi, comme il en avait l'intention. « Vous avez de la chance, lui dit Jablonski. Vous serez dehors pendant que vos cheveux sont encore roux. » Bernard la remercia de sa sollicitude, mais, se sentant quand même trahi, il la renvoya. « C'est ça le problème avec ceux qui font de la politique, lui dit-il. Il n'y en n'a pas un seul parmi vous, que ce soit à droite, à gauche ou au centre, qui ne croie pas que la fin justifie les moyens. »

Et il disparut.

Le jour où il fut transféré à McNeil, le *Seattle Post-Intelligencer* publia une photo de lui, souriant, à son habitude, comme s'il prononçait un « miam » pulpeux de papier journal ; ses caries et ses taches de rousseur étaient effacées mais la flamme de ses yeux, malgré l'encre grise, montrait cette faim de vivre qu'ont ceux qui se savent condamnés. Leigh-Cheri arracha la photo du journal et la pressa contre son oreiller et sa gueule de bois. Cela ne soulagea pas tellement son mal au crâne — ses tempes tambourinaient comme la valve de son papa — mais dans la nuit, elle fut réveillée par le bruit facilement reconnaissable de l'écureuil qui vit au centre de la terre, et ce bruit lui parut tout proche.

53

Cette année-là, le printemps arriva au pays du Puget Sound comme il le fait souvent, prenant des allures de demoiselle d'honneur qui grimperait à un poteau graisseux. Après une lente et périlleuse ascension, il sembla définitivement s'installer dans une triomphale explosion de fleurs, de bourgeons et de corps en chaleur, quand il retomba à nouveau dans la boue, laissant battre, seul et triste en haut du mât des saisons, le drapeau humide de l'hiver. Puis, comme pointent les seins des très jeunes filles, le printemps allait lentement revenir briller jusqu'en haut de la hampe.

Quand Leigh-Cheri avait mis sa gueule de bois au lit, le pavillon battait aux couleurs du printemps. Elle se leva deux jours plus tard avec une gelée hors de saison. Le froid avait renvoyé dormir les insectes et les fleurs en bouton. Il avait semé la terreur parmi les oiseaux et les batteries de voitures. Prince Charmant gisait si immobile que Leigh-Cheri le crut mort, mais dès que le premier rayon de soleil traversa le givre de la fenêtre, elle vit ses pattes se crisper ; elle alla le mettre devant le four ouvert et le regarda revenir stoïquement à la vie. On était à la mi-avril. En dehors des fidèles qui annoncent toujours le retour de l'Age Glaciaire, personne, dans le Nord-Ouest pacifique, ne s'attendait à une telle gelée.

En ville, à Pioneer Square, où Leigh-Cheri était allée une dernière fois voir Nina Jablonski, les pavés verglacés faisaient ressembler la place à une plantation de guimauve. Dans la lumière matinale, arbustes et soûlards semblaient saisis par le froid. Même le ré de la sirène du ferry-boat avait un son glacé. Quant aux bouches d'égout, on aurait cru qu'elles avaient sniffé de la cocaïne. Leigh-Cheri trouva qu'elles ressemblaient étrangement aux narines de Giulietta ces derniers temps. La Princesse avait espéré trouver un moment où Giulietta ne serait pas trop défoncée pour lui demander ce qu'il était arrivé à la balle d'or, mais une telle opportunité ne s'était jamais présentée.

Leigh-Cheri s'était habillée chaudement, elle portait sur son jean un gros pull vert, pourtant, cela n'était pas suffisant pour ne pas sentir la froideur de la réponse de Jablonski à qui elle avait révélé ses projets. L'avocate trouvait la Princesse égoïste, frivole, narcissique, faible et immature.

« La monarchie du Mû était déjà une idée à la mords-moile-nœud, déclara Jablonski. Elle n'aurait jamais marché : tous ces rois sans royaumes et ces duchesses sans duchés possèdent des parts dans ces grandes compagnies dont la protection de l'environnement ne ferait que menacer les immenses profits. Cela n'aurait jamais marché, mais c'était au moins un pas dans la bonne direction, un geste décent, une tentative de vous intéresser à quelque chose de plus important que vos petites émotions personnelles. Mais là, vraiment...

— Ne croyez-vous pas que l'amour est aussi important que l'écologie ?

— Je crois que l'écologie *est* l'amour. »

A l'Université des Hors-la-loi, les professeurs de Folies Essentielles définiraient les attitudes contradictoires de Nina Jablonski et de Leigh-Cheri comme caractéristiques d'un conflit plus général qui oppose l'idéalisme social au romantisme. Comme n'importe lequel de ces doctes savants pourrait te l'expliquer, s'il était assez imbibé de tequila, quelle que soit la ferveur avec laquelle un romantique soutient un mouvement, il cessera toujours à un moment donné de participer directement à l'action de ce mouvement car l'éthique du groupe — la suprématie de l'organisation sur l'individu — constitue une atteinte à son intimité. L'intimité est la principale source des sucres dont on édulcore cette vie. Sans les folies essentielles (intimes), l'humour perd son impact et vire à la fadaise, la poésie devient exotérique et vire à la prose, l'érotisme se fait mécanique et vire à la pornographie, les comportements sont de plus en plus prévisibles et donc faciles à contrôler. Quant à la magie, elle disparaît totalement, car tous les activistes sociaux cherchent à prendre le pouvoir sur les autres, alors que le magicien ne vise que le pouvoir sur lui-même : le pouvoir d'une conscience plus haute, qui, parce qu'il est universel, cosmique, même, existe de toute évidence dans l'intimité du moi. On pourrait penser qu'il y a place en tout être humain pour l'intimité et l'action sociale en même temps mais, malheureusement, toute cause, si bonne soit-elle, finit

170

par devenir la proie de la tyrannie qu'exercent les esprits obtus. Dans le mouvement social, comme dans la ruche ou dans la fourmilière, il n'y a aucune place pour l'idiosyncrasie, et encore moins pour la contradiction.

Le romantique, cependant, reconnaît que le mouvement social, l'organisation, l'institution, ou même la révolution ne constituent simplement qu'une toile de fond devant laquelle se joue son drame personnel, et que prétendre le contraire serait livrer sa liberté et sa volonté à la pulsion totalitariste, remplacer la réalité psychologique par l'illusion sociologique, alors que de telles vérités ne pénètrent jamais à travers l'enduit épais de bonne conscience dont se tartine l'idéaliste social quand il s'identifie au pauvre et à l'opprimé. Etant donné les innombrables injustices qui, dans le domaine socio-économique, doivent être réparées, un des problèmes majeurs de notre espèce semble se poser en ces termes : comment aider les malheureux, comment juguler la corruption, préserver la biosphère et faire évoluer efficacement le contexte socio-économique sans que l'organisation de tout ceci ne soit prise en main par les cons, eux qui, suprême ironie du sort, sont les plus aptes à servir une cause organisée, du fait qu'ils ont rarement quelque chose de plus intéressant à faire, et que, restreints par leur vision-tunnel, même si c'était le cas, ils ne le feraient pas.

Les cons peuvent faire de la plus glorieuse tentative humanitaire une vraie vérole en utilisant cette tentative comme substitut de leurs insatisfactions spirituelles et sexuelles. C'est finalement la connerie et non le mal qui engendre le totalitarisme, bien que certains professeurs de l'Université des Hors-la-loi aillent jusqu'à prétendre que la connerie *est* le mal. Evidemment, la connerie est une question de goût (ce que certains esprits trouveront complètement con peut représenter le fin du fin pour d'autres), et il y a de nombreuses tâches apparemment très connes, mais dont il faut bien que quelqu'un se charge. Seulement, dès que tu abordes ces questions avec un des savants de l'Université des Hors-la-loi, tu t'aperçois que l'enfoiré vient de donner sa démission pour s'installer à son compte à Tijuana, qu'il est trop défoncé pour te repondre, qu'il est accusé d'avoir participé à une affaire pas très nette ou qu'il est amoureux fou et désire ne pas être dérangé. Bon, de toute façon, nous n'avons pas besoin de l'aide de ces mecs-là pour nous rendre compte que Leigh-Cheri, autrefois illuminée par son idéalisme social, était tombée du haut de ses rêves, qu'elle avait glissé dans la fosse aux visions ou mordu dans le fruit défendu : l'affirmation de Nina Jablonski selon laquelle celui qui aime, aime avant tout la terre, ne lui fit ni chaud ni froid. Tout ce qu'elle demandait à l'avocate était une description détaillée de la cellule où était enfermé Bernard.

« C'est petit, mais juste assez grand quand même pour qu'il puisse s'y dégourdir les jambes. Comme ça, ils n'ont pas besoin de le faire sortir pour la promenade. A part la couchette métallique et le matelas de mousse qui la recouvre, il n'y a rien. Absolument rien. Les gardiens lui font passer un pot de chambre deux fois par jour. Dix minutes plus tard, je crois que c'est dix minutes, ils l'enlèvent. Une fois par semaine, ils l'emmènent dans un box situé à côté de sa cellule et il se douche.

— Il y a des fenêtres ?

— Une seule, minuscule, avec des barreaux, tout en haut, presque au plafond. Elle laisse un tout petit peu entrer la lumière du jour, mais on ne voit pas sur quoi elle donne.

— De la lumière électrique ?

— Une seule ampoule, accrochée au plafond. Trop haute pour qu'on puisse l'atteindre.

— Combien de watts ?

— Comment diable le saurais-je ? Quarante, je pense. »

La Princesse sourit d'un air entendu. Bernard, se rappelait-elle, lui avait dit que la lumière de la pleine lune avait la force de celle d'une ampoule de quarante watts à cinq mètres de haut. « Quoi d'autre ?

— Rien. Pas de livres, pas de journaux, rien. Sauf un paquet de cigarettes. »

Leigh-Cheri sourit à nouveau. « Oui, il fume des Camel

172

quand il est en prison. Il disait que lorsqu'on est enfermé, fumer une cigarette, c'est comme avoir un ami.

— Eh bien, cette fois, c'est une drôle d'amitié : il ne fume pas. Il a demandé des cigarettes. Tout prisonnier a droit à des cigarettes. Mais ils ne le laissent pas fumer. Il n'a même pas ouvert le paquet.

— Pourquoi ne le laisse-t-on pas fumer ?

— Parce qu'ils ont peur qu'ayant de quoi l'allumer, il fasse une bombe.

— Avec quoi ? une banquette métallique ? un morceau de mousse ? ses habits ? un paquet de cigarettes ?

— Ecoutez, ma jolie, votre amant a une certaine réputation. Ils disent que ce salaud-là peut faire une bombe avec n'importe quoi. »

En remontant la Première Avenue pour reprendre le bus, à une heure où la demoiselle d'honneur commençait à reprendre l'avantage sur le gel, Leigh-Cheri fit une brève incursion au Bar des Paumés et acheta un paquet de Camel.

54

LES RECETTES DE
BERNARD MICKEY WRANGLE :
SES BOMBES FAVORITES

Bombe des cœurs et des carreaux

Prenez un jeu de cartes ordinaires non plastifiées. Découpez les carreaux et les cœurs et faites-les tremper toute la nuit, comme des haricots. Vous obtiendrez un meilleur résultat en les faisant tremper dans de l'alcool, mais l'eau du robinet peut quand même faire l'affaire. Bouchez l'un des orifices d'un court tuyau. Farcissez-le des carreaux et des cœurs détrempés. Sur les cartes de l'ère pré-plastique, on utilisait une teinture rouge, composé chimique instable et

173

très énergétique du nitrogène. Maintenant que vous avez le nitro, il ne vous manque plus que la glycérine. De la crème pour les mains, voilà ce qu'il vous faut. Shootez-en une noisette dans le tuyau. Pour activer cette quasi-nitroglycérine, vous aurez besoin de permanganate de potassium. Vous en trouverez sur l'étagère « morsures de serpents » de n'importe quelle bonne armoire à pharmacie. Ajoutez une pincée de permanganate de potassium et bouchez l'autre bout du tuyau. Faites chauffer le tuyau. Directement sur une flamme, si vous le pouvez, mais en le posant sur un radiateur, vous obtiendrez aussi le résultat recherché. Planquez-vous ! Mickey le Rouge utilisa la bombe des carreaux et des cœurs quand il s'évada pour la première fois de McNeil Island.

Bombe Saint-Marc

Procurez-vous une boîte de lessive Saint-Marc ou de tout autre produit de nettoyage ménager très concentré. Roulez la lessive Saint-Marc dans une feuille de papier d'aluminium comme on roule un joint. Si vos intentions explosives sont sérieuses, il faudra que vous immergiez votre joint dans l'eau. En prison, le réservoir de la chasse d'eau est le meilleur lieu d'immersion que vous puissiez trouver. Quand la lessive humide entre en réaction avec l'aluminium, de l'hydrogène se dégage sous forme de gaz. Une étincelle y mettra le feu. Il est difficile de se mettre à couvert à temps avec ce genre d'explosif. Ne perdez pas la tête.

Bombe du pot percutant

Pour cette bombe, vous aurez besoin d'essence. Mais de quelques gouttes seulement. Quand Bernard fut désigné pour laver la voiture du shérif, il en siphonna assez en cinq secondes avec une paille pour se faire la valise de Cody, Wyoming. Injecter les gouttes d'essence dans un pot bien propre, un pot de verre dans le genre pot de confiture. Fermez le pot soigneusement et faites-le rouler de façon à ce

174

que l'essence en recouvre la paroi intérieure. Laissez l'essence s'évaporer. Cette fois encore, il vous faudra faire appel à un nécessaire anti-morsures-de-serpents pour trouver du permanganate de potassium (en ce monde, les serpents prennent des formes diverses, et si vous ne savez pas les charmer, vous devez toujours être prêts à contrecarrer l'action de leur venin). Ajoutez une pincée de p.p. et refermez vivement le pot. Faites rouler le pot à travers la pièce en le lançant suffisamment fort pour qu'il se casse en heurtant le mur d'en face. Bye-bye, mur d'en face. Ceci est un puissant explosif.

Bombe de Fruit Loops
et de merde de chauve-souris

Une création Mickey le Rouge. Le sucre est un composé chimique instable aussi passionné d'oxydation que le soufre dont il suit d'ailleurs l'exemple dans cette opération. Pour préparer la bombe de *Fruit Loops* vous n'aurez qu'à prendre le sucre pour du soufre. La poudre à canon est faite de soufre, de carbone, et de salpêtre. Les *Fruit Loops,* comme toutes les céréales que l'on mange au petit déjeuner, contiennent une quantité importante de sucre et de carbone. (Pour fabriquer cette bombe, Bernard conseille les *Fruit Loops,* mais le matin, il préfère manger des *Wheaties* arrosées de bière.) Quant au salpêtre (nitrate de potassium), on en trouve surtout dans la merde de chauve-souris. Si l'on n'arrive pas à se procurer de la merde de chauve-souris, la fiente de n'importe quel oiseau fera l'affaire. Mais plus le guano sera vieux, mieux vous réussirez votre coup. Pour des considérations d'ordre esthétique et pratique, la merde fraîche et liquide est déconseillée. Écrasez soigneusement les *Fruit Loops*. Mélangez-les bien à la fiente. Si la couleur de ce mélange vous plaît, n'en soyez pas surpris. En fait, cette préparation vous permettra peut-être de mieux comprendre l'art et ses origines. C'est la raison pour laquelle cette bombe est particulièrement recommandée aux critiques, et à tous ceux qui écrivent dans les revues.

Placez le mélange dans un récipient et mettez-y le feu. La poudre à canon, contrairement à ce que vous pourriez croire, n'est pas un très bon explosif. La bombe aux *Fruit Loops* et à la merde de chauve-souris ne fera jamais s'écrouler aucun building, mais elle dégage une extraordinaire quantité de fumée. Certainement plus qu'un paquet de Camel. *A moins...* à moins que la race disparue des Barbes Rouges ne comprennent le message de ce dernier.

55

Leigh-Cheri monta au grenier avec un seau de peinture noire. Elle peignit toutes les fenêtres en noir, à l'exception d'un seul petit carreau qui donnait sur l'Est. Elle vissa dans une douille qui pendait au plafond une ampoule de quarante watts. Elle enleva le mannequin royal, les décorations d'arbres de Noël et les coffres pleins de vieilleries brodées aux armoiries des Furstenberg-Barcalona. Elle monta un pot de chambre et une banquette. La banquette fut recouverte d'un matelas en mousse. Le pot serait vidé deux fois par jour par Giulietta. Giulietta lui apporterait aussi deux fois par jour une assiette de nourriture. « Des féculents, commanda Leigh-Cheri. Je veux manger ce qu'il mange. »

Le Roi et la Reine essayèrent en vain de la raisonner. « Il n'est pas étonnant que les gens vivent sans amour, répondit la Princesse. L'amour appartient à ceux qui, pour lui, veulent aller jusqu'au bout. Au revoir. »

Tilli et Max écoutèrent claquer la porte du grenier. Ce bruit résonna dans le cœur de Max comme celui d'une batte au moment où l'adversaire frappe un coupe-circuit et bat les Seattle Mariners dans la neuvième manche. « O O Spaghetti-o », dit simplement Tilli.

Ils se demandèrent un instant s'ils ne devraient pas faire appel à la faculté pour sortir Leigh-Cheri de là, mais le Roi Max faisait partie de ces gens pour lesquels la psychologie en était au même stade que la chirurgie à l'époque des barbiers, et ils abandonnèrent très vite cette idée. Max posa son bras sur l'épaule de sa femme — il ne pouvait atteindre l'autre — et ils sortirent sous le porche regarder les ronces. Ces ronces qui, même si elles étaient, en ce dernier quart du XXe siècle les seules, avec les Arabes et les abeilles mortelles à le faire, avançaient toujours.

Il faudrait peut-être parler maintenant de ce test psychologique que Bernard, pourtant du même avis que Max au sujet des psy, avait mis au point. C'était un test très court, très simple et, dans l'esprit de son auteur, infaillible. Il s'agissait simplement de demander à celui ou à celle qui voulait subir ce test le nom de son Beatle préféré. Si tu connais vraiment bien l'image publique de chacun des quatre Beatles, tu te rendras vite compte que le personnage choisi — John, Paul, George ou Ringo — t'en apprend plus sur la personnalité du sujet que tu n'as jamais espéré en savoir.

56

Leigh-Cheri arpenta le grenier. Elle s'assit sur la banquette. Elle laissa dans la mousse de caoutchouc la première marque d'un derrière royal que l'histoire ait connue. Elle alla à la fenêtre et regarda le noir. Elle essaya le pot de chambre, bien qu'elle n'eût en réalité rien à lui donner. Elle s'allongea sur la banquette. Plafond plafond plafond. Elle se retourna. Plancher plancher plancher. Elle se leva, et, comme un aspirateur insomniaque, parcourut la pièce en tous sens. Cela dura trois jours. Peut-être voulait-elle arriver à un accord avec l'espace, mais elle savait pourtant bien que l'espace n'est qu'un moyen d'empêcher toutes les choses de se retrouver au même endroit.

Le quatrième jour, elle décida de penser à l'amour. D'une manière analytique. « Quand nous nous sentons incomplets, nous cherchons quelqu'un pour nous compléter. Quand, après quelques années ou quelques mois d'une relation, nous nous sentons toujours insatisfaits, nous en rendons notre partenaire responsable et essayons avec quelqu'un d'autre. Cette polygamie sérielle peut durer longtemps. Jusqu'à ce que nous arrivions à admettre que, si un partenaire apporte à notre vie une douce dimension, chacun d'entre nous est cependant le seul responsable de son bonheur. Et croire que ce bonheur dépend de " l'autre ", c'est se bercer de dangereuses illusions et vouer toute nouvelle relation à l'échec. Eh, mais c'est pas mal du tout. Si j'avais un papier et un crayon, je l'écrirais. » Hélas, elle n'avait pas de crayon, et le rouleau de papier qu'elle avait mis à côté du pot de chambre était destiné à un tout autre usage.

Elle poursuivit son monologue intérieur. « Quand deux personnes se rencontrent et tombent amoureuses l'une de l'autre, il se passe toujours quelque chose de magique. La magie fait tout naturellement partie de la rencontre. Nous puisons ensuite dans cette magie sans faire aucun effort pour l'entretenir. Et un matin au réveil, nous nous apercevons que la magie s'en est allée. Alors, nous nous démenons véritablement pour la faire revenir. Mais il est en général trop tard, le charme a disparu. Il faudrait dès le début travailler à créer de la magie additionnelle. Et y travailler sans relâche. C'est difficile, parce qu'au début cela ne semble jamais nécessaire, mais c'est indispensable, si nous voulons que l'amour demeure. » S'agissait-il d'une idée vraiment profonde ou seulement d'un vieux poncif ? Elle n'en savait trop rien. Elle n'était sûre que d'une chose, c'est que c'était très important.

« Les mystiques, continua-t-elle, disent que c'est en y renonçant que l'on obtient ce que l'on cherche. C'est peut-être vrai, mais qui cherche ce à quoi il a renoncé ? »

Leigh-Cheri essaya de trouver d'autres idées sur l'amour. Son esprit vagabondait. A l'aube du cinquième jour, elle se masturba.

Elle n'en avait pas eu l'intention. Elle voulait juste voir si elle ne montrait aucun signe d'atrophie, d'engourdissement, de rétrécissement, de dessèchement. Dans son sexe humide,

178

une étincelle jaillit au contact de son doigt. Surprise, la petite main se retira. Et, prudemment, elle revint. Sans rencontrer aucune résistance, elle se glissa dans les replis de chair salée et douce du poisson-pêche. Puis elle pressa la gâchette au milieu des algues.

Ensuite, elle se sentit déprimée. Elle avait l'impression d'avoir violé la pureté de son ermitage et n'arrivait pas à s'imaginer Bernard en train de se masturber dans *sa* cellule. Bernard n'avait pas besoin d'un flash de publicité pour reconnaître la différence entre le produit X et la marque vantée par l'annonce. Bernard n'aurait jamais accepté cet indigne succédané. Les chérubins qui entourent dans une aurore de lumière bleue les lits des amants qui tanguent, ces angelots gracieux ne prennent pas leur envol pour les masturbateurs. Elle essayerait à l'avenir de canaliser son énergie sexuelle vers quelque chose de plus enrichissant que l'orgasme onaniste.

Mais quoi ?

Elle essaya d'énumérer les cinquante Etats et leurs capitales, mais ne dépassa jamais le Dakota du Sud. Elle essaya d'énumérer les neuf planètes de notre système solaire et, à sa grande surprise, en trouva dix, en comptant Argon. Elle essaya de se rappeler pourquoi George Harrisson était son Beatle favori — sûrement pour sa sincérité, sa profonde spiritualité, son amour pour l'humanité souffrante — et finit par se rendre compte, sans comprendre pourquoi, qu'elle préférait maintenant le rebelle avant-gardiste qu'était John Lennon. Elle joua au jeu de la loi mondiale. Si elle avait le pouvoir de promulguer une loi à laquelle tous les habitants de la planète devaient se soumettre, laquelle choisirait-elle ? On ne peut forcer les gens à aimer leur prochain comme eux-mêmes. Il existait déjà des lois interdisant de tuer, et des meurtres étaient perpétrés tous les jours. Interdire le moteur à combustion interne serait certainement une bonne chose, mais combien de temps l'industrie mettrait-elle pour que l'on trouve une voiture propulsée par l'énergie atomique dans chaque garage radioactif ? Et si elle décrétait que tout était

179

illégal ? Il n'y aurait alors plus que des hors-la-loi dans le monde. Qu'en penserait Bernard ? Serait-il ravi ou horrifié ? Dans un autre jeu, elle décernait des oscars à des films qui les méritaient vraiment. Comme les candidats manquaient, elle commença à inventer un film. Mais elle ne connaissait qu'une seule intrigue, et n'arriva jamais à mettre en place la scène dans laquelle le crapaud est jeté violemment contre le mur. Et puis, qu'était-il arrivé à la balle d'or ?

Son imagination l'entraînait sur le chemin des rêves. A moins que ce ne fût le contraire. Toujours est-il qu'elle passa ainsi des jours entiers allongée sur sa banquette, les yeux fermés. Giulietta la secoua. « Ez-que tu vas mourir ? » demanda la vieille femme. « La Reine veut zavoir zi tu vas mourir », insista-t-elle en imitant Tilli. « Oh non », répondit Leigh-Cheri d'un ton rêveur. « Dis à Maman que je vis et que je continuerai à vivre. Par amour. »

Et elle retomba immédiatement dans la contemplation de son nouveau totem, créature qui tenait à la fois du crapaud et du mickey, et quelquefois aussi du petit écureuil qui se pète les noisettes à courir pour nous au centre de la terre.

Le temps passa. Une semaine. Peut-être plus. Enfin, un soir, elle s'éveilla, fraîche et dispose, les idées claires. Elle fit un peu de jogging autour du grenier, se pencha pour toucher ses doigts de pied, et dévora à belles dents le steak de soja et la purée de pommes de terre que Giulietta avait déposés devant sa porte. Elle utilisa le pot de chambre à ce à quoi il était destiné. Puis elle alla s'asseoir sur la banquette. « Oui, je vis, se dit-elle. Je vis par amour. » Malgré le souffle tiédasse de l'ennui qu'elle sentait encore, il fallait bien l'avouer, passer contre son cou, elle était en forme.

Quelque chose alors retint ses yeux. Quelque chose attrapa le dernier volant de son regard et s'y accrocha comme un petit enfant. Un rayon de lune était passé à travers le seul carreau transparent et éclairait un objet. Elle se leva et alla ramasser cet objet. Elle avait oublié le paquet de Camel.

57

Les mosquées et leurs minarets, l'oasis, les pyramides et le chameau, tout cela passa à travers le filtre de son regard sans être vu. Ses yeux, conditionnés par les longues années d'école passées à apprendre à lire et à écrire s'arrêtèrent sur le message que doivent, selon la loi, obligatoirement porter tous les paquets de cigarettes :

Attention. Abus dangereux

... caractères d'imprimerie, encre bleue, fond blanc, aussi blanc que la surface oculaire autour de l'iris bleu, aussi blanc que le tapis de la bibliothèque l'avait été autrefois.

Elle vit fleurir des tumeurs en bouquets ; elle vit des poumons rose tendre prendre l'apparence de bois carbonisé ; elle vit de grotesques tubérosités, couvertes de pores dont suintait un sang épais, pousser comme des champignons sur une innocente pelouse, des artères aussi dures que des vrilles d'orchidées séchées. Elle vit des caillots sanguinolents qui ressemblaient à des tomates pourries ou à des cerveaux de singes malades, étouffer petit à petit l'organisme, d'une fumée qui ne s'éteindrait qu'avec la mort.

Leigh-Cheri grimaça de dégoût. « Berk », dit-elle à haute voix, comme pour pratiquer le troisième mantra. « Bernard prétend qu'une cigarette est un ami quand on est enfermé. Si c'est ça, ses amis, qu'est-ce que doivent être ses ennemis ! »

La princesse n'avait jamais réussi à comprendre pourquoi les gens fumaient. Il suffit cependant, pour répondre à cette question, de nous situer sur cette frontière qui sépare la nature de la culture dès le moment où les hommes transforment les produits de la nature pour les consommer.

Trois des quatre éléments sont partagés entre toutes les créatures, mais le feu n'est donné qu'aux seuls êtres humains. On ne peut, sans d'affreuses souffrances, être plus proche du feu qu'en fumant une cigarette. Chaque fumeur est une incarnation de Prométhée, qui vole le feu aux dieux et le ramène chez lui. Nous fumons pour prendre au soleil son pouvoir, pour pacifier l'enfer, pour nous identifier à l'étincelle initiale, pour nous nourrir de la moelle du volcan. La cigarette est la version moderne de la danse du feu, rituel aussi ancien que les éclairs.

Cela veut-il dire que ceux qui allument cigarette sur cigarette sont des fanatiques religieux ? En tout cas, ils y ressemblent.

Le poumon du fumeur est une vierge nue jetée en sacrifice au dieu du feu.

58

Comme elle n'avait rien d'autre à lire, Leigh-Cheri lut ensuite tout ce qui était inscrit sur le paquet : *Camel : mélange de tabacs turcs et américains. Choix Qualité. Produit manufacturé par R.J. Reynolds Tobacco Co., Winston-Salem, N.C., 27102 USA. 20 cigarettes classe A.* Et la fameuse inscription qui orne l'arrière du paquet depuis sa création en 1913 (année au cours de laquelle les Argoniens auraient soi-disant envoyé leur dernier message aux créatures terrestres à cheveux roux) : *Ne cherchez ni coupons ni primes, le prix des tabacs utilisés dans le mélange Camel en interdit l'utilisation.*

Elle essaya de compter les *e* qu'il y avait dans cette phrase et se heurta aux mêmes difficultés que tous les autres lecteurs de Camel. Personne n'arrive jamais au nombre exact du premier coup. Puis elle examina le chameau et découvrit une femme et un lion cachés dans le corps de ce dernier. Elle se mit sur la pointe des pieds, tint le paquet devant la seule vitre transparente du grenier et s'aperçut en voyant son reflet qu'on pouvait toujours y lire le mot CHOICE, CHOIX. L'image de ce mot n'est pas inversée par le miroir. Le paquet de Camel traverse les frontières qui séparent les espaces, la ligne de démarcation entre la matière et l'antimatière, elle aurait dû en voir la preuve dans ce reflet non inversé. Mais elle ne sut pas saisir cette occasion. Il ne s'agissait pour elle que d'un autre jeu. Un jeu de salon, comme celui qui consista ensuite à chercher d'autres chameaux sur ce paquet. (Il y en a deux cachés derrière la pyramide.)

Leigh-Cheri se demanda si Bernard lui aussi, lisait son paquet de Camel. « Sûrement », décida-t-elle, et elle se sentit toute proche de lui, comme les épouses des croisés se sentaient, en lisant la Bible chaque jour, toutes proches de leurs seigneurs partis combattre les infidèles.

Chaque matin, en se levant, et chaque soir en se couchant, la Princesse lisait le paquet de Camel. Elle le lisait aussi quelquefois dans la journée. Ces mots l'apaisaient. Ils étaient simples et directs. En les lisant, ses pensées ne s'emballaient pas comme elles l'auraient fait avec d'autres marques. Les Cheerios, par exemple.

Sur la tranche droite de la boîte verbeuse et quelque peu tautologique de Cheerios, on peut lire :

« Si vous n'êtes pas satisfaits de la qualité et/ou des résultats des Cheerios contenues dans cette boîte, envoyez vos nom, adresse et raisons de mécontentement — avec l'étui *entier* et le prix que vous avez payé — à : General Mills, Inc., Box 200-A, Minneapolis, Minn., 55460. Vous serez remboursés du montant du prix de votre achat. »

Non seulement ce texte parle d'argent sur un ton nettement défensif et sceptique, mais il laisse en plus le lecteur tout déconcerté devant ce qu'il doit entendre par « résultats » des Cheerios.

Les Cheerios pourraient-elles avoir une mauvaise note en mathématiques ? Ont-elles perdu du temps dans les virages du Grand Prix de Monaco ? Jouissent-elles trop vite ? Commencent-elles à vieillir, ou ne sont-elles qu'en train de traverser une mauvaise passe ? Au bord de la dépression ou de l'infarctus. Les Cheerios nous souriraient-elles bravement pour nous montrer que tout va bien et que le match continue ?

Il y a cependant une chose à dire en faveur de cette

183

inscription, elle donne envie de se précipiter au tabac du coin, d'acheter une boîte de Cheerios, de l'ouvrir (en faisant attention car vous devez ensuite renvoyer l'étui *entier*), de placer une minorité significative de la population cheerionienne, cul par-dessus tête dans un saladier, de l'arroser immédiatement de lait (on présume qu'aucun résultat ne peut-être obtenu avec des Cheerios sèches), de saupoudrer le tout de sucre, puis de s'accroupir le visage juste au-dessus du saladier et de regarder attentivement les minuscules et ultralégers beignets bruns, irréguliers, commencer à se détremper dans le lait pendant que fondent les grains de sucre, devenir mous et pâteux ; et cela te fera peut-être penser à la forme torique, la forme du cyclone, du vortex, du tourbillon, la forme d'une chose faite d'elle-même et pourtant mystérieusement distincte d'elle-même, aux anneaux, aux halos, aux hommes à la mer, au cycle ininterrompu de la vie, au vide, noyau de toute vie, ou, et c'est le plus intéressant, aux orifices de notre corps ; ce trésor de pacotilles toroïdales t'inspirera peut-être toutes sortes de pensées, quand chaque beignet, gonflé de lait sucré, se détend et se fond au contenu du saladier ; mais pendant ce temps, tout en laissant vagabonder ton imagination, garde un esprit critique et analytique afin de te demander constamment : les Cheerios sont-elles à la hauteur des *Wheaties* à la bière, formeraient-elles un bon mélange avec la merde de chauve-souris en cas de lutte, Ed Sullivan aurait-il accepté de les signer, Knute Rockne les aurait-il recrutées, quels sont les *résultats* obtenus par ces petites salopes ?

Quelle époque ! On comprend ceux qui avouent être capables de faire plus d'un kilomètre à pied dans la nuit pour trouver une Camel.

184

59

Giulietta devint l'horloge de Leigh-Cheri. Quand Giulietta apportait le déjeuner, il était midi. Quand Giulietta apportait le dîner, il était six heures du soir. Quand Giulietta vidait le pot de chambre, il était huit heures du matin ou huit heures du soir. Mais soir ou matin, qu'est-ce que cela pouvait bien lui faire ? Quand Giulietta l'emmenait à la salle de bains du troisième étage (dont Max et Tilli se servaient rarement), la Princesse savait que l'on était samedi et qu'une semaine de plus s'était écoulée. Quand elle serait descendue quatre-vingt-dix fois à la salle de bains, quand elle aurait savonné quatre-vingt-dix fois le poisson-pêche, son amant serait libérable sur parole. Giulietta était son horloge et son calendrier. Le temps était devenu une vieille femme maigrichonne aux pupilles dilatées.

Quant à l'espace, il n'était plus défini par les murs du grenier, mais par le paquet de Camel. Le paquet de Camel était un parallélépipède de six centimètres quatre-vingt-dix-huit de haut, de cinq centimètres trente-neuf de large et de un centimètre quatre-vingt-onze de profondeur. Les yeux de Leigh-Cheri s'accrochaient à chaque repli de la cellophane. Les yeux de Leigh-Cheri, comme un couple de poissons rouges dans un aquarium presque vide, regardaient de l'autre côté, en attendant qu'il se passe quelque chose.

En tant qu'environnementaliste, elle aurait pu s'intéresser plus particulièrement au pot de chambre. Non seulement le pot de chambre avait une fonction bénéfique et écologiquement saine, mais sa forme ronde — aussi biomorphique que celle d'un sein, d'un melon ou de la lune — évoquait la nature. C'était pourtant le paquet de Camel, tout en angles droits et en parallèles (morphologie correspondant à l'esprit rationnel), ce paquet, né sur des tables à dessin, loin des roses et des choux, et dont la forme avait été conçue pour nous faire oublier le bizarre, c'est-à-dire l'inexplicable, ce paquet d'une géométrie logique, synthétique, qui apportait la vie dans la cellule de Leigh-Cheri.

Le matin, un quart d'heure à peu près avant que Giulietta ne vide le pot de chambre, Leigh-Cheri en se réveillant trouvait à côté de sa banquette le paquet de Camel. Il s'y tenait comme un animal. Quelquefois, il était couché sur le matelas de mousse, derrière sa tête (pas d'oreiller dans cette cellule) comme un bijou dont aurait accouché son oreille au cours d'un rêve. Une ou deux fois, alors qu'elle était encore allongée, le matin, elle avait mis, espiègle, le paquet de Camel dans le nid douillet de son pubis. Quel étrange oiseau pouvait avoir pondu cet œuf rectangulaire ?

Elle passa de longues heures à lancer en l'air le paquet de Camel et à le rattraper. A force de s'exercer, elle arriva à le rattraper derrière son dos, par-dessus son épaule, avec la bouche, les yeux fermés. Elle retrouvait ce faisant de vieilles habitudes de supporter. Mais la plupart du temps, elle restait assise, le paquet dans les mains, et regardait pendant des heures ses paysages exotiques. Elle peupla ses vastes étendues, les colonisa, apprit à y survivre.

Elle apprit, pour traverser le désert, à porter le burnous, comme les indigènes. Les roux prennent facilement des coups de soleil. Elle apprit à reconnaître les pierres qui donnaient de l'eau quand on les pressait. Elle apprit à goûter la réalité particulière des mirages.

Un jour, elle crut entendre courir un mickey. Mais elle eut beau chercher, elle ne trouva aucun trou de souris aux pieds des pyramides.

Qu'elle traverse le désert à pied ou à dos de chameau, Leigh-Cheri avançait toujours les yeux baissés. Leigh-Cheri cherchait des allumettes. Elle guettait des traces de bottes pointues dans le sable.

60

Les bains se succédèrent. Les repas se suivirent. Le pot reçut les dons qui lui étaient destinés et fut subséquemment vidé. Lentement, le printemps devint été. A la fin juin, l'air était si lourd, dans le grenier, qu'on pouvait à peine y respirer... Mais une brise fraîche soufflait toujours sur l'oasis.

Leigh-Cheri s'asseyait à l'ombre, près de la source, et jouait à la balle avec le paquet de Camel. Durant des heures sans fin, elle lançait en l'air et rattrapait le paquet de Camel pendant que de gros et vieux batraciens verts, cachés dans les eaux de la source, l'espionnaient de leurs globuleux regards de voyeurs qui piègent la beauté et fixent toutes choses pour l'éternité. Cela lui rappela le regard d'A'ben Fizel quand il venait lui faire sa cour.

De temps en temps, des nomades venaient à la source. Tous, hommes et femmes, portaient de lourds bijoux d'argent façonnés à la main qui tintaient comme les tiroirs-caisses dans un rêve de boutiquier. Leurs antiques fusils étaient longs comme des cannes à pêche et les cruches de terre qu'ils remplissaient d'eau avaient été fabriquées aux temps où Jésus n'était qu'une lueur dans l'Œil de l'Eternel. Ce furent des Berbères. Puis des Bédouins, venus désaltérer leurs dromadaires. Des cheikhs passèrent, des cheikhs sans... puits de pétrole, sans fils étudiants à Oxford, mais qui portaient quand même des robes assez belles pour complexer tous les vers à soie d'Occident, et disparaissaient dans des nuages de parfum si épais que la Princesse en était parfois incommodée.

Elle questionnait invariablement ces marchands, voyageurs, danseuses, Ali Babas et chefs de caravanes, pour savoir s'ils n'avaient pas rencontré par hasard sur leur route quelque hors-la-loi aux cheveux roux. Eux, en échange, lui demandaient des cigarettes.

« Mais je ne peux ouvrir le paquet », essayait-elle de leur

expliquer. « Sinon, tout va disparaître. Pour que la réalité extérieure subsiste, il faut que demeure intacte la vision intérieure. »

Ils la regardaient comme le font tous les êtres intelligents à qui l'on offre de la philosophie quand ils ne demandent qu'à tirer quelques bouffées, manger un morceau, baisouiller un petit coup ou écouter une histoire bien ficelée.

61

En juillet — à peu près à l'époque où le Roi Max perdit quarante dollars au tiercé et où Giulietta se retrouva sans un gramme de cocaïne —, Leigh-Cheri s'aperçut que son corps avait établi avec la lune un accord tacite. Presque sans aucun effort, elle s'était mise à tourner sur la grande roue lunaire.

La nuit, quand la lumière était éteinte, le grenier était aussi noir qu'une saucisse de Francfort grillée au barbecue annuel des vers luisants. Mais dans cette partie du monde, la pleine lune se levait toujours à l'est, et pendant ces nuits où elle brillait plus intensément, ses rayons traversaient le seul carreau transparent du grenier et venaient se planter dans le corps endormi de la Princesse. Dès le mois de mai, elle saignait avec la nouvelle lune, comme toutes les femmes le faisaient autrefois, et en juillet, elle vit qu'elle ovulait quand la lune était pleine, ce que devrait faire toute femme saine dont les nuits ne sont pas polluées par la lumière artificielle.

Elle savait toujours quand elle allait ovuler, car sa muqueuse vaginale devenait alors plus humide que d'habitude, toute douce, et glissante. Ses glandes, en fait, huilaient les rails du Sperme Express. Mais les opérations de vérification étaient risquées, car dans son enthousiasme, un vagin à point pouvait prendre le doigt explorateur pour un phallus en fonction, et essayer de l'attirer plus profondément. Elle résista, cependant à la tentation avec un courage admirable, à la limite de l'héroïsme, et constata simplement qu'elle s'était mise, sans le vouloir, à pratiquer efficacement la lunaception.

En tant que partisan de la lunaception, Bernard aurait été fier de Leigh-Cheri. Et cela malgré l'ironie de la situation : maintenant qu'elle pouvait savoir exactement quand elle allait ovuler et quand elle aurait ses règles, maintenant qu'elle était tout à fait capable de concevoir ou non à son entière discrétion, maintenant qu'elle avait enfin résolu le problème du contrôle des naissances, cela ne lui servait à rien. Au château du Puget Sound, le Sperme Express ne traversait pas le grenier.

Mais elle était quand même heureuse de prouver le bien-fondé de la théorie de Bernard, et elle se sentait plus forte et mieux dans sa peau depuis qu'elle connaissait ses propres cycles biologiques et que ces derniers étaient en harmonie avec les rythmes du Cosmos. Elle se demandait comment la lune, à trois cent quatre-vingt-cinq mille kilomètres de là, pouvait avoir une telle influence sur elle. Surtout que la terre, cinq fois plus grosse que la lune, semblait dominer cette dernière. Prise dans le filet de la pesanteur terrestre, la lune tournait autour de la terre et ne pourrait jamais échapper à cette attraction. Cependant, comme le savent tous les matérialistes, même plus ou moins consciemment, tel est toujours pris qui croyait prendre. La terre ne peut pas non plus échapper à la lune. La lune, chef d'orchestre des eaux de la terre et gardienne de ses ruisseaux de sang. Dans un champ magnétique, tout objet exerce une force sur tout autre objet. Et la lune, après tout, est un objet. Comme la balle d'or. Comme un paquet de cigarettes.

Même la texture des objets qui semblent les plus denses n'est en fait qu'un lâche entrelacs d'ondes et de particules. Les différences qui existent entre les objets, ainsi que leurs interactions réciproques, proviennent des schémas d'interférences produits quand se combinent certaines fréquences de vibration. Tout ça pour expliquer que Leigh-Cheri exerçait une force sur le paquet de Camel. Et réciproquement. Une telle force, me diras-tu, dépendait certainement de la nature physique du paquet — sa taille, son poids, sa forme, sa composition chimique, et, surtout, sa proximité — mais n'avait rien à voir avec le contenu pictural qui l'ornementait. Pourtant, vois-tu, les symboles picturaux possèdent eux aussi un poids et une gravité, l'histoire religieuse le prouve bien, et alors que Leigh-Cheri était en relation avec le paquet de Camel en tant qu'objet, exactement comme elle était en relation avec la lune en tant qu'objet (comme toi aussi, cher lecteur, tu es en relation avec ce livre en tant qu'objet, même si tu n'en peux supporter une ligne de plus), elle déchiffra dans la symbolique des images qui décoraient ce paquet ce qui lui apparut comme le message depuis longtemps perdu qu'avaient envoyé autrefois à la terre les Barbes Rouges de la planète Argon.

Il s'agissait peut-être de la plus grande découverte de ce dernier quart du XXe siècle. A moins que ce ne soit que le poil du chef sur lequel finit toujours par tomber celui qui regarde la soupe de trop près. Platon prétendait qu'une vie qui échappe à l'analyse ne vaut pas la peine d'être vécue. Œdipe Roi n'en était pas si sûr.

62

Il fallut des semaines, des semaines ponctuées de repas grossiers et de bains du samedi, avant que la Princesse Leigh-Cheri ne détecte le caractère argonien de l'objet avec lequel elle partageait la fleur de sa jeunesse. Pendant ce temps, l'été vaquait à ses affaires. Les ronces se couvraient de mûres. Les chihuahuas battaient du flanc. Les ventilateurs tournaient en rond. Dans le grenier, la température montait. Comme la révolte dans le pays de Max et Tilli. Mais n'importe qui, sauf Chuck (il croyait, entre autres, que Leigh-Cheri lançait des messages radio sur un émetteur clandestin caché dans le grenier) aurait remarqué que le Roi et la Reine s'inquiétaient surtout de la rébellion qui venait d'éclater sous leur nez, au château du Puget Sound.

Giulietta demandait une augmentation. Plus exactement, Giulietta demandait à devenir salariée. Car pendant les quelques soixante-dix années où elle avait servi la maison des Furstenberg-Barcalona, elle n'avait obtenu pour tous gages que le lit et le couvert. De temps en temps, la vieille femme recevait de l'étranger quelques petites sommes, de quoi se payer un bikini, une paire de baskets, un film porno ou une séance de patins à roulettes le dimanche. Mais cela ne lui donnait pas de quoi s'approvisionner en cocaïne.

La poudre péruvienne qui avait un jour empli le crapaud de plastique — drogue offerte à Bernard par un autre hors-la-loi à qui il avait autrefois sauvé la vie — aurait coûté près de dix mille dollars s'il avait fallu l'acheter à des revendeurs, et Giulietta l'avait descendue en quatre mois. En manque, les nerfs à vif et complètement flippée, elle exigeait maintenant un salaire de cinquante dollars par semaine et les arriérés qui lui étaient dus depuis le début du siècle.

« Infâme ! » hurla le Roi Max, sa longue tête chevaline toute secouée d'un tremblement incoercible. « On aura tout vu ! » cria-t-il. « Tricheuse ! » Sa valve artificielle faisait le même bruit que deux souris mécaniques en train de faire l'amour dans le tiroir de l'argentier.

La Reine Tilli avait blêmi. « O O Spaghetti-o », balbutia-t-elle. Et elle choisit de ne pas développer plus avant son idée.

« Oublie ces sottises, conseilla Max à Giulietta.

— Oublier ? Ça, vous pouvez toujours vous brosser, oui. (La réponse de Giulietta perd en fait beaucoup à être traduite.) Je ne demande que ce qui m'est dû.

— U U Spaghetti-u », enchaîna Tilli. Le bruit métallique du cœur de Max couvrit la fin de son discours.

« Pas d'argent, pas de ménage, scanda Giulietta.

— Ne bluffe pas, répondit le Roi.

— Je me mets en grève. »

« O O Spaghetti-o », faillit déclarer brièvement Tilli.

191

Mais elle vit que les deux autres avaient deviné le fond de sa pensée.

63

Les nouvelles de la grève mirent quelque temps avant d'atteindre le grenier. Le reste de la maison était sens dessus dessous, la vaisselle s'empilait, les moutons s'amoncelaient, le linge sale moisissait et les repas étaient descendus à moins quatre étoiles sur le guide des gourmets. Et ce n'est pas tout : Giulietta avait installé son piquet de grève devant la maison et défilait le long de la façade, dans un sens, puis dans l'autre, complètement nue, à l'exception de ses mains. (Elle portait des gants de cuisine.) Grâce aux ronces, heureusement, on ne pouvait pas la voir de la rue, et sa banderole de gréviste, où elle avait inscrit ses revendications dans une langue qui aurait fait passer le serbo-croate pour un dialecte crétino-zozo, ne pouvait être lue par les passants. Mais la manifestation qu'elle avait organisée sur le minuscule carré de pelouse que les ronces n'avaient pas encore envahi exaspérait Max et Tilli au plus haut point. « Après tant d'années, grommela Max, l'Amérique aura fini par la corrompre. » Le sempiternel commentaire de Tilli ne vaut même plus la peine d'être répété.

Cependant, dans le grenier, la grève ne se fit pas sentir de la même manière. Giulietta continua à servir sa jeune maîtresse comme si de rien n'était. En fait, jouissant de plus de temps libre que cela ne lui était jamais arrivé, Giulietta, pour tromper son ennui, commença même à lui rendre des visites imprévues. Du coup, l'horloge de Leigh-Cheri se mit à voir midi à quatorze heures. Un jour, la servante en grève apporta à la prisonnière de l'amour une pile de magazines, dont un numéro d'*Arizona Detective*, deux numéros de *Votre voiture et son chauffeur*, de *Fruit et tarentule* et de *Porc et trichonosis*, une des dernières parutions de *L'anus de ces messieurs* et un numéro tout écorné du *People* avec une photo pleine page de la Princesse, prise sous des cieux plus cléments, alors qu'elle flânait à l'ombre des koas, ses seins extraordinairement ronds pointant sous un T-shirt SAUVEZ LES BALEINES auquel ils donnaient une dimension topographique intéressante, et ses grands yeux bleus perdus dans le rêve d'une moderne Mû. Un combat en quinze rounds contre la tentation littéraire se déroula avant que Leigh-Cheri, enfin décidée à ne lire que le paquet de Camel, ne renvoyât les périodiques et leur porteur à l'étage inférieur.

Une autre fois, Giulietta monta au grenier Prince Charmant avec son terrarium, et expliqua à Leigh-Cheri qu'il était tout à fait malsain de vivre sans aucune compagnie animale. Cette fois, Leigh-Cheri consentit. D'une part, parce qu'elle soupçonnait que la vieille femme, en matière de crapauds, possédait de mystérieuses connaissances dont il valait mieux tenir compte. Et d'autre part, parce qu'il y avait sûrement, réfléchit-elle, quelque chose d'animé, une mouche, une puce, un cafard, une fourmi, *quelque chose* qui respirait le même air que Bernard, dans sa cellule, et qu'en acceptant la compagnie de Prince Charmant, elle continuerait à vivre exactement l'expérience de son amant. Elle exigea simplement que Giulietta subvienne aux besoins quotidiens du crapaud, comme elle subvenait, en tant que subrogée matonne, à ceux de Leigh-Cheri.

Si Leigh-Cheri n'avait pas remarqué que les dernières apparitions de Giulietta dans le grenier avaient toutes été faites dans le costume d'Eve, c'est probablement parce qu'elle-même n'avait rien porté qui ressemblât à un bout de tissu ou même une ficelle depuis qu'il s'était mis à faire si chaud, en juin. Quand elle apprit finalement ce qui se passait, l'idée de cette grève l'amusa. Elle savait que son papa trouvait tous ces manants d'Américains beaucoup trop payés, à l'exception du centre des Seattle Supersonics, Jack Sikma, et elle pensait que cela ferait plus de bien que de mal au cœur royal de se faire un peu tirer l'oreillette. Elle devait cependant se rappeler, en toute conscience, que Bernard ne pensait pas tellement de bien des syndicats. Non pas qu'il fût contre les grèves — il était toujours favorable à tout ce qui empêchait la fricassée d'attacher —, mais il croyait bien fini le temps où les syndicats luttaient véritablement contre le pouvoir. Les syndicats, ajoutait-il, faisaient maintenant partie intégrante du pouvoir, et ils étaient même passés maîtres en ce qui concernait les coups bas et la corruption de leur entourage.

On retrouvait là le syndrome des mangoustes hawaiiennes. Qui va lutter contre ceux qui luttent contre ceux qui luttent ?

Pendant que le chaos dansait de tous ses sabots pointus sur le linoléum de la cuisine, deux étages plus bas, Leigh-Cheri se mit à penser au monde du travail et à celui des affaires. Mais pas pour longtemps. Malgré la grève de sa duègne et la nouvelle arrivée dans le grenier de Prince Charmant, le paquet de Camel restait son principal pôle d'intérêt. Et ce paquet de Camel allait l'emmener au mystérieux royaume des pyramides.

64

Sur un rebord de fenêtre, devenu depuis longtemps aussi poussiéreux que le Sahara lui-même, Leigh-Cheri posait le paquet de Camel. Puis elle s'agenouillait, afin que le paquet soit juste à la hauteur de ses yeux, avec ses pyramides sur la ligne d'horizon. Majestueuses, hors du temps, énigmatiques et puissantes, les pyramides l'appelaient, jusqu'à ce que, dans une demi-transe, elle s'élance à travers le désert de sable en psalmodiant les noms sacrés : Tiahuanaco et Gizeh ; Seneferu et Cheops ; Teti, Pepi et la Huaca de la Luna ; Zoser, Khaba, et Amménémès ; Neferirkaré, Uxmal et Chichén Itzá ; à Chéphren, à Unas, à Donner et Blitzen ; Danseur, Seigneur, Sesostris II.

De loin, les pyramides donnaient l'impression d'être lisses et préservées des outrages du temps. Mais de près, elles étaient aussi ravagées que la vieille Giulietta. Leurs pierres de faîte et quelquefois plusieurs rangées de pierres d'assise avaient disparu, leurs dalles de revêtement avait été arrachées des façades triangulaires, il n'en restait que quelques-unes à leur base. Des tunnels y avaient été creusés par des chercheurs de trésors et des bâtisseurs entreprenants en avaient çà et là enlevé quelques pierres pour enchevaler leurs ponts ou leurs maisons. De près, les pyramides ressemblaient à des gâteaux qu'auraient trouvés sur leur chemin des pique-assiette professionnels. Savoir que pas une seule pyramide de la terre n'avait pas été rongée comme un os attristait Leigh-Cheri.

« Je ne peux regarder une pyramide sans penser à Perry Mason. » Leigh-Cheri voulait dire par là que, comme la plupart des gens, la simple vue de ces immenses constructions déclenchait en elle une avalanche de questions dignes d'un avocat de l'accusation qui marcherait aux pilules amaigrissantes et à la bière.

Comment avaient-elles été construites ? Pourquoi ? Par qui ? Quelle était cette étrange attirance qu'elles exerçaient sur la psyché humaine ?

D'après les experts, les pyramides d'Egypte auraient été des tombeaux. Celles du Pérou, du Mexique et d'Amérique centrale, des temples. Quant à celles que l'on avait trouvées en Chine, au Cambodge, et à Collinsville, dans l'Illinois, les archéologues ne s'étaient pas encore prononcés sur leur nature exacte. Et les quatre structures pyramidales photographiées par Mariner 9 sur Mars seraient vite oubliées de la plupart des savants. Les pyramidologistes pensaient qu'en plus de leurs fonctions de temples et/ou de tombes, les pyramides servaient aussi d'observatoires. Et, comme on avait de plus en plus de preuves de l'existence d'une « énergie pyramidale », force qui semble s'accumuler à l'intérieur d'un volume pyramidal, et qui, dans les conditions adéquates, s'est montrée capable de régénérer aussi bien la matière organique qu'inorganique, certains tendaient désor-

195

mais à considérer les pyramides comme des capteurs ou des amplificateurs d'énergie.

« Qu'il ait fallu, se disait Leigh-Cheri, des décennies entières et des centaines de milliers d'ouvriers utilisant des outils primitifs pour construire les pyramides, ou qu'elles aient été élevées en quelques mois par des voyageurs de l'espace grâce au rayon laser, ni les uns ni les autres ne se seraient donné le mal de bâtir des édifices de plus de six millions de tonnes dans le simple but d'aiguiser des lames de rasoir ou de conserver des fruits. »

Le regard toujours perdu vers l'horizon, la Princesse se dit ensuite que, puisque les bâtisseurs de pyramides possédaient des compétences techniques et scientifiques pratiquement identiques et qu'ils étaient pratiquement arrivés aux mêmes résultats, c'était probablement parce qu'ils avaient aussi poursuivi les mêmes buts. Etant donné, d'autre part, la difficulté des calculs astronomiques et mathématiques que requéraient ces constructions, calculs souvent nettement au-delà des connaissances que ces civilisations pouvaient avoir acquises, et les milliers de kilomètres ou les centaines d'années qui séparaient ces civilisations, il semblait aussi à la Princesse, que s'il n'existait aucun document concernant les méthodes utilisées pour construire les pyramides ou la raison pour laquelle elles avaient été construites, c'est qu'il y avait forcément derrière tout cela des étrangers dont personne sur terre ne savait rien.

S'agissait-il des légendaires Barbes Rouges ? Et ces Barbes Rouges venaient-ils vraiment d'Argon ? La planète Argon existait-elle, ou avait-elle été inventée de toutes pièces dans l'arrière-boutique d'une librairie de Los Angeles spécialisée dans les sciences occultes ?

Imaginons que les Argoniens aient colonisé autrefois diverses régions de la terre et qu'ils y aient construit des pyramides. Qu'est-ce qui aurait pu pousser les Argoniens à doter l'humanité de ces constructions, de la connaissance scientifique et de la maîtrise inimaginable de la maçonnerie qu'elles exigeaient ? Poursuivaient-ils un but particulier ?

196

Avaient-ils un plan pour atteindre ce but ? Ce plan était-il encore opérationnel ?

Les hommes aux cheveux roux avaient-ils un rôle spécial dans tout cela ? Lequel ?

Et pourquoi personne ne sait donc ce que peut bien venir foutre une pyramide sur un billet de un dollar U.S. ?

Et qu'est-ce que ces pyramides viennent foutre aussi sur un paquet de cigarettes fabriquées à partir d'un mélange de tabacs américains et turcs ?

Chaque fois qu'elle en arrivait à cette question, Leigh-Cheri renonçait. « Bernard aurait sûrement plein d'idées à ce sujet, se dit-elle un jour. Je ne suis qu'un âne. »

Ane, bonnet d'âne, chapeau pointu en forme de... Elle en revenait toujours aux pyramides.

65

Les pyramides lui mangeaient le cerveau, comme une tumeur. Elle se réveillait tous les matins en pensant à ces amas de pierres et non plus à la chair du hors-la-loi. Un jour, n'y tenant plus, elle envoya Giulietta chercher à la Bibliothèque de Richmond Beach tous les livres qu'elle pourrait y trouver sur les motifs de décorations des emballages et des paquets. Des livres dans le grenier ? Ce n'était pas vraiment kascher, mais qu'est-ce qui l'était, en ce dernier quart du XXe siècle ? Mickey le Rouge était le premier à prôner que les lois sont comme les boutons, faites pour être défaites au bon moment, et si vous n'enfreignez pas vos propres lois, lesquelles oserez-vous enfreindre ?

Giulietta avait mis une robe pour aller à la bibliothèque, mais elle n'avait pas voulu lâcher son panneau de gréviste. Personne n'en pouvait lire un traître mot, mais quand même... Chuck, qui s'était vu assigner, pendant la grève, les tâches ménagères les plus indispensables, lâcha sa serpillière pour prendre la vieille femme en filature. Elle savait sûrement qu'il la suivait, car à chaque coin de rue, elle regardait par-dessus son épaule et criait « Espèce de jaune ! » dans son horrible jargon. Ce que venait faire ce genre de livres dans cette histoire dépassait l'entendement de Chuck, mais la CIA devait quand même en être tenue au courant.

Pendant que Chuck se faufilait derrière Giulietta entre les rayonnages de la bibliothèque, une camionnette de marque indéfinissable dévala sur les chapeaux de roues l'allée bordée de ronces qui menait au château. Le mot « conspiration » aurait aussi bien pu être inscrit sur ses portières. Deux hommes à l'allure d'étrangers sortirent de la voiture. Malgré le beau soleil qui brillait dans le ciel de septembre, ils portaient des chapeaux et de longs imperméables de couleur sombre. Ils entrèrent sans frapper, enjambèrent la serpillière, le seau, le balai-brosse et les piles de journaux, et se frayèrent un chemin à travers les amas de poussière, les crottes de chihuahua et les jetons de poker jusqu'à Max et Tilli.

66

Plus tard le même jour, quand Leigh-Cheri entendit frapper à la porte du grenier, elle ouvrit sans une hésitation. Elle attendait Giulietta. Elle vit son père, dont le cœur frappait bruyamment à une porte d'un autre genre.

Le roi semblait complètement bouleversé. Leigh-Cheri attribua tout d'abord son émoi au fait qu'il venait, après cinq mois, de violer son sanctuaire. Puis elle se souvint qu'elle était nue. Il faisait si chaud dans le grenier que des gouttelettes de transpiration perlaient au bout de ses seins et que les poils de son pubis, tout mouillés, eux aussi, s'écartaient vers ses cuisses, dégageant ses lèvres qui brillaient comme si on venait de les faire reluire. A moins d'être rasé, le poisson-pêche n'aurait pu être plus exposé.

« Oh, pardon. » Elle enfila un T-shirt et un slip.

« Bof, je commence à m'y habituer. D'abord Giulietta, puis toi. Je ne pense quand même pas que la Reine en arrive là.

— O O Spaghetti-o ! » s'écria la Princesse. Ils se mirent à rire tous les deux.

« Tu sais qu'aucune visite n'est autorisée.

— Je suis désolé. Giulietta allait te monter ce livre. J'ai pensé te l'apporter à sa place. » Il tendit à sa fille un volume intitulé : *Emballer : l'art du paquet.* « Curieux sujet, il faut l'avouer.

— Je peux en trouver de plus étranges. Une famille royale exilée aux Etats-Unis, par exemple. Tu veux que je développe ? »

Max voulut secouer la tête. Mais sa tête était alors si lourde de soucis qu'elle oscilla à peine. Sa chaplinesque moustache oscilla en même temps. « Je ne tournerai pas autour du pot, Leigh-Cheri. On m'a demandé si ta santé mentale pouvait encore être qualifiée de saine.

— Qui t'a demandé ça ?

— Des gens que ça intéresse.

— De toute façon, tout dépend des critères.

— Sens des responsabilités et...

— Quelles responsabilités ?

— ... et du commandement...

— Depuis quand le sens du commandement est-il un critère de santé mentale ? Ou vice versa Lycée de Versailles ? Hitler était un grand chef. Nixon aussi. Faites preuve de qualités de commandement pendant votre adolescence et on vous embarque en fac de droit et de sciences politiques pour une transplantation anale. Si ça prend, vous entrerez un jour au gouvernement. C'est ce que dit Bernard. Il dit que si tant de troufignards s'orientent vers la politique, c'est qu'ils ne peuvent faire autrement. A propos, il paraît que plusieurs romantiques marchent sur mes traces. Cela fait de moi une sorte de leader.

— Aux dernières nouvelles, dix-sept jeunes femmes et un

199

jeune homme se sont enfermés dans leur chambre, rivalisant de sybaritisme avec toi dans leur maladie d'amour. Les singes imitent même les idiots. Il n'y a pas de quoi être fier. Mais cela n'est pas mon problème. Je suis venu m'assurer que tu jouais avec toutes les cartes en main.

— Toutes, je ne sais pas, mais ou moins ces cartes-là je les ai choisies. »

Le Roi parcourut le grenier du regard. C'était une pièce sombre, triste et nue. L'atmosphère y était étouffante et ça sentait le vieux gymnase mal aéré. Comme si une équipe de lutteurs avinés venaient de s'y entraîner. Le Roi pensa à sa fille si belle qui vivait nue dans cette ignoble chambre. Il se demanda un instant si elle ne s'enfonçait jamais d'échardes dans les pieds. « Leigh-Cheri », lui dit-il. On aurait presque dit une plainte. « Tu perds ta vie, Leigh-Cheri.

— Ma vie n'a jamais été mieux remplie, papa. Et j'ai rarement été plus heureuse. Tu peux dire aux " intéressés " qu'une vie vécue par amour est la seule qui en vaille la peine. D'autre part, de nouveaux intérêts me retiennent ici. »

Max regarda de nouveau autour de lui. Un pot de chambre, un crapaud dans son terrarium, une banquette et un matelas nu, quelque chose qui ressemblait à un paquet de cigarettes posé sur le rebord d'une fenêtre aux vitres noires. De nouveaux intérêts ? Il frissonna. Il embrassa les joues moites de la Princesse et partit sans lui dire qu'il avait reçu la visite de représentants de la révolution et qu'ils la voulaient pour reine quand leur cause aurait triomphé.

67

En partant, le Roi Max se tourna vers elle. « Quand penses-tu sortir d'ici ?

— Quand ils relâcheront Bernard.

— Et que feras-tu, alors ?

— Je vivrai avec lui.

200

— Comment ? Mari et femme, équipe de démolition ? »
Il y eut un long silence. « Je ne sais pas quels sont ses
plans, papa. Au revoir. »

C'est vrai, Leigh-Cheri n'avait pas la moindre idée de ce
que ferait Bernard quand il sortirait de prison. S'il avait des
projets, il ne l'en avait pas tenue au courant. Elle ne savait
même pas si elle faisait ou non partie de ces projets. Après le
départ de son père, elle réfléchit pendant un moment à ce
que Mickey le Rouge pourrait faire. Elle n'était sûre que de
quelques points bien précis. Il n'existait pas de hamburger si
mal cuit qu'il ne le mangerait pas. Pas de tequila si traîtresse
qu'il ne la boirait pas. Pas de voiture si rouillée et couverte de
caca d'oiseaux qu'il ne la conduirait pas (et s'il s'agissait
d'une décapotable, il roulerait décapoté, qu'il pleuve ou qu'il
neige). Il n'existait aucun drapeau qu'il ne désacraliserait
pas, aucun croyant dont il ne se moquerait pas, aucune
chanson qu'il ne chanterait pas faux, aucun rendez-vous
chez le dentiste qu'il honorerait, aucun enfant pour lequel il
ne ferait pas le clown, aucun petit vieux qu'il n'abriterait pas
lorsqu'il fait froid, aucune lune sous laquelle il ne se
coucherait pas, et, il fallait l'avouer, aucune allumette qu'il
ne craquerait pas. Mais que *ferait*-il ? Peut-être essayerait-il
de savoir ce qui arriva à la balle d'or, pensa-t-elle un peu
tristement. En tout cas, il remuerait la fricassée pour
l'empêcher d'attacher.

68

Appelle ça comme tu veux, intuition, inspiration divine ou
cul bordé de nouilles, de toute façon, on en arrivait toujours
au même eurêka. Eurêka ! Leigh-Cheri n'attendait évidemment pas d'un livre qui traitait du dessin d'emballage, une
solution aux mystères du cosmos. Mais elle avait eu comme
un... *pressentiment* qu'un tel livre pourrait lui apporter quelques lumières en ce qui concernait la raison d'être des

pyramides sur le paquet de Camel. Et les renseignements qu'elle réussit à glaner dans ce livre lui permettaient, une fois mis bout à bout, de crier « Eurêka ! »

Les Camel, apparemment, arrivèrent sur le marché américain en 1914 (année, selon l'interprétation du Livre des Révélations par les Témoins de Jéhovah, où Jésus-Christ fut enfin couronné roi des cieux ; et, étrange coïncidence, année où Tarzan, roi d'une autre jungle, et non-fumeur comme Jésus-Christ, fit son entrée en scène). Ces cigarettes, un mélange de tabacs de Virginie et de Caroline auxquels avaient été ajoutées, pour leur arôme et leur goût, quelques feuilles de tabac turc importé et une généreuse quantité d'agents de saveur et de texture, avaient été créées par R.J. (Richard Joshua) Reynolds en personne, à Winston-Salem, Caroline du Nord, l'année précédente. C'était aussi Mr. Reynolds qui avait eu l'idée d'appeler ces nouvelles cigarettes « Kamel », ou « Camel », nom dont l'aura exotique rappelait la présence de tabac turc dans ce mélange. Et ce fut le jeune secrétaire de Reynolds, Roy C. Haberkern, qui photographia, avec l'autorisation de Barnum et Bailey, Old Joe, chameau de cirque à l'air revêche qui fut dessiné ensuite sur le paquet. On ne sait pas très bien qui décida de mettre des pyramides derrière le chameau. Ce dessin avait été préparé pour Reynolds par une firme de Richmond et on pense que la finition en avait été confiée à un jeune lithographe qui quitta peu après cet emploi. Personne ne se souvient de son nom, tout ce que l'on sait, c'est qu'il s'agissait d'un bon dessinateur, et qu'il avait les cheveux roux.

Il vint sûrement à l'esprit de Reynolds ou de l'un de ses employés, qu'il n'y avait pas de pyramides en Turquie, pourtant, le projet ne rencontra aucune objection. En fait, le dessin du paquet de Camel devait devenir le plus célèbre du genre. Tout le monde l'aimait. Quand, en 1958, les fabricants voulurent le changer — « quelques modifications mineures du chameau et des pyramides, afin de moderniser ce dessin vieux de quarante-cinq ans » — les fumeurs soulevèrent un tollé plus bruyant que leur toux matinale, R.J. Reynolds, Jr., fils de feu M. le fondateur, entra dans une telle colère qu'il vendit une partie de ses actions, et la réaction du public fut si négative que les administrateurs de la compagnie décidèrent rapidement de revenir au dessin original.

Après avoir lu trois ou quatre fois cette histoire, Leigh-Cheri referma le livre et le mit sur le pot de chambre. Comme ça, Giulietta ne pourrait pas ne pas le voir et oublier de le rapporter à la bibliothèque. Leigh-Cheri n'avait plus besoin de ce livre. Elle ne voulait pas encombrer la pure pyramide de ses pensées. Que lui importait que les bonbons Baby Ruth aient été appelés ainsi à cause de la fille du président des Etats-Unis Grover Cleveland et non à cause du joueur de base-ball, et que le chewing-gum Double Bubble Gum ait eu pour premier nom Blibber Blubber Gum. Sa machine à eurêka allait faire tilt. Tout en lançant le paquet de Camel haut dans l'air vicié du grenier et en le rattrapant sous son menton, la Princesse élaborait une théorie.

C'était une théorie un peu bancale, comme le sont en général toutes les théories, et il fallait peut-être avoir passé cinq mois dans la solitude d'un grenier vide pour l'apprécier un tant soit peu. On allait cependant en entendre parler bien loin de ce grenier. Et elle allait transformer la vie de cette princesse qui avait renoncé au monde pour la lune et cherchait désespérément ce qu'il fallait faire pour que l'amour demeure.

69

La théorie ne débarqua pas un beau matin, ne demandant qu'à vivre, comme un orphelin abandonné sur le pas de la porte ; elle ne s'introduisit pas non plus traîtreusement comme une épine dans la semelle d'une chaussure ; ni ne se développa comme un cliché photographique sur lequel apparaissent petit à petit les contours incertains d'une image. Non, elle se déroula plutôt comme un turban, comme les bandelettes d'une momie ; elle se desserra tout d'abord comme quand on détache le bout d'une bande velpeau, puis se détortilla en formant des spirales régulières entre ses deux extrémités effilochées. Au bout de quelques semaines, elle était enfin prête et ressemblait à quelque chose comme ça :

Les pyramides, si elles sont toujours en mauvais état, ne sont jamais exactement ce que l'on appelle des ruines. Elles ne sont jamais uniquement des vestiges de civilisations disparues n'intéressant que les archéologues, les historiens et, d'une manière générale, ceux qui occupent le présent à masturber le passé. Les pyramides ont été construites pour durer, elles ont été faites pour défier et le temps et les hommes. Leurs pierres furent posées les unes sur les autres sans mortier, mais elles s'encastraient si bien les unes entre les autres, que l'on ne peut glisser le moindre billet de banque dans leurs interstices, même pas une carte de crédit. Construites selon une orientation extrêmement précise, chacun de leurs angles dans la direction exacte de l'un des quatre points cardinaux, les pyramides nous apprennent que depuis des milliers d'années, la position de l'axe terrestre n'a pratiquement pas varié. Les pyramides constituent des points de référence jamais égalés par la nature ou la technologie. Mais elles sont plus que cela. Qu'elles aient servi de temples, de tombeaux, d'astrolabes ou des trois à la fois n'est pas non plus si important. En revanche, il est une découverte fondamentale en ce qui les concerne : elles peuvent, apparemment grâce aux propriétés spécifiques de leur forme, créer ou amplifier une fréquence d'énergie qui régénère ce que les scientifiques appellent le bioplasme, ce que les philosophes appellent la force vitale, et ce que les Chinois ont toujours dénommé *t'chi*. Cette énergie agit même sur la matière inorganique. Les pyramides sont des objets géants qui ont sur les autres objets, animés et inanimés, une influence qui dépasse celle de la pesanteur et de l'électromagnétisme.

Quelle que soit leur fonction originelle, les pyramides ont encore aujourd'hui un rôle à jouer. Et ce rôle nous concerne tous. En ce dernier quart du XXe siècle, alors que notre civilisation titube comme Colin-Maillard dans une cour jonchée de peaux de bananes, les mystères de l'énergie pyramidale, une fois résolus, nous apporteront peut-être une réponse à l'éternelle question : « Où tout cela nous mène-t-il ? »

De toute évidence, *quelqu'un* veut nous empêcher d'oublier les pyramides, sinon pourquoi leur symbole apparaîtrait-il si nettement sur des objets que nous manipulons ou que nous regardons si souvent ? Il y a en circulation, n'importe quel jour de l'année, plus de deux milliards de billets de un dollar. Pendant la plus grande partie de ce siècle, la moitié des cigarettes fumées aux Etats-Unis étaient des Camel, ce qui équivaut à peu près à trente milliards par an. Il paraît peu probable que la présence de pyramides sur deux des objets courants les plus utilisés des temps modernes soit due à un pur *hasard*. Quelqu'un devait forcément *savoir* que les dollars et les cigarettes inonderaient un jour la planète et saisir l'occasion de faire ainsi voyager les pyramides, afin de constamment rappeler à une culture coupée des structures originelles par le temps et l'espace que les pyramides possèdent un trésor qu'elles ne nous livreront que lorsque nous serons prêts à le recevoir.

Qui, exactement, était responsable de la présence des pyramides sur ces deux objets ? Le billet de un dollar fut créé en 1862 par une commission dont les choix étaient dictés par le respect des traditions. Cette commission décida de porter le symbole pyramidal sur le billet de un dollar parce qu'il se trouvait déjà sur les derniers effets monnayables émis aux Etats-Unis, des billets à intérêts utilisés afin de financer des besoins urgents comme celui de la guerre de 1812. Ces anciens billets de banque étaient dus à ce génie-parmi-les-génies, le seul homme éclairé qui ait jamais eu un poste politique important aux Etats-Unis, Thomas Jefferson. La main qui dessina les pyramides sur le paquet de Camel —

205

presque exactement un siècle plus tard — sortait de la manche pleine d'encre d'un lithographe de passage qui disparut peu après, peut-être pour rejoindre les forces armées qui se préparaient à la première guerre mondiale.

En cherchant bien, d'autres similitudes apparaissaient entre le billet de un dollar et le paquet de Camel. Tous deux furent dessinés en Virginie, à moins de deux cents kilomètres de Washington, capitale la plus puissante du monde pendant cette période. Et le seul point commun évident entre Jefferson et le lithographe inconnu était leur couleur de cheveux : tous deux étaient roux. Ce détail aurait pu être relégué parmi les simples coïncidences, n'eût été son étrange rapport avec les pyramides : selon les mythes, légendes, hiéroglyphes et traditions orales des Chavin, Mochica, Tiahuanaco, Inca, Maya, Olmec, Zapotec, Toltec, Aztec et autres peuples constructeurs de pyramides du Nouveau Monde, c'était une race étrangère aux cheveux roux qui avait ordonné et supervisé la construction des pyramides. S'il n'est jamais fait mention de cette race à propos des pyramides d'Egypte, c'est peut-être simplement parce que aucune légende ni aucun récit historique concernant ces pyramides n'a passé l'épreuve du temps. Deux cents ans après que la dernière pyramide eut été élevée dans leur pays, les Egyptiens n'en savaient pas plus à leur sujet que quiconque.

Bon. Laissons courir ce lièvre. Une race de demi-dieux poil de carotte surnommés les Barbes Rouges arrivèrent un jour dans différentes régions de la planète. Ils transformèrent la vie des indigènes, les poussèrent à développer en très peu de temps des civilisations hautement avancées, et laissèrent derrière eux d'immenses pyramides et autres architectures solaires/lunaires quand ils disparurent aussi soudainement qu'inexplicablement. Voilà les faits. Autre fait historique : les Chavin, Mochica, Olmec, Zapotec et Toltec disparurent à leur tour brutalement et sans raison apparente. Il semble que les Barbes Rouges aient eu des ennemis puissants capables de transporter des civilisations entières dans d'autres dimensions. Si les Barbes Rouges étaient des extra-terrestres, une race lunaire envoyée sur terre, pour une raison quelconque, de la planète Argon, alors leur ennemi aurait été une société solaire, une race aux cheveux blonds, qui avait pris le pouvoir sur Argon. Appelons-la les Barbes Jaunes. Quand les Barbes Jaunes apprirent ce que faisaient les Barbes Rouges sur la terre, ils anéantirent immédiatement les peuples de terriens qui conspiraient avec les Barbes Rouges. Pfftt! Plus de Chavin, plus de Mochica, plus d'Olmec, etc., tous transplantés de l'univers dans l'anti-univers, partis sans laisser d'adresse. L'amitié des Barbes Rouges était plutôt compromettante. Vint le tour des Barbes Rouges qui disparurent comme tous leurs amis. Ceci se passait peu avant l'arrivée des conquistadors en Amérique. Quand les prêtres espagnols entendirent parler des Barbes Rouges, ils en firent immédiatement des diables. Ce n'est pas par hasard que, sur toutes les images pieuses, Satan est aussi rouge qu'un crabe bouilli.

Prisonniers de l'antiunivers, les Barbes Rouges ne rendirent pas les armes pour autant. Ils avaient confiance en nous. Peut-être sentirent-ils que nous étions les seuls dans tout l'univers (probablement grâce à la proximité de notre lune) à posséder l'humour, le goût du jeu, le romantisme, le petit grain de douce et respectable folie sans lesquels on ne pourrait jamais contrecarrer la puissance rigide et efficace des Barbes Jaunes. Les Barbes Rouges n'allaient quand même pas accepter d'avoir construit pour rien ces immenses pyramides. Ils essayèrent donc de reprendre contact avec la terre. Etant donné les circonstances, cela ne pouvait se faire que par télépathie. Et les messages ne pourraient être exprimés qu'avec des symboles visuels très simples. En effet, ce que l'on appelle l'antiunivers étant le reflet dans un miroir de ce que l'on appelle l'univers, les mots, quand ils traverseraient les frontières pour passer d'une dimension à une autre, seraient inversés, et les traductions les plus fidèles n'en pourraient restituer le sens.

Les Barbes Rouges, donc, lancèrent leurs vecteurs télépathiques dans notre dimension. Seuls quelques hommes leur répondirent, tous des roux — trace, peut-être, d'une mémoire raciale, vieux résidu d'ADN argonienne qui traînait dans leurs gènes — et leurs réactions ne furent pas celles escomptées. Recevoir des transmissions extra-dimensionnelles les bouleversait et les entraînait souvent à la catastrophe. Vincent Van Gogh, par exemple, le roux le plus célèbre qui ne soit pas mentionné sur la liste des douze roux les plus célèbres, se mit à peindre des vases, des chaises, des étoiles, etc., comme si ces objets incarnaient la force vitale, ce qu'ils font probablement, et comme s'il y avait autour d'eux des champs vibratoires, des auras, ce qu'il y a probablement, mais tout le monde pensa que ce pauvre Vincent avait perdu la boule. Et il en souffrit tellement qu'il finit par se donner la mort. Après plusieurs siècles d'échecs de ce genre, les Barbes Rouges affinèrent leur technique. Ils concentrèrent leurs efforts sur un individu particulier, dans un but particulier. C'est ainsi qu'ils poussèrent Thomas Jefferson — son extrême sensibilité en faisait un récepteur idéal — à choisir entre autres le symbole pyramidal pour décorer les premiers billets de banque américains qui aient été émis après l'indépendance. Après avoir attendu un siècle sans que rien ne se passe, ils envoyèrent vers le cerveau d'un lithographe roux un message plus ambitieux.

Les Barbes Rouges émettaient maintenant régulièrement sur une longueur d'onde télépathique qui passait directement et volontairement par Washington, la plus grande capitale du monde. Par un heureux hasard, les Camel devaient justement voir le jour dans cette même région, et connaître un succès inattendu. En 1913, la plupart des fumeurs roulaient leur tabac. Les marques de cigarettes commençaient à peine à se développer à La Nouvelle-Orléans, Camel était la première cigarette à connaître des débouchés nationaux (et, plus tard, internationaux).

D'autre part, le mélange de R.J. Reynolds demandait une quantité importante d'agents de saveur ou édulcorants. Le sucre, comme le stupre, accentue chez les humains à tendances lunaires la pigmentation rouge des cheveux et les taches de rousseur, surtout quand ils sont exposés directement aux rayons du soleil. Leigh-Cheri tenait cette information d'un authentique couple d'Argoniens.

Bien, un peu de rimmel, un dernier coup de peigne, il ne nous reste plus qu'à enfiler sur cet alligator sa robe de lamé. Il y avait autre chose dans cette cigarette qui faisait de son paquet le médium idéal pour un communiqué des Barbes Rouges. Elle était déjà liée à une puissante symbolique.

Le chameau porte sur son dos une grosse bobosse toute moche. Mais dans le désert où des animaux plus beaux et plus racés meurent de soif, le chameau peut survivre assez longtemps. La légende raconte que les chameaux cachent une réserve d'eau dans leur bosse. Si, comme les chameaux, nous perfectionnons nos ressources intérieures, si nous possédons *en nous* la force nécessaire, nous pourrons alors traverser n'importe quel désert sans trop de mal, et survivre dans les environnements les plus hostiles sans dépendre de l'extérieur. De plus, c'est souvent dans notre « bosse » — cet aspect de notre être que la société qualifie de bizarre, de ridicule ou de déplaisant — que se trouve notre eau douce, notre puits secret de bonheur, la clé de notre sérénité. Le chameau symbolise la vérité lunaire, il totémise l'enseignement des Barbes Rouges sur la survie dans le désert, c'est-à-dire dans tout territoire solaire, tout lieu exposé aux rayons du soleil.

Continuant à émettre en direction de l'antenne réceptrice plantée sur le toit roux d'un lithographe inconnu, les Barbes Rouges firent en sorte qu'il y ait aussi des palmiers sur le paquet de Camel. Car la datte, fruit du palmier, est, elle aussi, essentielle à ceux qui veulent survivre dans le désert, et son symbole renforce celui du chameau. Tous les déserts ont leurs oasis, celui qui sait chercher trouvera toujours sa nourriture et de l'ombre dans les lieux les plus nus. Durant le dernier quart du XXe siècle, les temps seraient durs, temps de pénurie, de pollution, de trahisons politiques, de confusion sexuelle, de famine spirituelle, et les Barbes Rouges qui en étaient conscients, faisaient passer un rayon de lune à travers la suie qui recouvrait nos rideaux. Un rayon d'encouragement et d'espoir.

Satisfaits du chameau et des palmiers, les Barbes Rouges se concentrèrent ensuite vers la partie la plus importante de leur message, la pyramide. Ils considéraient cette dernière comme indispensable à la poursuite de l'évolution humaine, et voulaient nous mettre le plus souvent possible en sa présence. Leur force télépathique fut si efficace que le jeune lithographe ne dessina pas une, mais deux pyramides sur le paquet de Camel.

Pendant qu'ils y étaient, et que ça marchait si bien, merci, les Barbes Rouges lui firent aussi dessiner une femme nue représentant la Déesse de la Lune, la Mère, principe féminin de la création, de la croissance et du renouveau. La Déesse de la Lune est, de toutes les divinités, la plus ancienne et la plus universelle et il était bon de faire sentir sa présence, message de fertilité éternelle, dans le désert de ce paquet. C'était peut-être la Lune Mère qui était derrière le pouvoir régénérateur des pyramides. Et elle en était sûrement le symbole. Afin de ne pas encombrer son dessin, le lithographe l'inséra avec une grande subtilité dans les taches jaunes et brunes de l'épaule gauche du chameau. Quel à-propos pour la Reine de l'Amour, dispensatrice de rêves, Bergère des Etoiles, guérisseuse et protectrice de la vie, qui se manifeste toujours dans la pénombre et le mystère ! Pour nous rappeler que la Lune Reine est constamment menacée par le Soleil Roi (drame cosmique auquel nous assistons chaque mois quand la lune décroissante se consume à la lumière du soleil), un lion à la crinière jaune, symbolisant le soleil, fut caché ensuite dans le corps du chameau, légèrement au-dessus et à droite de la femme.

Cela aurait dû leur suffire. Le paquet de Camel était maintenant chargé de plus de symboles de vérité que n'en connaîtrait jamais le dernier quart du XXe siècle. Il était devenu une véritable Bible lunaire, compacte, maniable et concise, parfaitement adaptée à cet âge du transistor. Mais

210

les Barbes Rouges s'étaient pris au jeu et ils gardaient dans leur manche un dernier atout qu'ils ne voulaient pas perdre. Ils décidèrent d'aller jusqu'au bout : il fallait essayer de faire passer un mot de leur dimension dans la nôtre.

Et pas n'importe quel mot !

Un mot qui rend le *oui* possible, un mot qui rend le *non* envisageable.

Un mot qui met libre dans liberté et enlève l'obligation de l'amour.

Un mot qui ouvre une fenêtre après que la dernière porte a été fermée.

Un mot dont dépend toute aventure, toute joie, toute signification, tout honneur.

Un mot qui met en marche le moteur de boue de l'évolution.

Un mot que le cocon chuchote à la chenille.

Un mot que récitent les molécules avant de s'associer.

Un mot qui sépare ce qui est mort de ce qui est vivant.

Un mot qu'aucun miroir ne peut inverser.

Au commencement était le mot et le mot était

CHOICE, le CHOIX.

70

En bas — dehors — tout autour — le monde continuait à y aller en ioulant dans l'espace, comme un juke-box dans un canoé, ignorant de cette nouvelle théorie. *Là-bas,* on parlait pétrole et nucléaire, prix et salaires, résultats sportifs et célébrités, carrières et maladie, et on continuait à se demander, souvent maladroitement et jamais tout à fait franchement, ce qu'il fallait faire pour que l'amour demeure. Un millionnaire était mort dans le lit d'une secrétaire. Les horticulteurs avaient réussi à faire pousser le premier melon carré. A Beverly Hills, on venait d'ouvrir une discothèque pour chiens.

Sur les rives du Puget Sound, octobre ressemblait à une côte d'agneau, croustillante et dorée, doucement grillée à la flamme bleue d'un barbecue. L'été indien, comme on l'appelait souvent à tort, puisque l'été indien est le redoux qui succède aux premières gelées et que l'on n'avait pas vu le moindre gel depuis ce froid de canard qu'on avait eu en avril. C'était plutôt l'été qui se prolongeait, un été qui s'était déroulé et qui s'étirait de tout son long, comme ces petits serpents rayés qui, n'ayant pas entendu l'appel de l'hiver, se chauffaient encore au soleil dans le champ de ronces, en attendant d'hiberner ; des serpents, tout couverts de ceintures mais sans pantalons, interrompus de temps en temps dans leur sieste prolongée par une mûre qui tombait ; des serpents au ventre arrondi comme des œufs de pigeon, des serpents noirs comme la malédiction.

Les brises du Sound portaient jusqu'aux fenêtres du grenier l'odeur douceâtre des mûres qui pourrissaient, une odeur à la fois salée et sucrée qui aurait fait s'entrouvrir les narines les plus pincées. Mais les fenêtres du grenier étaient si soigneusement fermées que rien n'y pénétrait, ni le parfum des mûres ni le cri dinosaurien des canards sauvages qui prenaient tout leur temps, cet automne-là, pour descendre vers le Sud. On n'entendait même plus, dans le grenier, les échos délirants des émissions sportives qui provenaient d'habitude de la télévision de Max, assourdis par les deux plafonds et les deux planchers qu'ils avaient traversés. S'il était étrange qu'il ne pleuve pas en octobre, il l'était encore plus de ne pas entendre les hourras des matchs de football. Si étrange, que Leigh-Cheri détacha son regard du paquet de Camel pour demander à Giulietta ce qui se passait. Mais la vieille femme continua à donner sa ration de mouches à Prince Charmant et ne put ou ne voulut rien répondre.

En fait, quand Max ne dormait pas, il continuait à s'asseoir devant la Magnavox. Mais il oubliait tout simplement de l'allumer.

Dans son pays, les royalistes triomphaient. Un mois, au plus six semaines, et la junte serait écrasée. Depuis trente ans, Max rêvait en secret et presque sans la moindre lueur d'espoir que la monarchie serait un jour restaurée. Et maintenant, ce rêve se réalisait. Seulement voilà, on ne voulait pas de lui pour roi. Ils avaient de vieux griefs contre lui, de vieilles rancunes concernant la manière dont il avait gouverné autrefois. Et les jeunes leaders de cette révolution royaliste trouvaient qu'il s'était compromis avec la CIA. Sans parler des liens de son épouse la Reine avec le Vatican. Non, ce que son pays avait en tête ressemblait plutôt à une monarchie socialiste, comme celles du Danemark ou de la Suède, un peu plus à gauche que l'Angleterre, et beaucoup plus à gauche que Max. Max serait le bienvenu dans son pays. Son palais d'été et les terres qui l'entouraient lui seraient restitués. Il recevrait une pension nettement supérieure à celle que lui versaient les Américains. Tilli serait, comme autrefois, présidente de l'Opéra, et, pendant les week-ends, ils inviteraient leurs amis pour chasser le faisan autour du lac et jouer aux cartes à la veillée. Mais Max ne serait pas à la tête de l'Etat.

Il fallait quelqu'un d'autre, quelqu'un de neuf, lui expliquèrent-ils. Ils voulaient battre les cartes. Aucun de ses vauriens de fils ne pouvait faire l'affaire. Scandales, escroqueries immobilières, fraudes boursières, querelles de joueurs, non, ils avaient trop défrayé la chronique, et s'étaient montrés trop cupides. C'était donc Leigh-Cheri, de tous les Furstenberg-Barcalona, qui avait été choisie. Jeune, intelligente, belle et possédant une conscience sociale profonde, Leigh-Cheri ferait une parfaite figure de proue pour le nouveau régime. Cependant, certaines histoires déplaisantes circulaient maintenant aussi à son sujet. Le bruit courait en Europe qu'elle avait perdu la tête pour un vulgaire condamné de droit commun. Qu'elle s'était enfermée dans un grenier vide et n'en sortait même pas pour faire caca. Ils avaient lu dans les colonnes mondaines qu'elle était « tragique ». Ils se demandaient si « timbrée » n'était pas plus approprié.

Max brûlait de les rassurer. Mais honnêtement, comment

213

aurait-il pu le faire ? Il était monté au grenier. Il l'avait regardée, nue, sale, solitaire et cependant rayonnante. Il l'avait entendue parler « d'intérêts » là où il n'y avait seulement rien à voir.

Et Max restait assis devant une Magnavox silencieuse, hochant son long visage chevalin face à un écran aveugle.

Peut-être que pour le vieux roi, l'écran n'était pas vide. Peut-être y voyait-il, sous des couleurs plus vives que celles d'un tube cathodique, sa vie d'autrefois, dans toute sa pompe et sa splendeur. Peut-être se voyait-il lui-même sur son fier destrier, la poitrine rutilante de médailles qui réfléchissaient le soleil de midi. Peut-être se voyait-il à la parade, son sabre d'argent pointé vers le ciel. Peut-être voyait-il les cheminées fumantes de sa valeureuse petite flotte. Le faisan en aspic, les jambons de campagne, les truites saumonées, les coupes de cristal emplies des meilleurs crus. Ducs et comtes, barons et ministres, présidents, princes et potentats, ambassadeurs aux moustaches reluisantes d'exotiques cosmétiques et aux sourires mensongers. Les blancs décolletés des dames, leurs fume-cigarette d'ivoire et d'onyx, leurs sacs de perles où elles cachaient de minuscules flacons de parfum français, les dentelles et les satins qu'elles devaient porter sous leurs robes, contre leur peau parfumée. Les cuivres éclatants des grands défilés sur les boulevards, les voitures privées du train qui traversait à toute vapeur les blondes terres de blé, les opéras illuminés de guirlandes de Noël, les chiens de meutes qui couraient le renard. Sous les plafonds gothiques de l'Assemblée, le brouhaha des législateurs qui faisait trembler les lustres. Et tard le soir, dans des pièces sans fenêtre aux planchers recouverts des plus riches tapis persans, accompagnée d'un cognac velouté et d'un moelleux Havane, la véritable politique. Des hommes forts, cultivés et talentueux qui bavardaient, discutaient et complotaient. Ils parlaient de métaux précieux, de voies ferrées et de devises, de bétail et de céréales ; ils plaçaient et déplaçaient des armées de frontière en frontière, élevaient et baissaient des tarifs, arrangeaient de puissants mariages, prenaient des décisions qui bouleverse-

214

raient la vie des demoiselles vendeuses à Budapest ou des chameliers de Kaboul. Ils concoctaient ces intrigues à voix basse et grave, avec quelquefois une note de plaisir quand il y avait vraiment un ennemi à abattre. Il est vrai qu'ils agissaient autant pour accroître leurs fortunes que pour le bien des peuples qui dépendaient d'eux. Cependant, qu'ils fassent la guerre ou du commerce, qu'ils signent des traités, fixent des tributs ou règlent avec leurs pairs des comptes personnels, tous, jusqu'au dernier, brûlaient toujours d'un amour énorme, démesuré, pour le drame qui se déroulait là, tous vibraient toujours d'une passion inassouvie pour le théâtre secret de la planète.

Ce temps-là était bien fini. Maintenant, les décisions qui gouvernaient le monde étaient prises par des hommes plus petits ; par des bureaucrates gris et anonymes, sans imagination et sans désirs ; des hommes de comités qui parlaient comités et pensaient comités, des hommes qui en savaient plus sur le dogme que sur la vie, des hommes qui connaissaient la production mais ignoraient le plaisir, des hommes qui préféraient palper une pile de papiers qu'une poignée de pépites ; des hommes sans sourire, des hommes sans gentillesse, des hommes sans rêves, des hommes qui croyaient pouvoir guider l'humanité alors qu'ils n'auraient pas séduit une comtesse ni maîtrisé un cheval. C'est vrai, ce bandit tout habillé de noir que sa fille avait ramené à la maison, aurait fait un meilleur dirigeant qu'aucun d'entre eux, communistes, fascistes ou démocrates-chrétiens, tous comme des pois pâteux dans un potage empoisonné.

Tant mieux, s'ils ne lui rendaient pas sa couronne. Cette époque n'était plus celle des rois. Ni des reines. La Princesse Leigh-Cheri pouvait continuer à coucher avec des hors-la-loi, et à bâiller à la lune dans son grenier si cela lui faisait plaisir. Le gong de son cœur résonnait doucement maintenant. Il allait répondre à ses compatriotes. Ils pouvaient garder leurs titres honorifiques et leur villa sur le lac. Giulietta resterait son seul sujet, et il veillerait à ce que lui soit payé l'argent qui lui était dû. Max, qui avait été roi autrefois mais ne le serait plus jamais, allait passer les jours dorés d'octobre là où il était. A attendre la pluie. A attendre les ronces qui tôt ou tard, barbares anonymes de ce dernier quart du xxe siècle, s'introduiraient furtivement jusqu'à l'intérieur de ses murs.

Dimanche, les Seattle Seahawks devaient rencontrer les Dallas Cowboys. S'il n'oubliait pas d'allumer la télé.

71

Il y a cinq cent quatre-vingt-dix cheveux au centimètre carré sur une tête humaine. En moyenne. Sur la tête de Leigh-Cheri, il y en avait au moins deux cents ou deux cent dix, tous plus roux les uns que les autres, et, planant au-dessus d'eux comme un OVNI au-dessus du Haleakala, comme une poêle à frire au-dessus du fourneau, il y avait une couronne. Si ses cheveux avaient été conscients du diadème qui pendait au-dessus d'eux, peut-être auraient-ils flambé d'un roux encore plus soutenu. Mais ils ne sentirent pas le navire de joyaux qui envisageait de se poser sur eux, et continuèrent à ramasser la poussière entre les bains du samedi et à briller de leur éclat habituel. Il y avait déjà assez d'activité comme ça à l'étage d'en dessous, dans la boîte crânienne. En fait, ils craignaient même de devenir aussi rebelles que les cheveux d'Einstein, exposés comme ils l'étaient aux radiations de théories apparemment absurdes.

Apparemment absurdes ? Cheveux, que vous êtes gentils... Qu'avait-elle fait d'autre, de toute façon, que de reformuler de façon plus élaborée, fantasque et peu crédible, les idées de Bernard Mickey Wrangle ? La philosophie du CHOIX était celle du hors-la-loi, dans la mesure où les hors-la-loi ont une philosophie (ils seraient plutôt enclins à avoir la gueule de bois, de l'herpès et de mauvais crédits). Les déterministes qui considèrent l'univers comme un jeu de billard où les boules se carambolent les unes les autres selon des règles préétablies, ont toujours été menacés par les « hors-la-loi » qui tiennent à jouer selon leurs propres règles. Les lois expriment la contrainte. Leur but n'est pas de créer, mais de contrôler. L'univers n'adhère aux lois que lorsque son évolution est dans une phase statique, quand il reprend son souffle, en quelque sorte. Quand les choses recommencent à bouger, quand la nature retourne à son chevalet, à son piano, à sa machine à écrire (sûrement pas une Remington SL3, croyez-moi), comme elle l'a toujours fait par moments, alors les lois cèdent la place au choix. Les cons sont respectueux des lois parce qu'ils choisissent de ne pas choisir. Les hors-la-loi, qui ont moins peur de l'expérience, et qui, en fait, sont presque prêts à tout pour connaître la nouveauté et les extrêmes, chercheront à choisir, même quand il n'y a rien à choisir. Du fait de ses fréquentations, Leigh-Cheri savait alors que les hors-la-loi sont de vivants panneaux indicateurs dont la flèche est pointée vers Ailleurs, des apôtres du Différent et des agents du CHOIX. Sa théorie n'était-elle pas simplement le chant de Mickey le Rouge, répercuté par trop d'échos contre les murs nus du grenier ? N'était-ce pas Mickey qui lui avait parlé des Barbes Rouges et qui avait suggéré, même si ce n'était qu'en plaisantant, leurs liens avec Argon ?

Enfermée dans un grenier, attentive aux étranges leçons de la lune et d'un paquet de cigarettes, elle avait manifestement tout mélangé, les plaisanteries de son amant, les légendes indiennes et sa propre rencontre avec un couple de soi-disant extraterrestres qui sentaient le coffre en bois de cèdre où les vieilles filles rangent les robes de bal qu'elles ne porteront plus jamais. Perdue dans sa solitude, elle avait cru trouver et déchiffrer un message codé provenant d'un autre univers. Mais si elle avait vraiment reçu des signaux de derrière le miroir, ses cheveux n'auraient-ils pas été les premiers à le savoir ?

Quoi qu'il en soit, bien que trop profondément impliquée dans sa théorie pour n'y voir qu'un délayage de baratin de hors-la-loi, elle sentit soudain le besoin de Bernard comme

217

jamais elle ne l'avait senti jusque-là. Elle se dit que si elle avait décodé le paquet de Camel dans la solitude de son grenier, Bernard devait en avoir fait autant dans sa cellule. Peut-être avait-il vu des détails qui lui avaient échappé? Même s'il n'en était rien, elle brûlait de partager avec lui sa découverte. Elle avait l'impression d'avoir piraté une cassette du Chœur Ethéré Vibrant de l'Eternité Souveraine, ce groupe qui fait les fonds sonores des films bibliques de catégorie C, et elle était impatiente de la passer sur le magnéto de Bernard. Sonnerait-elle toujours vrai? Car le timbre de la vérité est ce qu'il y a de plus beau à entendre, bien qu'au lit, certaines femmes émettent des sons qui pourraient très bien rivaliser avec lui. Pour une fois, ses larmes avaient dépassé le bout de son nez, et au diable si elle allait attendre encore quatorze mois avant de montrer sa trouvaille à l'homme qui avait des cheveux encore plus roux que les siens.

La Princesse prit une décision. Elle irait jusqu'à lui.

Nina Jablonski, l'avocate aux cheveux roux, venait d'avoir un bébé. Elle était en congé de maternité. Leigh-Cheri allait lui emprunter ses papiers. Elle se présenterait à McNeil Island sous son identité. Elle mettrait de grandes lunettes, se rajouterait au crayon quelques taches de rousseur et se ferait un chignon. Du billard! Evidemment, Jablonsky n'était plus censée s'occuper de cette affaire. Mais les gardiens n'en sauraient rien. Bernard, assez curieux pour se demander ce que Jablonski venait faire après six mois d'absence, accepterait de la voir. Et Leigh-Cheri entrerait dans sa cellule..

Pourquoi n'y avait-elle pas pensé plus tôt? Elle aurait pu aller le voir toutes les semaines à la place de l'avocate. A l'idée qu'elle aurait pu faire l'amour avec Bernard tous les jeudis dans sa cellule, Leigh-Cheri se sentit toute chose.

Mais même dans l'état d'excitation où elle était, il n'était pourtant pas si facile de se lever, comme ça, et de quitter le grenier. Elle pensa qu'il valait mieux y aller mollo. Comme un plongeur qui quitte le territoire des poissons plats. Attention au mal des caissons.

218

Quelques jours plus tard, pour s'habituer au monde extérieur, elle alla à la fenêtre, dont elle avait enlevé les clous la veille au soir, et l'ouvrit lentement. Pas assez lentement, cependant, pour ne pas faire basculer Chuck qui, du dernier barreau de la grande échelle, regardait par la seule vitre claire où elle avait bien pu cacher son émetteur radio — et se masturbait vigoureusement. Chuck sombra dans les buissons, son membre encore raide expérimentant dans la douleur que la rencontre des mots ronce-épine peut parfois prêter à confusion.

Stupéfaite, Leigh-Cheri écouta d'abord les gémissements de Chuck sans rien dire, puis, se penchant à sa fenêtre, elle commença à crier au secours. Ses cris attirèrent l'attention d'un homme au visage fatigué, dont la coupe de cheveux sentait l'amateurisme et le costume la confection bon marché, et qui venait apporter au château de terribles nouvelles du pénitencier.

72

Chuck resta hospitalisé pendant près d'un mois. La CIA envoya à sa place un véritable espion professionnel surveiller les Furstenberg-Barcalona. Il ne se montrait jamais sous le même déguisement. Il vint tout d'abord vérifier les compteurs de gaz, puis essaya de leur vendre une encyclopédie, joua les infirmières de la Sécurité sociale et mit une oreille sur la poitrine de Max pour écouter sa valve, jusqu'à ce que la Reine Tilli, tout en caressant son chihuahua, l'arrête dans un couloir et lui dise tout de go : « Pourquoi vous ne brenez pas votre betit abareil photo et votre carnet dans la cuisine comme Chuck? Il y a un autre boste de téléphone. Vous bourrez égouter dranguilement. Vous zallez faire monter votre tension, zi vous gontinuez à vous déguiser tout le temps. »

Ce n'était bien sûr qu'une question de principes. A part

219

une intervention armée, il n'y avait plus grand-chose que les Etats-Unis puissent faire pour aider la junte à rester au pouvoir dans le pays de Max et Tilli. Et, persuadé que cette dictature d'extrême droite serait comme d'habitude simplement remplacée par une dictature d'extrême gauche, Max s'en lavait royalement les mains. Quant à la Princesse Leigh-Cheri, prétendante au trône sans le savoir, loin de se préparer à diriger une nation, elle ressemblait plutôt à un paquet de Camel vide qu'une chèvre aurait trouvé dans son enclos et qu'elle aurait recraché après l'avoir consciencieusement mâché.

Comme la nouvelle de son auto-internement s'était répandue, grâce à certains magazines, le geste de la Princesse avait fait tache d'huile. Des femmes dont les hommes étaient en prison, faisaient leur service ou construisaient un pipe-line en Alaska, s'enfermèrent dans leur chambre pour proclamer publiquement leur dévotion solitaire. Quelques hommes en firent autant. Certains esprits romanesques, égarés par leur enthousiasme, finirent par s'enfermer dans leurs boudoirs, soupentes, caves, cabanes à bois ou niches du chien, même quand leurs amants étaient là et qu'ils auraient pu passer chaque nuit dans leurs bras, croyant ainsi prouver leur totale soumission aux lois de l'amour. A Unionville, dans l'Indiana, une mère de famille, connue pour les fortunes qu'elle dépensait en cartes de vœux et d'anniversaire, alla rejoindre les araignées noires de son sous-sol afin de montrer à son mari et à ses trois enfants affamés combien elle les aimait. Certains s'enfermèrent, même alors qu'ils n'avaient pas le moindre amoureux. Dès le début de l'automne, près d'une centaine de « prisonniers » comptaient les raies du papier peint dans leur « grenier d'amour » improvisé.

L'esprit de compétition s'en mêla et certaines stations de radio offrirent une récompense financière à celui qui tiendrait le coup le plus longtemps. Leigh-Cheri avait eu vent de tout cela, mais, complètement absorbée par les pyramides et les mystères du Cosmos, elle n'y avait pas accordé la moindre attention. Pendant ce temps, la nouvelle avait fait son chemin jusqu'à McNeil Island, où elle ne reçut évidemment pas un accueil très favorable.

En fait, alors qu'il s'était jusque-là tenu relativement à carreau dans l'espoir d'être plus vite relâché sur parole, Bernard se sentit alors obligé d'utiliser l'illégal mais très habituel système de correspondance clandestine des prisons et risqua sa libération pour faire passer une lettre à Leigh-Cheri. La missive, écrite de la patte graissée d'un gardien, fut portée au château par Perdy Birdfeeder, un vieux malfaiteur récemment relaxé de la prison de Tacoma où il venait de purger quinze ans pour vol à la tire. Birdfeeder, qui avait volé des centaines de sacs, jusqu'au jour où, relâchant son attention, il s'était emparé d'un sac de nœuds — et encore, il aurait très bien pu s'en sortir, s'il ne s'était pas arrêté pour compter son butin —, aida à tirer Chuck, qui perdait pas mal de sang, de sous les ronces, non sans abîmer ce faisant le nouveau costume que lui avait offert le gouvernement, puis il remit la lettre de Bernard à Giulietta. Birdfeeder pouvait remercier sa bonne étoile de ce que la coutume royale selon laquelle les porteurs de mauvaises nouvelles devaient être exécutés ne soit plus en vigueur.

« Berk ! » Voilà comment commençait cette lettre.

« Berk ! Si t'as envie d'aller au mitard, tu devrais voir comment ça fait quand on a en plus des dizaines de petits furets accrochés de leurs dents pointues dans la peau de ses testicules. C'est exactement ce que j'ai ressenti en apprenant que notre histoire était devenue une opérette à la guimauve pour grand public, une émission à petit budget avec Barbra Streisand pour veillées des chaumières, un sport du genre " qui m'aime me suive " et " plus on est de fous plus on rit ". Bébé, j'ai l'impression que toi et moi, on ne suce plus la même orange. Une histoire d'amour n'est pas un train à prendre pour âmes perdues qui n'ont rien de plus intéressant à faire. Je croyais que tu avais compris la contradiction qui existe entre les termes mêmes de l'expression " mouvement romantique ". Je croyais que tu savais comment la société, si on la laisse faire, peut transformer l'expérience humaine la plus profonde et la plus authentique en tic tout court. Et tu l'as laissée faire. Je sais que tu peux t'exclure du mouvement. Mais tu ne peux pas exclure le mouvement de toi. Même dans la solitude, tu n'as pas pu tromper tes instincts grégaires. Je te laisse, naïve rédemptrice, à la Cause sacrée de cet amour qui n'était au fond qu'un aboiement à la lune. »

73

Si on avait creusé des douves autour de Seattle, les larmes de la princesse les auraient remplies.

Si on avait fait un barrage devant le château, les larmes de la Princesse auraient formé un lac assez grand pour qu'une baleine pourchassée s'y réfugie et que la Nef des Fous y jette l'ancre.

On dit chez les Berbères que puisque la tombe ne garde pas le souvenir, la terre d'un tumulus peut aider ceux qui sont dans la douleur à oublier leur peine, surtout les chagrins d'amour. Mais il n'y avait pas la moindre pincée de terre tombale dans la lettre de Bernard, et s'il y en avait eu, les larmes de Leigh-Cheri l'auraient transformée en boue.

Après avoir complètement imbibé le matelas de mousse des plus amères de ses larmes, elle le jeta par la fenêtre de toutes ses forces. (Dommage pour Chuck qu'elle ne l'ait pas fait plus tôt.) Puis elle lança le pot de chambre contre un mur. Ensuite, elle se mit à arpenter rageusement le grenier, et se coupa les pieds sur les morceaux de porcelaine.

Elle attrapa le paquet de Camel et le froissa dans son poing. Les pyramides s'écroulèrent et le chameau perdit sa bosse. Des momies s'échappèrent affolées, traînant derrière elles leurs bandelettes en déroute. L'eau retenue jusque-là dans la bosse du chameau jaillit soudain comme une fontaine de larmes.

Puis elle pleura pendant des heures, tout doucement, presque imperceptiblement, les yeux à vif d'être tant frottés.

Elle se releva à nouveau, sauta sur ses pieds en hurlant. Impuissants, le Roi Max et la Reine Tilli (ainsi que l'agent de la CIA déguisé en représentant de Moulinex) montaient la garde devant sa porte pendant que dans un coin du grenier, Giulietta, immobile, tenait Prince Charmant dans ses mains, peut-être pour le protéger de cette rage de rousse, peut-être pour invoquer quelque charme magique.

Au bout de trois jours, Leigh-Cheri se calma. Elle était, après tout, en proche harmonie de la lune, et ce qui décroît doit croître. Trois jours noirs et la lune s'écrie : « Ça suffit ». Trois jours noirs et la lune lentement se remet à ouvrir l'antique réfrigérateur dont les entrailles glacées répandent la lumière qui transforme le monde.

Dehors, les pluies étaient arrivées. Les pluies qui allaient tomber sur la vieille maison comme un blizzard de poissons volants jusqu'au printemps. Il n'y a pas de larmes qui puissent rivaliser avec les pluies du Nord-Ouest américain.

Alors la Princesse Leigh-Cheri se moucha. Elle posa son derrière nu sur le métal froid de sa banquette. Elle réfléchit un moment et défroissa le paquet de Camel. Puis elle sourit. Elle se tourna vers Giulietta. Sa voix avait un ton décidé et joyeux.

« Que l'on m'amène A'ben Fizel », demanda-t-elle.

Interlude

Si cette machine à écrire ne peut pas le faire, alors... Alors quoi ? La muse veut-elle parier ?

La Remington SL3 a besoin du verbe. Il est clair qu'elle ne peut pas écrire entre les lignes. Elle n'est absolument pas sensible à la beauté des alcaloïdes fongoïdes. Plus j'en ingère, plus elle a du mal à articuler. Et malgré mes efforts pour lui faire comprendre les valeurs littéraires traditionnelles, elle s'entête à rester *moderne*.

Et je t'assure que je n'aurais aucun scrupule à changer de machine en plein milieu de l'action, mais à part le Restaurant de Mamy qui reste ouvert toute la nuit, à cette heure-ci tout est fermé, et l'engin qui tape les menus de Mamy écrit « graillon » avec un « y ».

D'autre part, je viens d'apprendre que la garantie de la Remington ne couvre pas la « dactylographie de cette nature ». Comprenne qui pourra. (Cela ne devrait pas me surprendre : quand je suis allé prendre une police d'assurance à la Mutuelle d'Omaha, ils n'ont voulu assurer le doigt avec lequel je tape à la machine que contre le vol et l'incendie.)

Puisque c'est comme ça, il ne me reste plus qu'à remettre

en route cette pousse-papier de luxe et à essayer d'atteindre la ligne d'arrivée. Au cas où je craquerais en route, au cas où tu te retrouves, cher lecteur, dans l'obligation de finir sans moi, je dois te remercier de ton attention, tu m'en as accordé probablement plus que n'en mérite un écrivain sous-développé travaillant avec une machine à écrire sur-développée, et je voudrais te quitter sur une phrase parfaite, une image inoubliable que tu garderas enveloppée de soie violette dans le dernier tiroir de ta tête. Quelque chose comme une goutte de gelée tropicale perlant au coin d'une lèvre mordue dans un élan d'amour. Les temps ne sont plus, hélas, où nous pouvions ne rien nous refuser — complainte souvent rabâchée en ce dernier quart du XXe siècle — et au risque de te paraître timide, je te quitterai très vite. *Arrivederci.* Et bonne journée, comme on dit au pays.

Phase 4

Phase 4

74

L'aube s'était levée, annonçant justement une bonne journée. Le soleil brillait comme le visage de Monsieur Joyeux Drille lui-même, et l'horizon n'était que tout sourire. D'un bout à l'autre du pays, les gens se levèrent comme si on venait de leur faire un lavement au champagne, persuadés qu'ils *allaient* passer une bonne journée. Une nation historiquement et traditionnellement monarchique rétablissait sur le trône son premier souverain en trente ans. C'était le jour du couronnement. Hourra, hourra, hourra !

Tout le monde avait congé. Les hôtels et les pensions étaient pleins. Avant même que l'aube ne pointe, la foule avait commencé à s'amasser le long du chemin que suivrait le cortège. Les places de tribune avaient été prises d'assaut dès l'ouverture des réservations et elles se revendirent ensuite au marché noir pour l'équivalent de quatre-vingt-dix dollars chacune. Les balcons qui surplombaient la route coûtaient encore plus cher. On avait distribué aux enfants des écoles des badges et des brochures, des assiettes et des timbales, qu'ils serraient contre leurs habits neufs comme s'ils avaient été chargés d'un pouvoir surnaturel. De petits drapeaux flottaient gaiement aux antennes des voitures. Les soldats, héros de la révolution, portaient de nouvelles bottes qui craquaient, et les femmes, jeunes et vieilles, leur souriaient derrière des bouquets. A huit heures il y avait encore plus de fleurs que de gens dans les rues. Et autant de caméras que de fleurs.

A dix heures, les caméras se mirent à bourdonner furieusement, annonçant l'arrivée du carrosse royal : doré, enjolivé de frises et d'écussons représentant des scènes pastorales peintes par Cipriani, il était conduit par deux postillons en livrées pourpres à galons dorés et tiré par six chevaux blancs. Les trompettes d'argent se mirent à sonner, les cloches de la cathédrale carillonnèrent comme des folles. Terrifiés, les pigeons de la capitale s'élevèrent dans le ciel, mais n'y rencontrèrent que ballons, confetti et vieux avions de chasse déglingués d'une force aérienne encore en herbe.

En habit de cérémonie, le nouveau premier ministre descendit d'un carrosse plus discret et monta les marches bordées de lilas qui menaient à l'estrade royale. Leader de la révolution, le premier ministre fut acclamé longuement, mais on voyait que la foule réservait ses tonnerres d'applaudissements à quelqu'un d'autre. Tout à coup, une vague de liesse irrépressible monta dans les rangs du public. Les larmes jaillirent comme des pois sauteurs transparents de cinquante mille paires d'yeux et un énorme soupir s'exhala de cinq cent mille poitrines. « Dieu garde notre reine ! » cria le premier ministre, qui ne croyait pas en Dieu, mais quelle importance ? « Dieu garde notre reine » reprirent en cœur les hauts dignitaires, les soldats, les femmes en pleurs, les ouvriers et les enfants. Elle était là, montant à son tour les marches de l'estrade, son long manteau d'hermine traînant loin derrière elle, poupée sainte aux magiques atours qui rassurait les masses et honorait l'Etat, entourée d'une aura historique ancestrale, représentante humaine et palpable d'un gouvernement, bouchon d'émeraude d'un tube de dentifrice plein de nationalisme, crème de beauté du visage tourmenté de la race. « Dieu garde la reine Giulietta ! Vive Giulietta ! Vive Giulietta ! »

75

Le roi Ehrwig IV, père de Max, avait engrossé une fille de cuisine. Séduit par le fruit maigrichon de son inattention, il allait souvent, avant la naissance de Max, jouer avec sa fille à l'office, au beau milieu des feuilles de choux et des épluchures de poireaux. Ehrwig proposa d'adopter l'enfant, mais la mère, aussi susceptible et têtue que Giulietta allait l'être, ne voulut pas en entendre parler. « Puisque je dois rester aux cuisines, accusa-t-elle, l'enfant y restera aussi. »

Après la naissance de Max, quand il eut enfin l'héritier tant attendu, il alla trouver Giulietta, qui avait alors onze ans, et glissa dans son osseuse petite main toute pégueuse de confiture une reconnaissance de paternité. « Cela te servira peut-être un jour », lui dit-il. Et il garda une copie de ce document parmi ses papiers personnels. Des dizaines d'années plus tard, un membre de la commission de sélection monarchique qui faisait des recherches généalogiques sur les Furstenberg-Barcalona, l'y retrouva.

Giulietta savait depuis toujours qu'elle était la demi-sœur de Max. Mais elle avait choisi de respecter la volonté maternelle, à la vie à la mort, et de ne jamais révéler son secret. Cependant, quand des agents de la révolution entrèrent en contact avec elle — ils la trouvèrent en train de casser du petit bois devant la cheminée du château du Puget Sound —, elle décida de respecter à son tour la volonté paternelle en reconnaissant devant tous son sang bleu.

« Nous avons perdu confiance en Max et Tilli, lui dirent-ils. Et de toute façon, Max a renoncé à la couronne. Ne parlons même pas de ses fils, ces propres à rien. La Princesse Leigh-Cheri nous aurait convenu, mais vous savez mieux que nous où elle en est maintenant. Il ne reste que vous. Et vous êtes parfaite. Vous représentez en même temps cet héritage monarchique que nous revendiquons et notre bon peuple. Sur votre tête, la couronne ne sera pas seulement un bout de métal autocratique, mais un complément de la loi socialiste et démocratique. Vous serez une reine pour le peuple, car, bien que d'ascendance royale, vous venez du peuple. Vous parlez même le langage du peuple, le *vieux* langage. Enfin, pour en revenir aux Furstenberg-Barcalona, vous êtes plus sensée qu'aucun d'entre eux. »

Tout d'abord, son âge avancé les avait inquiétés. Mais quand ils virent l'énergie avec laquelle elle maniait sa hachette, ils se regardèrent d'un air entendu et se sourirent. « Elle durera plus longtemps que le XXe siècle », prédirent-ils.

Et peu après Noël, la vieille Giulietta devint reine, attendant le printemps pour accepter publiquement les marques officielles de sa responsabilité royale, le sceptre, l'anneau et la couronne. Ce moment fut chargé de tant d'émotions, empreint d'une telle magnificence et de tant de pompes, au bon sens du terme, que personne, pas même le premier ministre, ne remarqua que, pendant toute la cérémonie du couronnement, la vieille femme avait gardé son poing gauche fermé. Et si quelqu'un l'avait remarqué, personne de toute façon n'aurait pensé qu'elle serrait dans ce poing un crapaud. Un crapaud vivant. Quand le crapaud coassa, tout le monde crut que les vieux intestins gargouillaient d'émotion et la cérémonie continua comme si de rien n'était.

Dès qu'elle fut couronnée, la reine Giulietta s'empressa de resserrer les liens diplomatiques de son pays avec la Bolivie et le Pérou, et fit comprendre aux ambassadeurs de ces deux pays qu'elle accepterait volontiers en signe d'amitié quelques envois de cocaïne. Pour usage médical uniquement.

Elle déposa ensuite une requête personnelle auprès du président des Etats-Unis d'Amérique afin qu'il amnistie un

234

certain « prisonnier politique » incarcéré dans le pénitencier fédéral de l'Etat de Washington. Le président ne pouvait le lui refuser, simple question de protocole.

76

« Bonjour, chéri. Des nouvelles de nos dalles de revête-ment ? » Leigh-Cheri se blottit contre A'ben Fizel. Elle l'embrassa sur la bouche et accueillit avec plaisir la main qui se glissait sous son peignoir.

« Comment peut-on parler de dalles de revêtement quand la chair est si douce ? demanda A'ben en la serrant contre lui.

— Voyons, chéri, un peu de patience. Tu es toujours si pressé. La chair ne fond pas au soleil. Je veux savoir où on en est avec ces dalles.

— Bon, d'accord. En fait j'ai une bonne nouvelle à t'annoncer. Le bateau est arrivé à Suez. Il devrait être ici après-demain au plus tard.

— Ohhh ! » Leigh-Cheri poussa un cri de joie. « Je suis si heureuse ! Pas toi ? Nous finirons peut-être en temps prévu. Tu ne crois pas ?

— Et tu me dis d'être patient... Les pierres non plus ne fondent pas. Les pyramides ne fondent jamais. Les pyrami-des seront encore sur terre longtemps après que *ceci* sera au paradis. » Ses doigts couverts de bijoux lui caressèrent l'aine.

« Mmmmm. *Ceci* est déjà au paradis. On y sera bientôt. » D'un geste aussi vif que celui d'un raton laveur qui attrape un poisson ou d'un hors-la-loi qui craque une allumette, elle descendit la fermeture éclair de sa braguette.

235

77

Ce qui avait le plus peiné Leigh-Cheri dans la lettre de Bernard, était qu'il la connût si mal. Comme toutes les femmes en général, comme les femmes Bélier en particulier et surtout les femmes Bélier aux cheveux roux, Leigh-Cheri détestait qu'on ne la comprenne pas. L'injustice envers les autres la révoltait, l'injustice envers elle la faisait bouillir comme une soupe au soufre. Après tous les sacrifices qu'elle avait faits, après l'engagement extrême qu'elle avait pris, qu'on la gronde comme une gamine, qu'on lui fasse la leçon sur un ton plein de condescendance, qu'on traite son amour, leur amour, avec tant de légèreté, lui semblait absolument intolérable. L'homme qui aurait pu savoir ce qu'il faut faire pour que l'amour demeure — ou tout au moins elle l'avait cru —, cet homme avait agi comme si la lune était *sa* meule de gruyère et, une fois de plus, les élans romantiques de la Princesse s'étaient heurtés à des considérations bassement prosaïques et avaient été trahis par l'égoïsme. C'était bien la dernière fois, se promit-elle. Elle aimait encore Bernard, mais elle ne voulait plus être victimisée par cet amour. C'était clair. Elle était princesse, entité très exceptionnelle dont les grâces étaient très exceptionnelles. A partir de dorénavant, en ce qui concernait les hommes, ce serait elle qui déciderait.

Elle se rendit compte que chaque fois qu'elle avait eu une liaison, chaque fois qu'elle était restée plus d'un an avec le même homme, il y avait eu déséquilibre. Dans un couple, un des deux amants aime toujours plus que l'autre. Cela semblait être une loi de nature, une loi cruelle qui conduisait inévitablement aux tensions et à la destruction. Elle était consternée qu'une loi aussi injuste, aussi affreuse existe, mais puisqu'il en était ainsi, puisque le déséquilibre semblait inévitable, il était sûrement plus facile, plus sain, d'être celui des deux qui aimait le moins. Elle se promit que désormais, le déséquilibre jouerait toujours en sa faveur.

Elle se promit aussi, en caressant le paquet de Camel tout froissé, de développer et d'approfondir ce qu'elle en était venue à appeler sa « théorie ». Elle était le dernier anneau de la chaîne argonienne, et cette vision qu'elle avait eue d'elle-même dans l'air rare et silencieux du grenier, allait devenir sa nouvelle raison de vivre.

Elle envoya chercher A'ben Fizel.

A l'époque où il la courtisait, après son retour d'Hawaii, Fizel était un compagnon plein de galanterie, mais pas très attirant. L'alcool et la bonne chère lui avaient donné un teint verdâtre et de lourdes bajoues. Il ressemblait plutôt à un grand crapaud. Mais quand elle le fit appeler, laissant penser qu'elle pourrait accepter de devenir sa femme, il se transforma en un beau jeune homme. Laissant tomber sa vie de play-boy, Fizel se rendit dans un ranch de beauté du Dakota où il suivit un régime à base de pamplemousse et d'ail cru, et fut astreint à des marches quotidiennes de trente kilomètres. Un mois plus tard, quand il se présenta devant les grilles de Fort les Ronces, il était redevenu jeune, beau et mince, même s'il sentait un peu l'ail. Leigh-Cheri n'en revenait pas. Voyant dans ses yeux plus qu'une lueur d'approbation, Fizel alla droit au but. Il sortit de sa poche un diamant gros comme un cracker Ritz. Mais la Princesse n'était pas si pressée.

« Que pensez-vous de l'avenir des pyramides ? » lui demanda-t-elle.

78

On a estimé qu'il faudrait environ six ans et un milliard de dollars pour construire la Grande Pyramide de Gizeh avec les moyens techniques dont nous disposons aujourd'hui. Le projet de Leigh-Cheri n'était pas aussi ambitieux. Une pyramide dont la taille ferait le tiers de celle de Gizeh constituerait une immense construction déjà bien suffisante pour servir son propos.

« Votre pays est voisin de l'Egypte et lui ressemble beaucoup, rappela la Princesse à A'ben Fizel, et pourtant aucun touriste ne le visite jamais. C'est parce qu'il n'y a rien d'intéressant à y voir. En fait, quand on parle de votre pays, la plupart des gens font grise mine. Si ce pays évoque quelque chose, c'est seulement le pétrole, des profits extraordinaires, le fanatisme religieux et le goût du clinquant. Et si vous construisiez la première véritable pyramide qui ait jamais été érigée au Moyen-Orient depuis trois mille ans ? Non seulement cela attirerait les touristes, mais cela vous donnerait également un symbole populaire et une identité nationale. Cette pyramide deviendrait un centre de vie culturelle. Elle serait une source de revenus supplémentaires et vous servirait d'ambassadeur dans le monde entier. Les gens ne penseraient plus uniquement à vous comme à des nouveaux riches barbares aux ongles noirs de pétrole et aux oreilles pleines de sable. »

A ces mots, Fizel tressaillit. Mais il était séduit. L'idée de la Princesse plaisait autant à l'homme d'affaires qu'au patriote. Et le dernier chou de ce gâteau pyramidal tenait avec le caramel de la promesse qu'elle lui fit de l'épouser dès que les travaux seraient achevés. La pyramide célébrerait l'amour d'A'ben pour la Princesse comme le Taj Mahal célébrait l'amour du Shah Jahan pour son épouse favorite. Peu d'hommes sur cette terre pouvaient prouver en termes aussi grandioses la profondeur de leur amour. Fizel était l'un d'eux.

Après quinze jours de réflexion — et après avoir consulté son papa —, A'ben accepta l'offre de la Princesse. Mais avant de passer la bague de fiançailles au doigt de Leigh-Cheri, le jeune homme ajouta à leur contrat une clause personnelle. Sa future femme n'était pas vierge, tout le monde le savait, ou presque. Il exigea donc à son tour que pendant le temps qu'il faudrait pour construire la pyramide, sa fiancée réside dans son pays, à côté du Palais des Fizel, et qu'elle lui ouvre la porte de ses appartements une fois par semaine.

Comme elle avait l'intention de superviser la construction de la pyramide, et qu'elle tenait à mettre le plus de distance possible entre elle et McNeil Island, Leigh-Cheri ne demandait pas mieux que d'aller vivre dans le pays d'A'ben. Quant à la question de la visite hebdomadaire de ce dernier dans ses appartements, elle la soumit au vote. Son cœur était contre, mais le poisson-pêche trouvait que ça commençait à bien faire. Son cerveau, qui s'en fichait, décida de voter avec le poisson-pêche. Et les fiançailles furent annoncées officiellement.

79

A certains moments, devant son miroir, quand elle brossait ses cheveux qui tombaient sur ses épaules comme des vallées de lave chaude, étincelants comme les queues entrelacées des comètes embrasées, elle voyait en face d'elle le visage d'une prostituée qui la regardait fixement. Elle avait l'impression d'être devenue dure et de s'être salie. Elle inondait le miroir de ses larmes, regrettant amèrement l'innocence de sa jeunesse, ses rêves romantiques et la lumière de la lune qui ne brillait plus comme avant. Mais derrière ses fenêtres mauresques, de vrais chameaux ruminaient tranquillement et, quand elle écartait les lourds rideaux de brocart, elle pouvait voir les dômes, les minarets, les palmiers dattiers qui ressemblaient étonnamment à ceux du paquet de Camel, et loin vers l'horizon, une pyramide — sa pyramide — qui s'élevait rapidement.

Elle allait continuer à s'élever jusqu'à ce qu'elle atteigne 48,98 mètres de haut et couvre une superficie de 1,78 hectare. Ses faces triangulaires feraient, avec le sol, un angle de 51 degrés 52 minutes, comme celles de Gizeh. La pyramide était évidemment orientée selon les quatre points cardinaux et des spécialistes du département d'astronomie de Cambridge avaient veillé à ce qu'elle suive aussi des alignements solaires, lunaires et stellaires. Dans les salles donnant sur l'extérieur on ferait des boutiques, des cafés et des night-clubs, de grande classe évidemment, une foire commerciale et un petit mais important musée d'archéologie levantine. Les pièces de l'intérieur étaient réservées à Leigh-Cheri. C'est là qu'elle allait diriger les études de pyramidologie les plus poussées qui aient jamais été faites. Les plus grands esprits scientifiques de l'époque allaient analyser l'énergie pyramidale, cette force qui préserve les cadavres, aiguise les lames de rasoir, intensifie les processus mentaux et accroît la vitalité sexuelle. Lorsqu'ils l'auraient expliquée, leurs efforts s'orienteraient vers des applications pouvant servir ses maîtres argoniens. Peut-être que grâce à sa pyramide, les Barbes Rouges seraient sauvés de leur exil. A moins qu'une nouvelle race de demi-dieux roux ne se développe et finisse par reprendre l'avantage sur les forces solaires.

Quand elle pensait à la pyramide, c'est-à-dire la plupart du temps, elle ne se désolait plus de se servir d'A'ben Fizel, ou de le laisser se servir d'elle. Elle se regardait alors dans son miroir sans éprouver aucune honte. Elle brossait ses cheveux comme s'ils étaient l'aurore d'un perpétuel lever de lune. Et quelquefois elle prenait sur sa coiffeuse le paquet de Camel, froissé et déformé, et le tenait devant la glace, en souriant une fois de plus devant le défi permanent du mot CHOIX au phénomène d'inversion. Elle avait librement *choisi* la vie qu'elle menait maintenant et si cette vie possédait des côtés désagréables, eh bien, il fallait être courageuse et supporter la souillure. Non pas que les visites de son fiancé aient constitué une épreuve pour elle. *Au contraire*[1]. Oh, comme *au contraire*[1]...

---

1. En français dans le texte (*N.d.T.*).

80

La première fois qu'elle ouvrit ses jambes pour lui, ce fut comme desserrer ses mâchoires pour le dentiste. Des nuages d'appréhension, de doute, de rancune, de culpabilité et de sentimentalité s'amoncelèrent au-dessus d'elle, empêchant de passer le moindre rayon de plaisir. Les yeux fermés, elle essaya d'imaginer que c'était Bernard qui la pénétrait, mais ce qu'elle ressentait avec ce nouvel amant était si différent, si étrange, que le fantasme ne put prendre le dessus. Dans les semaines qui suivirent, comme il faisait preuve d'une douceur inattendue, elle se détendit peu à peu. Les yeux toujours fermés, elle allait et venait contre lui comme elle l'aurait fait avec un gadget de sex-shop, se barattant mécaniquement jusqu'au bord crémeux d'un orgasme inaccessible. Quand elle l'atteignit enfin, un soir où les cloches des chameaux tintaient devant la maison, un soir où l'encens qui brûlait faisait sentir bon l'appartement, elle se détendit encore plus. La semaine suivante, quand il se déshabilla près du lit de la Princesse, elle garda les yeux grands ouverts... et vit ce qu'elle avait manqué jusque-là.

Bien qu'A'ben ait repris une vie nocturne active — pour donner une dernière chance aux boîtes de nuit avant son mariage, expliquait-il —, les séances journalières auxquelles il s'astreignait dans le gymnase familial le gardaient en pleine forme. Son profil sémite avait une force mâle, les dents que dévoilait son timide sourire étaient brillantes et régulières (surtout si on les comparait aux chicots jaunis de Bernard) et une lueur généreuse étincelait dans ses yeux chocolat. Son phallus était long, fuselé et souple, et aussi incurvé qu'un sourcil phénicien. Stimulé, il se dressait poliment, et se courbait en arrière de telle manière que son bout, pourpre et lisse comme une aubergine, touchait presque son ventre. Sans laisser à A'ben le temps de monter sur le lit, elle se mit à caresser cette merveille exotique, si

241

joliment lubrifiée, à la frotter entre ses seins et contre ses joues, rouge d'excitation. Avant de savoir ce qu'il lui arrivait A'ben sentit qu'elle le prenait dans sa bouche. Quand elle le sentit frémir dans sa gorge et envoyer les longues giclées de ce mucilage translucide avec lequel Cupidon essaye de recoller le monde, elle eut l'impression d'avaler un concentré d'extase, et son sang se surprit à bouillonner joyeusement. Plus tard, dans la soirée, il s'occupa du clitoris princier avec une sensibilité rare, et quand il la quitta pour rentrer au palais, elle lui laissa comprendre qu'une seule rencontre par semaine frustrait peut-être Aphrodite. « Après tout, vous êtes un cheikh, et je suis rousse », murmura-t-elle. Dès lors, il lui rendit visite tous les mercredis et samedis et, chaque fois, ils s'envoyaient en l'air toute la nuit durant.

A plusieurs reprises, Leigh-Cheri essaya de se convaincre qu'elle était tombée amoureuse, mais elle savait très bien qu'elle n'aimait qu'en dessous de la ceinture. Le poisson-pêche pouvait s'attendrir tant qu'il voulait, son cœur restait insensible. Et lorsque le poisson-pêche s'éclatait, son cœur faisait la gueule, il remontait le col de son imper, baissait les bords de son chapeau, laissait pendre une cigarette au coin de ses lèvres boudeuses, et marchait pendant des heures dans les rues sombres des docks. Si un cœur n'écoute pas un vagin, qui écoutera-t-il ? Cette question resta sans réponse... mais les mercredis et les samedis se succédèrent dans l'ivresse des corps et pendant ce temps, la pyramide s'élevait, plus vite que prévu.

81

La moralité dépend de la culture. La culture dépend du climat. Le climat dépend de la géographie. Seattle où les palourdes chantaient, Seattle où se cachaient les trolls, Seattle où les mûres murmuraient, Seattle où les culottes du ciel se mouillaient, Seattle, ville qui se lavait les mains avec l'insistance d'un proctologue, Seattle était loin derrière elle, au rancart de sa mémoire, gisant sur un grand lit profond de mousse humide. La Princesse vivait maintenant au bord d'un vaste désert, sous le sceau du soleil. Derrière les murs, sa géographie s'était aussi transformée. Un luxueux appartement remplaçait le grenier dénudé. Monde extérieur et monde intérieur avaient échangé leurs places. Ce changement s'était-il accompagné d'un glissement psychologique ? Avait-il eu des effets marquants sur le code moral de la Princesse ?

Peut-être. Mais à peine. Et de toute façon, il s'était passé quelque chose dans l'intime immensité du grenier qui rendait ce changement insignifiant : elle avait été sensibilisée à la présence des objets.

Après ce qui s'était passé avec le paquet de Camel, Leigh-Cheri ne pouvait plus snober aucun objet. Le paquet de Camel l'avait guérie de tout chauvinisme envers l'inanimé. Parmi ses relations d'université et parmi les délégués éclairés du Festival de la Géo-Thérapie, les plus révoltés contre la discrimination d'âge, de race ou de sexe étaient les premiers à ségrégationner continuellement les objets, à leur refuser tout amour, respect ou attention la plus élémentaire. Sans en avoir tiré aucune conclusion consciente, Leigh-Cheri en était arrivée à considérer, pour sa part, le plus petit et le plus inanimé des objets comme s'il possédait une vie.

Dans la journée, sur le chantier de la pyramide, elle se surprenait à observer les outils des ouvriers avec au moins autant d'intérêt que les ouvriers eux-mêmes. Sa main s'attardait plus longtemps qu'il ne le fallait sur les poignées de portes. Elle caressait les gros blocs de granit avec ce geste d'affection un peu automatique qu'ont certaines personnes pour tous les clébards qui traversent leur rue, mais elle traitait aussi les pierres comme si chacune d'entre elles possédait une personnalité individuelle. La gourde de bois à laquelle elle étanchait sa soif devint une véritable amie ; elle pressait sa bouche contre la sienne et n'aurait laissé aucun ennemi l'attaquer. Le soir, après s'être lavée de la poussière du désert, après avoir enduit son nez de crème à base d'oxyde de zinc (les roux prennent facilement des coups de soleil) elle errait à travers l'appartement (sauf, évidemment, si l'on était mercredi ou samedi), prenant l'un après l'autre dans ses mains cendriers, boîtes à musique, tasses à café, coupe-papier, ou autres bibelots qui jonchaient les tables basses. Elle plongeait en eux jusqu'à ce qu'ils s'étendent en un monde infini, aussi riche et chargé d'intérêt que cet autre monde physiquement plus mobile pour lequel elle éprouvait toujours une certaine curiosité mais dont elle était une fois de plus isolée.

Dans une société destinée avant tout à organiser, diriger et satisfaire les désirs des masses, que reste-t-il pour subvenir aux silencieux besoins de l'homme en tant qu'individu? La religion? L'art? La nature? Non. L'Eglise a fait de la religion un spectacle pour tous publics, et les musées en ont fait de même pour l'art. Les innombrables regards qui se sont posés sur le Grand Canyon et les Chutes du Niagara les ont littéralement usés, tous ces yeux stupides en ont sucé jusqu'à la dernière goutte de beauté. Que reste-t-il pour subvenir aux silencieux besoins de l'homme en tant qu'individu? Que dirais-tu d'un os de poulet sur une assiette en papier à minuit, que dirais-tu d'un tube de rouge à lèvres qui s'allonge et se raccourcit selon ton bon vouloir, d'un nid de polystyrène abandonné par une souris que tu n'aurais jamais connue, d'une paire d'essuie-glaces qui se courent bêtement après, un soir où tu rentres chez toi en voiture sous une pluie battante, de quelque chose que ton pied rencontre sous un fauteuil de cinéma, de jolies petites fourchettes, de postes de radio au ventre ballonné, de boîtes à nœuds papillons ou de bulles dans l'eau de la baignoire? C'est vrai. Ce sont toutes ces choses, ces ficelles de cerfs-volants, ces bidons d'huile d'olive et ces cœurs de Saint-Valentin bourrés de nougat qui créent un lien entre la vision autistique et le monde expérimental; et montrer toutes ces choses dans leur vraie lumière de mystère, voilà le but que poursuit la lune.

Un mercredi soir, alors qu'allongée aux côtés d'A'ben Fizel, elle se reposait d'une copulation en quatre manches

244

avec doubles prolongations, Leigh-Cheri s'assit soudain et attrapa le pot de vaseline qu'elle regardait depuis un long moment dans la lumière de la lune en s'écriant tout haut : « Mais qu'est-il arrivé à la balle d'or ? »

82

A la longue, Leigh-Cheri s'était prise d'amitié pour presque tous les objets inanimés qu'elle côtoyait chaque jour. Et en particulier pour cet objet inanimé qui contrôle les cycles reproductifs de toutes les créatures vivantes, cet objet inanimé qui règle les marées, qui influence la folie, et auquel se référait J. Isaac quand il écrivit, « ... toute l'histoire de la poésie peut se résumer en une tentative à trouver de nouvelles images pour parler de la lune ». (La lune est l'impératrice des objets, et comme elle pratiquait la lunacep-tion, Leigh-Cheri s'était liguée à elle.) Mais parmi tous les objets qui l'entouraient, il y en avait un que Leigh-Cheri feignait systématiquement d'ignorer, alors que cet objet brillait d'un éclat particulier sous la lumière de la lune. C'était sa bague de fiançailles.

Elle avait très vraisemblablement peur de ce que voulait dire cette bague. Bien qu'elle ait totalement accepté sa liaison avec A'ben Fizel, l'idée de leur mariage lui donnait des frissons et des sueurs froides. Chaque fois qu'elle essayait de s'imaginer vivre toute une vie à ses côtés, une si grande tristesse l'envahissait qu'elle préférait penser à sa pyramide. Et pourtant, le jour même où celle-ci serait terminée, il lui faudrait épouser Fizel.

Au pays de Fizel, la coutume voulait que les fiancés n'apparaissent jamais ensemble en public et, à l'exception de leurs mercredis coquins et canailles samedis soirs, elle le voyait rarement. A'ben devait lui procurer tous les maté-riaux nécessaires à la construction de la pyramide et organiser les problèmes de main-d'œuvre. Il s'était d'ailleurs montré si efficace dans ce domaine que le projet, dont la réalisation aurait normalement demandé un minimum de deux ans, semblait devoir s'achever en vingt mois, malgré le retard de livraison des dalles de revêtement. Mais A'ben se montrait rarement sur le chantier. Pilier invétéré de boîtes de nuit, il lui arrivait souvent de prendre l'avion pour une nuit de fête à Rome ou Mykonos et il consacrait ses matinées à dormir et ses après-midi au gymnase familial après un frugal repas de pamplemousse et d'ail cru. Il avait loué un satellite grâce auquel étaient retransmis sur son poste de télé tous les matchs joués par l'équipe professionnelle américaine de basket-ball qu'il finançait, et consacrait au petit écran le reste de son temps.

La semaine où elle était arrivée dans le pays, une réception avait été organisée en l'honneur de Leigh-Cheri au palais. Elle avait été présentée au patriarche, Ihaj Fizel, un des hommes les plus riches du monde, et aux frères d'A'ben. La mère de ce dernier fit une brève apparition, mais ses sœurs ne se montrèrent pas. Leigh-Cheri demanda où étaient les femmes. A'ben haussa les épaules. « Sans importance », répondit-il. Les femmes avaient l'air de compter bien peu chez les Fizel, et c'était *une* des raisons pour lesquelles Leigh-Cheri regardait sa bague de fiançailles avec aussi peu d'enthousiasme que d'autres regardent un paquet de cigarettes, par exemple... Elle regardait mais ne voulait pas voir.

« Quelle est cette balle d'or dont tu t'inquiètes ? » lui demanda A'ben le soir où elle lança à brûle-pourpoint cette question.

Leigh-Cheri ne répondit pas. Elle ne pouvait répondre. Elle était plongée dans cette zone de silence où s'immobiliser, c'est déjà être ailleurs.

« Si tu veux cette balle d'or, je te l'achèterai. Quel qu'en soit le prix. »

Elle ne répondit toujours pas. Il se rendit compte qu'elle tenait encore dans ses mains le pot de vaseline dont le contenu brillait modestement mais non sans une certaine sensualité et, se souvenant qu'en américain une « balle »

246

était un euphémisme argotique du coït, il se demanda si la « balle d'or » n'était pas une pratique sexuelle spéciale qu'il ne connaissait pas. Peut-être s'agissait-il du coït parfait, du nec plus ultra de l'orgasme, peut-être n'avait-il pas su le lui donner, et peut-être que la vaseline l'y aurait aidé. C'était la première fois de sa vie qu'il doutait ainsi de lui-même et il lui demanda d'un ton maussade : « La balle d'or, ça a quelque chose à voir avec ce Mickey le Rouge ? »

Jusque-là, A'ben n'avait jamais fait la moindre allusion à Bernard. Leigh-Cheri sursauta et revint de sa rêverie, si l'on peut dire « revint » dans ce cas, puisque, au royaume du rêve éveillé, la seule façon « d'aller là-bas », c'est « d'être totalement ici ».

« Euh, hum, nnn... non, pas exactement », bafouilla-t-elle. Elle remit le pot de vaseline sur sa table de nuit, et détacha son regard des reflets marins de la lumineuse pommade. « Il, euh, il m'a dit quelque chose, un jour. Et je viens juste de comprendre ce qu'il voulait dire. »

Fizel accepta cette explication, si obscure qu'elle fût, et laissa la conversation en revenir aux dalles de revêtement. Ce qui ne l'empêcha pas, dès le lendemain, de télégraphier aux responsables de chaque poste frontière du monde arabe l'ordre de refouler tout voyageur en possession d'un passeport au nom de Bernard Mickey Wrangle. Par la force, s'il le fallait.

83

Et moins d'un mois plus tard, crois-le ou non, cher lecteur, un homme en possession d'un tel passeport arrivait justement à l'aéroport d'Alger. Quand on lui apprit qu'il ne pouvait entrer en Algérie, il balança son poing dans la gueule d'un douanier et on l'arrêta.

A'ben Fizel fut immédiatement prévenu. Il envoya au préfet de police d'Alger une caisse de cognac, une jarre de caviar et une cravache de cuir brodée de perles qui avait appartenu au Roi Farouk. « Wrangle est un dangereux terroriste international d'affiliation sioniste, câbla-t-il à Alger. Il doit être détenu dans un quartier de haute sécurité. Indéfiniment. Vers quoi vont vos préférences en matière de voiture, Monsieur le Préfet, la Lincoln Continental, ou la Mercédès Benz ? »

Fizel embaucha cent ouvriers de plus pour la construction de la pyramide. Le chantier devrait désormais tourner vingt-quatre heures sur vingt-quatre jusqu'à ce que la dernière pierre soit posée et les salles intérieures installées selon les ordres de la Princesse. Il demanda également au personnel du palais d'accélérer les préparatifs de son mariage.

84

Qui croirait qu'une machine à écrire électrique mordrait la main qui paie les notes d'électricité ? Eh bien, la Remington SL3, parce qu'elle s'obstine aveuglément à poursuivre son rythme de gadget technologique, s'oppose systématiquement à toute tentative d'expression d'un génie littéraire de la vieille école. Qui croirait qu'une femme obsédée par les pyramides ferait tout pour mettre en colère le seul homme du dernier quart du XXe siècle qui lui en fasse construire une, une vraie, grandeur nature ? Eh bien Leigh-Cheri avait reculé quand A'ben avait essayé de l'embrasser et lui avait demandé sur un ton acerbe :

« Pourquoi diable suis-je surveillée ? Pourquoi ces deux corniauds me suivent-ils pas à pas ? »

Si les appétits sexuels de Leigh-Cheri faisaient le bonheur d'A'ben Fizel, ils l'inquiétaient aussi. Depuis des mois, il la faisait discrètement surveiller par un eunuque. Il voulait s'assurer de ce que ses ardeurs ne l'entraînaient pas dans d'autres bras que les siens. Elle était souvent seule, après tout, et il n'était pas sûr que deux séances par semaine suffisent à calmer sa fougueuse nature. Quand il apprit que Bernard Mickey Wrangle venait d'être arrêté à Alger, il fit doubler la garde. Leigh-Cheri sentit alors la présence des deux hommes.

« Ces deux corniauds, comme tu dis, ont toute ma confiance. Ils sont là pour...

— ... m'espionner.

— Non. Non ! » Il secoua la tête avec force. « Ils sont là pour te protéger.

— Me protéger de quoi ?

— Des méchants. On pourrait te kidnapper. Ces hommes, tu sais, ceux qu'on appelle " terroristes " chez vous. Ça leur arrive. Tu ne connais pas le Moyen-Orient. »

Cela aurait dû la calmer. Elle savait que les enlèvements étaient, comme les détournements d'avions, des tactiques politiques assez couramment répandues dans cette partie du monde. Mais les roux, quand ils montent sur leurs grands cheveux, n'en redescendent pas si facilement, et sa mauvaise humeur avait encore besoin d'un exutoire.

« Je connais quand même assez bien le Moyen-Orient pour savoir que les musulmans ne mangent pas et ne font pas l'amour le samedi. Pourquoi viens-tu toujours me voir le jour du Seigneur ? Parce que tu n'oses pas aller en boîte, ce jour-là ? Tes compatriotes refusent de travailler le samedi à la pyramide, il a fallu embaucher des Grecs. Je suis sûr que personne ne sait ce que *tu* fais ce jour-là. Pas de viande le samedi, A'ben. N'est-ce pas ? Pas de viande le samedi. »

Les paupières d'A'ben tombèrent sur ses yeux de chocolat qu'elles enrobèrent comme du papier. Un tic coupable agita le coin gauche de sa bouche. « Je suis peut-être resté trop longtemps en Amérique, dit-il doucement. Entre tes cuisses, c'est La Mecque, pour moi. »

Devant cet aveu, la colère de Leigh-Cheri tomba. Mais elle voulut lancer une dernière pique. « Pas de viande le samedi pour qui veut voir la Ka'ba », dit-elle en entrouvrant sa robe d'intérieur.

Les yeux d'A'ben se remplirent de larmes. Sa lèvre

inférieure se mit à trembler comme un escargot qui vient d'apprendre ce qu'est une persillade. Désolée de l'avoir peiné comme ça, Leigh-Cheri embrassa cette lèvre qui tremblait, son tic et ses larmes. Quelques instants plus tard, les deux gardes oubliés se poussaient du coude derrière la porte et souriaient avec indulgence aux bruits sacrilèges qui s'échappaient de l'appartement princier.

85

« Il n'y en a plus pour très longtemps », dit Leigh-Cheri à une cuillère. Les architectes arabes avaient la coutume de faire des fenêtres qui ressemblaient à des trous de serrures, et la Princesse rousse se tenait derrière l'une de ces fenêtres comme l'œil injecté de sang d'un voyeur matant par un trou de serrure la pyramide qu'on habillait. C'était dimanche, jour aussi blanchâtre et délavé chez les musulmans que dans le monde chrétien. Curieux. L'équipe de jour, composée principalement de maçons grecs et yougoslaves — les Arabes qui connaissent le soleil préféraient l'équipe de nuit — était en train de poser les dalles de revêtement, mais Leigh-Cheri s'était offert un jour de congé.

« Il n'y en a plus pour très longtemps », dit Leigh-Cheri. Sa voix trahissait-elle une certaine angoisse ? La cuillère n'aurait su le dire.

A'ben l'avait si bien aimée la nuit précédente qu'elle avait dormi très tard. Elle avait bu son thé à petites gorgées, longuement, et s'était mise à jouer avec la cuillère. Il était largement midi quand elle alla à sa fenêtre. Elle laissa traîner son regard sur la ville où aucune ombre ne se dessinait, une ville basse, blanche et embrouillée comme un ossuaire, comme un pique-nique de vieilles craies mises à la retraite. Sous le soleil de midi, la pyramide rayonnait, toute blanche, elle aussi. Malgré la chaleur intense, la ville semblait froide. Elle serait éternellement étrangère au tempérament américain de la Princesse. Mais la pyramide... La pyramide était réelle, plus réelle pour elle que beaucoup de bâtiments élevés dans le monde d'où elle venait.

Comment un objet peut-il être plus réel qu'un autre objet ? Surtout un objet aussi impénétrable et mystérieux ? Peut-être que lorsqu'une chose est perçue comme étant tout à fait simple mais absolument inutile, elle devient vraiment authentique. Elle est réelle en elle-même, sa réalité ne dépend pas de liens extérieurs ni de phénomènes associatifs. Plus on attribue de charge émotionnelle à un objet, plus on lui donne de valeur utilitaire, plus on réagit face à lui, et plus il crée d'illusions. On se lasse vite des illusions, elles sont si fausses. Mais les lignes droites et les surfaces planes expriment une perpétuelle réalité. Surtout quand elles ne laissent voir aucune fonction utilitaire. La figure géométrique de la pyramide permet aux yeux de flotter autour d'elle. Nul n'est besoin d'en faire le tour pour la connaître tout entière. En voir le devant, c'est en voir aussi l'arrière. En fait son devant est son arrière. Une pyramide est essentielle. Elle est forme et non fonction. Elle est présence et non effet. On la voit en un instant mais on continue ensuite à la lire. Elle nous nourrit et nous nourrit encore. Une pyramide est impénétrable et mystérieuse, non pas malgré son élémentarité, mais *grâce* à son élémentarité. Libre de l'hystérie hypnotique du mécanique, libre de la torpeur engourdissante de l'électronique et de l'inexorable dépérissement biologique, elle repose dans sa terne splendeur entre le temps et l'espace, détachée de l'un comme de l'autre, ne les représentant ni l'un ni l'autre, et nous aide à détruire le mythe du progrès.

Bien entendu, Leigh-Cheri n'avait jamais pensé à la pyramide en termes de vérité géométrique. Même le processus mental qui avait donné le jour à sa théorie ne l'avait pas entraînée aussi haut dans l'air pur de l'explicatif (l'analyse abstraite constitue le véritable « domaine spatial », à de froides années-lumière des solides bonheurs terrestres), et elle était trop jeune pour se rappeler la chanson de Connie Francis *Is it really real ?* (« Est-ce réellement réel ? ») Non.

251

Quand Leigh-Cheri regardait la pyramide, sa pyramide, elle se sentait seulement prise de vertige à l'idée d'avoir glissé sa main si profondément dans la poche revolver de la destinée.

Elle tint la petite cuillère à la hauteur de ses yeux et la déplaça le long de l'horizon jusqu'à ce que l'immense monument semble tenir tout entier au creux de la cuillère. Puis elle porta cette dernière à sa bouche, comme pour manger la pyramide. « Mmmmm, dit-elle. Ça manque de sel. »

Ce geste trahissait-il une certaine angoisse ? La cuillère n'aurait su le dire.

86

Il était une fois (pour emprunter à Giulietta une phrase de son histoire), un pauvre vieux camion tout déglingué, rouillé et couvert de poussière où s'entassaient les rares biens et les nombreux enfants d'une famille d'ouvriers agricoles qui traversaient le pays à la recherche de quelques journées de travail. Un jour, le vieux camion s'arrêta, soufflant et cahotant, en face d'un poste à essence, de l'autre côté de la route, dans la Walla Walla Valley. Un enfant de deux ans, qui portait encore des couches — qui ne portait en fait même que ça — descendit du camion dont le tuyau d'échappement crachotait des gouttes d'huile grosses comme les raisins de la colère. L'enfant traversa la route en trottinant. Bien qu'apparemment de sexe masculin, il poussa la porte des toilettes « Dames », et disparut derrière cette porte pendant ce qui sembla être un laps de temps démesurément long. Peut-être avait-il des problèmes avec l'épingle à nourrice qui retenait ses couches. Pendant ce temps, le conducteur du camion appuyait impatiemment sur son accélérateur, et les enfants aux visages crasseux qui s'écrasaient contre la vitre arrière tambourinaient contre le toit. Finalement, au moment même où un petit pied nu apparaissait dans l'embrasure de la porte des toilettes, le conducteur lâcha l'embrayage et le camion s'éloigna, bringuebalant. L'enfant le regarda disparaître sans y croire, puis il se mit à courir derrière lui en criant, « Attendez bébé, enfants de salauds, attendez bébé ! »

Cette scène eut pour témoin un certain Dude Wrangle, ancien professionnel des rodéos et cow-boy raté à Hollywood (d'où son nom plein de chic, mais son véritable patronyme ressemblait plutôt à quelque chose comme Bernie Snootch) qui s'était reconverti avec succès dans la culture de l'oignon. Après que le camion eut définitivement disparu dans le lointain, Dude offrit un Pepsi à l'enfant et l'invita à monter dans sa Cadillac décapotable. L'enfant hésita, mais la Cadillac était vraiment trop belle. Dude, tout en le plaignant, admirait le courage de ce gosse. Et il aimait ses boucles rousses et les taches de son que le soleil avait semées sur son visage. Ils restèrent donc un moment tous les deux, assis dans la Cadillac. Dude alluma la radio et donna un paquet d'Hostess Twinkies à l'enfant. Puis, certain que le vieux camion ne reviendrait plus, Dude l'emmena, avec ses boucles rousses, ses taches de son, etc., à la Ferme des Oignons à en Pleurer des Torrents de Larmes.

« Kathleen ! Eh, Kathleen ! Excuse-moi, je suis un peu en retard, mais c'est pas facile de faire un môme tout seul. Surtout quand le petit bougre a déjà près de deux ans. Viens vite me dire ce que tu en penses ! Viens vite me dire ce que tu en penses ! »

Quelques années plus tôt, Dude Wrangle avait tapé dans l'œil d'un jeune professeur de philosophie de Whitman College qui avait renoncé à Spinoza pour un satyre en chemise de satin, une ferme aux murs à peine crépis et tous les fameux oignons doux de la Walla Walla qu'elle voulait. (Avant d'être nommée à Whitman College, elle croyait que le Doux de la Walla Walla jouait au billard avec Minnesota Fats.) Kathleen avait un joli visage et une intelligence vive, mais une mauvaise plomberie. Ils avaient beau faire, elle ne tombait pas enceinte. Cet enfant tout fait que Dude lui apportait la combla de bonheur. Elle se dépêcha de lui donner un bain et le coucha dans son propre lit. Elle resta éveillée toute la nuit à le regarder. Bébé pleurnicha un peu avant de s'endormir, mais il se réveilla le lendemain matin tout souriant et pas si pressé que ça de retrouver les enfants de salauds.

Cela se passait dans la Walla Walla Valley, dans l'est de l'Etat de Washington, à trois cents kilomètres de Seattle, là où les pommes se balançaient joue contre joue aux branches des pommiers, et où le ciel était tout simplement trop bleu pour satisfaire au bon goût. Dans le dialecte des Indiens de la région, *walla* signifie eau. Quand les Indiens découvrirent au milieu des collines infernales une vallée fertile où chantaient sources et rivières, ils l'appelèrent immédiatement Walla Walla. « Que d'eau, que d'eau ! », « Une humidité bien supérieure à ce qu'on pouvait attendre dans cette aride région », ou, dans le baragouin ethnologique qu'affectionnent nos amis les Blancs, « Terre des eaux nombreuses ». Si la vallée avait été *vraiment* humide, s'ils y avaient trouvé des étangs, des lacs, des marécages, les Indiens l'auraient peut-être appelée Walla Walla Walla. Peut-être même Walla Walla Walla Walla. Si ces Indiens étaient un jour arrivés au Puget Sound pendant la saison des pluies, il n'y aurait pratiquement jamais eu de fin à leur walla walla walla...

Dude Wrangle était né et avait grandi dans la Walla Walla, cela explique peut-être l'habitude épuisante qu'il avait prise dans son enfance de tout dire deux fois. « S'il te plaît ? S'il te plaît ? » « La soupe à la tomate, ça pue. La soupe à la tomate, ça pue. » « Pipi. Pipi. » Il garda toujours cette idiosyncrasie, et c'est parce qu'il répétait chaque phrase de ses rôles deux fois qu'il n'arriva jamais à rien à Hollywood. Aucun metteur en scène ne voulait entendre le shérif dire deux fois à ses adjoints : « Allez les attendre de l'autre côté de la passe », et il est vrai qu'un héros répétant : « C'est bien calme ici ce soir. C'est bien calme ici ce soir » aurait quelque peu gâché un moment de tension. Ouais, Wrangle, c'était calme jusqu'à ce que tu commences à jacter.

Adopté par les Wrangle, Bébé s'habitua aux répétitions de Dude et c'est probablement pour ça qu'il se sentait vraiment chez lui à Hawaii, terre des loma-loma et des mahi-mahi.

A la Ferme des Oignons à en Pleurer des Torrents de Larmes, Kathleen apprit la philosophie à l'enfant abandonné et Dude lui enseigna toutes les astuces d'un cow-boy de drugstore. Dans la région, tout le monde l'appelait Bébé et il n'eut pas d'autre nom jusqu'au jour où ses parents adoptifs décidèrent de l'envoyer dans une école chic, en Suisse. Il avait alors quinze ans. Kathleen ne voulait pas faire de lui un autre paysan walla walla et Dude était excédé par la quantité et la qualité des mauvais coups qu'il montait au lycée. La veille de son départ pour Genève, Dude et Kathleen partagèrent avec lui une bouteille de gnôle maison et le baptisèrent Bernard Mickey.

Le lendemain, trompés par leur gueule de bois, ils arrivèrent un peu en retard à l'aéroport de Spokane et Bernard Mickey dut courir pour attraper son avion. Comme il se précipitait vers la porte d'embarquement, il se mit à hurler : « Attendez Bébé, enfants de salauds, attendez Bébé ! » Il tourna la tête vers ses parents adoptifs, éclata de rire et leur envoya un baiser.

Ils rirent avec lui et lui envoyèrent aussi des baisers.

« Sois sage, mon chéri », lui dit Kathleen.

Et Dude ajouta : « Rends-nous fiers de toi, tu entends. Rends-nous fiers de toi, tu entends. »

Alors, bien qu'élevé dans la redondance, il semble que le genre de mec que Bernard Mickey Wrangle devait devenir n'aurait pas eu besoin de s'entendre dire deux fois : « On ne passe pas » par un douanier algérien. Tu ne crois pas ?

87

Leigh-Cheri n'entendit parler de la fusillade qu'un mois plus tard. Par l'intermédiaire de la Reine Tilli.

A la demande de Giulietta, le pays de Max avait versé à ce dernier une somme suffisamment substantielle pour qu'il puisse finir sa vie dignement, sans dépendre du gouvernement américain. Max partagea immédiatement avec Tilli, et partit pour Reno où il avait l'intention de jouer sa fortune jusqu'à ce que sa valve le lâche. Il s'installa dans un hôtel modeste qu'il quittait dès le matin pour aller au casino, candidat au suicide par la roue de la Fortune. Il téléphonait à Tilli deux fois par semaine, l'assurant toujours de sa bonne santé et de son succès au jeu. « Je me sens mieux, loin des ronciers », lui disait-il. La Reine pensa qu'il lui racontait des craques pour qu'elle ne s'inquiète pas et décida de passer par Reno avant d'aller au Moyen-Orient assister au mariage de leur fille.

A sa grande surprise, elle vit que son mari était devenu une vedette dans cette ville. Il était le grand gagnant de la saison, et tout le monde, des directeurs de casinos aux danseuses de cabaret en passant par les chauffeurs de taxis, semblait l'aimer. Peu regardant, il laissait toujours de généreux pourboires. Il avait fait des dons aux œuvres de charité locales. Il offrait à boire aux portiers et envoyait à des serveuses de bar les fleurs que reçoivent d'habitude les girls des grandes revues. Quant à son cœur, il continuait en ahanant à propulser le vieux Roi, bien que les médecins lui aient prédit qu'il allait dérailler d'un moment à l'autre. « Je prie seulement pour qu'il flanche devant le tapis vert de la roulette », déclara Max en laissant tomber comme une grenade sous-marine un troisième sucre dans son thé. « Je vais jouer jusqu'à mon dernier centime sur le treize rouge, et, qu'il sorte ou non, je mourrai en monarque. »

Tilli était assise dans le hall de l'hôtel où elle attendait que

Max descend prendre son petit déjeuner avec elle quand elle vit l'article. Elle avait ramassé sur le sofa un numéro du *Philadelphia Drummer,* journal underground qu'avaient oublié là un couple de jeunes barbus portant des sacs à dos. Tilli avait l'intention d'en étaler les feuilles dans un coin de sa chambre pour que son chihuahua puisse y faire ses petits besoins sans salir le tapis. Elle plia le *Drummer* pour le mettre dans son sac, quand ses yeux s'arrêtèrent sur un article concernant un certain incident qui s'était déroulé à Alger. Selon une information exclusive, des gardes algériens avaient tiré à la mitraillette sur un citoyen américain, Bernard Mickey Wrangle, trente-six ans, dit Mickey le Rouge, qui avait été à la tête d'un gang de terroristes qui luttaient contre la guerre du Vietnam à la fin des années soixante et au début des années soixante-dix. L'Algérie essayait de dissimuler l'incident, ajoutait l'article, mais tout le monde dans la Casbah savait que Wrangle, arrêté quelques heures plus tôt pour violation de frontière, avait été tué alors qu'il tentait d'échapper à ses gardes.

« O O Spaghetti-o », souffla la Reine Tilli. Les pleurs de son petit chien-chien qui avait glissé de ses genoux pendant qu'elle lisait coupèrent court à tout autre commentaire.

88

« Voyez-vous, Tilli, je ne peux m'empêcher de ressentir une certaine tristesse en pensant à ce pauvre Wrangle. » Le roi versa du sirop d'érable sur ses gaufres. Le sirop embourba les trous des gaufres comme le désir embourbe les circonvolutions cérébrales. « Je déteste ce qu'il défendait, mais je dois reconnaître qu'au moins il défendait quelque chose, qu'il était prêt à se tailler lui-même sa part de gâteau au lieu d'attendre qu'on veuille bien lui en jeter des miettes. Je préférais sa compagnie à celle de ces écologistes trop sérieux que Leigh-Cheri ramenait toujours à la maison. Mais quand même, vouloir planter des ronciers sur les toits de Seattle... Mon Dieu ! Quelle barbarie ! » La valve de son cœur émit un bruit très proche de celui du ventre d'un robot qui gargouille.

« L'article raconte — passez-moi le beurre, voulez-vous — qu'en soixante et onze Wrangle fut soupçonné d'avoir aidé à détourner un avion vers Cuba. Pourtant, il n'était pas marxiste. Il le faisait par mépris pour tout gouvernement, quel qu'il soit. Je me demande ce qui peut rendre un homme intelligent et courageux aussi révolté ? Même les jeux de hasard ont leurs règles. Ce sont ses règles qui donnent au poker une forme, une substance, une ligne de tension, une vie. Sans règles, le poker deviendrait bête et ennuyeux. Et on ne peut pas jouer avec ceux qui trichent. Au bon vieux temps, les tricheurs finissaient avec une balle dans la peau. C'est peut-être ce qui est arrivé à Monsieur Wrangle. Un peu plus de sirop, s'il vous plaît.

— La zanté aussi a ses règles, dit Tilli, et vous ne valez pas mieux en ze qui les gonzerne. Non ! Za zuffit avec le sirop, ezbèce de hors-la-loi !

— Quand je désobéis aux ordres des docteurs, Tilli, cela n'affecte que moi. Si je contrevenais aux règles du poker, tous ceux qui jouent à ma table en pâtiraient. C'est ce que Wrangle a fait, et c'est pour ça qu'il est mort. Moi aussi, je vais bientôt mourir, mais j'ai quarante ans de plus qu'il n'en avait, et la mort, pour moi, n'est pas un châtiment, mais une récompense. » Comme un métal fatigué, le fuselage de DC 10 de son visage se plissa dans un sourire. « Bof, je le rencontrerai un jour ou l'autre dans l'au-delà, et je suis sûr que nous aurons une conversation amusante. Il était...

— Tout za n'est pas la quezdion, l'interrompit Tilli en essuyant le sirop qui coulait sur trois de ses quatre mentons. La quezdion, z'est qu'il est tué, et z'ai délévoné à Leigh-Cheri il y a deux zours : elle n'en zavait rien. Doiz-ze lui dire ze qui z'est bazé ?

— Bien sûr, il faudra le lui dire. Elle a le droit de savoir. Il n'y a aucune raison de lui cacher le décès de Bernard. Elle ne l'aime plus. » Max réfléchit en silence sur cette dernière affirmation. « Mais, euh, Tilli, reprit-il, je crois qu'il vaudrait mieux attendre qu'elle soit mariée pour le lui dire. D'accord ?

— Zi vous groyez que z'est mieux. » Tilli enveloppa quelques tranches de bacon dans sa serviette en papier pour son toutou.

« Vous avez lu ça ? Ils racontent que Wrangle atterrit un jour à La Havane au mois de décembre. Il fut surpris d'apprendre que depuis la révolution, les Cubains ne fêtaient plus Noël. Et quand il rencontra Fidel Castro, il l'appela le rebelle sans Claus [1]. Ha ha ha. Elle est bonne, non ? »

Mais c'était plus que Tilli n'en pouvait comprendre.

89

Il y a bien dû y avoir un moment, un moment unique, en forme de poire, frémissant et dessiné au radium, où Beethoven écrivit la dernière note de sa *Cinquième Symphonie,* où Shakespeare mit le mot de la fin à *Hamlet,* où Léonard donna le dernier coup de pinceau qui allait envoyer Mona Lisa directement au Louvre. Un tel moment arriva aussi, du moins dans l'esprit de la Princesse Leigh-Cheri, quand la dernière pierre fut posée au sommet de sa pyramide. Déprimée et très excitée en même temps (comme Beethoven, Shakespeare et Léonard ont dû l'être), elle s'exclama simplement : « Et voilà ! »

La tâche qu'elle s'était attribuée, en fait, ne faisait que commencer. Car, comme dit Manly P. Hall : « Toute la sagesse des anciens est résumée dans la structure de la Grande Pyramide, et celui qui voudra résoudre ses énigmes devra posséder la sagesse de celui qui l'a conçue. »

Leigh-Cheri n'avait pas exactement l'intention de résou-

---

1. Santa Claus ou saint Nicolas, Père Noël des Américains (*N.d.T.*).

dre le mystère de la Grande Pyramide, mais il est vrai qu'elle aspirait à comprendre les propriétés particulières des pyramides en général, ainsi que leurs applications au progrès humain, et elle savait qu'elle devrait faire preuve, avec son équipe scientifique, de facultés exceptionnelles. Elle savait aussi qu'elle manquait d'expérience et qu'elle était terriblement ignorante. Mais elle comptait sur les Barbes Rouges, elle espérait en secret qu'ils interviendraient d'une manière ou d'une autre...

De toute façon, ce qui était fait était fait. Et ce qui était fait était splendide. Impressionnant. Grandiose. Et à elle. Enfin, presque. A'ben avait promis de lui offrir la pyramide en cadeau de mariage, à condition qu'elle laisse à son gouvernement la jouissance, gratuite, des salles extérieures. Dans deux jours, la pyramide deviendrait son jouet, bien à elle, le plus grand, le plus lourd, le plus cher, le plus parfait de tous les jouets de la terre. Et pourtant, elle avait beau essayer, elle n'arrivait pas à y voir quelque chose qui lui appartenait exclusivement ; la pyramide avait beau être le fruit de ses longues rêveries éveillées, elle ne s'en sentait pas particulièrement proche. Le chargé de cours des Objets Inanimés de l'Université des Hors-la-loi expliquerait le détachement qu'elle ressentait pour la pyramide et l'intimité dans laquelle elle était entrée avec le paquet de Camel par les dimensions relatives de ces deux objets. Les objets plus petits que le corps humain possèdent, selon le chargé de cours, un caractère privatif. Les objets plus grands que le corps humain appartiennent en revanche au domaine public. Plus un objet est grand et moins il est privé. « Et la lune ? » pourrions-nous demander au chargé de cours, dans l'espoir de lui faire lever le nez de sa bouteille de tequila ou de la culotte de sa petite amie. La lune est bougrement plus grande que la plus grande des pyramides, et beaucoup plus de gens peuvent la regarder en même temps. La lune est à peu près le plus public qu'un objet puisse être. Et pourtant, il est rare que la lune ne donne pas une impression d'intimité. On pourrait penser en toute logique que c'est parce que deux de ses caractéristiques fondamentales — sa lumière et sa force de pesanteur — nous affectent directement et personnellement, que la lune a une nature privée. Malheureusement, à l'Université des Hors-la-Loi, la logique est souvent à côté de la plaque. Le chargé de cours reniflerait bruyamment, soufflerait la fumée de son cigare bon marché et soutiendrait que c'est à cause de ses *marques* que la lune est aussi privée que publique. Ornée de minuscules dessins, c'est par les détails de sa surface qu'elle nous donne cette impression d'intimité. Ses accidents de terrain créent des relations internes et ces relations internes brisent l'effet produit par la structure externe, celui du caractère public. La Pyramide Fizel (nom sous lequel elle allait rester dans l'histoire), avec ses façades parfaitement blanches, était vierge. Elle ne s'exprimait que par sa forme physique, stable et rassurante car elle n'avait pas comme la lune ces taches énigmatiques qui émeuvent nos sens et nous entraînent dans son intimité.

D'accord, professeur, et si t'allais faire une partie de billes avec tes copains ? Ne te dérange pas pour nous, si nous avons besoin de toi, nous t'appellerons. Le voyant « fin de rouleau » de la Remington SL3 s'est allumé, et avec des milliers de gens — invités, représentants des médias et curieux — en train d'arriver pour l'inauguration de la pyramide et le plus grand mariage du dernier quart du XXe siècle, nous avons des petits fours sur la planche.

Leigh-Cheri vient de quitter le chantier de la pyramide et est conduite en limousine à son appartement où elle va attendre les deux seuls invités à son mariage qu'elle est contente de voir : la Reine Tilli et la Reine Giulietta.

90

Il avait fallu un peu moins de deux ans pour construire la pyramide. Un vrai miracle. Diable, il a bien fallu deux ans à des ouvriers syndiqués pour repeindre le pont du Golden Gate. Leigh-Cheri eut l'impression qu'il fallait aussi longtemps à la limousine pour la ramener à son appartement. La multitude habituelle de camelots du bazar, chameliers, charmeurs de serpents, montreurs de singes, jeunes prostitués mâles et femelles, mendiants, danseuses, badauds, zélateurs religieux et soldats avait triplé. Il s'agglutinaient par demi-douzaines autour de chaque infidèle et il était arrivé plus d'infidèles que la ville n'en avait vu depuis les Croisades. A'ben Fizel leur avait promis des infidèles, et les infidèles étaient là, caméras au poing, poches pleines et tout et tout. La rue était en fête et la circulation avançait comme un essaim de mouches à travers un crible.

C'était dimanche et, pour une fois, ce jour ne donnait pas l'impression d'avoir été passé à l'eau de Javel. Enfin, pas tout à fait. Le dimanche le plus vivant, le plus bruyant aura toujours l'air déprimé à côté du samedi le plus calme. Vous partez peindre la ville en rouge un dimanche et tout ce que vous réussirez à faire, c'est du rose. Aucune importance. C'était dimanche et les choses allaient bon train. Le grand jour était prévu pour mardi. A l'aube, dans le jardin du palais Fizel, Leigh-Cheri et A'ben deviendraient mari et femme. La cérémonie devait se dérouler dans l'intimité. Ainsi que la réception qui aurait lieu tout de suite après dans la chambre centrale de la pyramide. Loin des regards réprobateurs des musulmans, le couple de jeunes mariés humecterait ses gosiers de jeunes mariés. A neuf heures, une fois vidées les coupes de champagne, les invités sortiraient de la pyramide pour présider et assister à l'inauguration publique du monument. Une réception serait ensuite offerte devant l'entrée principale de la pyramide. Cheiks, sultans,

émirs, vizirs, potentats omnipotents d'Orient et représentants du gratin européen participeraient jusqu'au soir à des
réjouissances non alcooliques. Puis, le Boeing 747 d'Ihaj
Fizel s'envolerait vers Paris où les jeunes mariés allaient
passer leur lune de miel. Ça, c'était mardi. Lundi, Leigh-
Cheri resterait toute la journée avec Tilli et Giulietta. Si elle
arrivait à rejoindre son appartement.

91

Tilli était encore assez naïve pour croire que Jiminy le
Grillon chantait ses chansons en frottant ses pattes de
derrière l'une contre l'autre. Elle pensait que la cocaïne était
un médicament contre le rhume et trouvait bizarre que ce
médicament soit emballé dans des crapauds en plastique. En
plus, ni Giulietta ni Leigh-Cheri n'avaient l'air d'être
enrhumées au point de se soigner le nez toutes les demi-
heures et du matin au soir. « Bourquoi ne vous vaites-vous
pas zimplement une invusion de gamomille ? » leur
demanda-t-elle.
Sa fille et son ancienne servante se regardèrent en
pouffant.

Cocaïne, cocaïne, fruit de musique
Plus on en a plus on en prend
Plus on en prend mieux on se sent
Alors file un snif à ton pif.

reprirent-elles en cœur. Chacune dans sa langue.
La journée du lundi s'écoula ainsi. Les trois femmes
restèrent dans l'appartement où elles ne furent dérangées
qu'une seule fois, par les couturiers, pour un dernier
essayage de la robe de mariée. Les deux vieilles femmes
pleurèrent en la voyant dans ce costume, mais Giulietta se
remit très vite à sourire. Son crapaud de plastique était plein
jusqu'aux ouïes de la neige la plus pure qui soit jamais

263

descendue des montagnes boliviennes depuis bien des hivers, et la Princesse et elle fêtaient l'événement. A sa façon, la Reine Tilli, elle aussi, s'amusait. Elle avait investi dans un collier de chien serti de pierres précieuses que son chichuahua devait porter pour la cérémonie du mariage et le passait de temps en temps autour du petit cou en disant : « Les zéberaudes vont zi bien avec la gouleur de ses zyeux, vous ne drouvez pas ? »

Les reines et la princesse avaient toutes trois été invitées à de nombreuses soirées huppées, mais elles avaient préféré rester entre elles. Qui sait quand elles seraient à nouveau réunies ?

Tilli avait décidé d'aller à Reno pour être aux côtés de Max lorsqu'il jouerait sa dernière mise. Il n'y avait pas une note de bonne musique à Reno. Tilli devrait se contenter du chœur des machines à sous, des citrons siffleurs, des rêves de pièces de un dollar en argent et des déceptions éternelles à vingt-cinq cents. Un pot à ramasser sur une table de poker et une valve en Teflon chantant ensemble un dernier aria pour mourir dans les bras l'un de l'autre, fin de l'Acte IV, Grand Opéra de Reno.

Les rebelles qui l'avaient mise au pouvoir avaient attribué à Giulietta le rôle que jouent la plupart des monarques modernes dans les affaires de l'Etat, un peu plus, peut-être, qu'une fonction purement représentative mais certainement pas une part décisive du renouveau politique. Et pourtant la vieille femme était vite apparue comme le personnage le plus puissant de ce gouvernement. Quand Giulietta décida qu'il n'y aurait pas d'usine thermo-nucléaire à l'intérieur de ses frontières, les ministres furent forcés d'annuler les commandes de réacteurs qu'ils avaient déjà passées. « Nos ressources énergétiques seront le soleil, le vent, les rivières et la lune », annonça-t-elle. « La lune ? demandèrent-ils. On ne peut obtenir d'énergie de la lune. » « Détrompez-vous », dit Giulietta. A son retour, il lui restait à leur démontrer leur erreur. Déjà, grâce à son programme lunaire (fondé en partie sur l'expérience vécue par Leigh-Cheri dans le grenier), toutes les femmes de son pays ovulaient en même temps et tous les bébés naissaient à la pleine lune. « Ça va être un peu plus difficile d'apprendre aux hommes à y voir dans le noir », dit-elle.

Quant à Leigh-Cheri, elle devait maintenant s'occuper de la pyramide. Et du futur marié qui l'avait payée.

Les trois femmes passèrent donc ce dernier jour ensemble. Dans la chaleur de leur intimité retrouvée. De temps à autre, Tilli oubliait la situation présente et donnait des ordres à Giulietta, jusqu'à ce que Leigh-Cheri rappelle à sa maman laquelle des trois avait alors un trône, et elles se mettaient à rire. Elles riaient pour un oui pour un non. Giulietta et Leigh-Cheri étaient si défoncées que ça résonnait dans leur tête comme la sonnette d'un bordel de bas étage un samedi soir, et Tilli était tout simplement heureuse que sa fille épouse un homme qui pouvait lui offrir un cadeau de mariage de trois cents millions de dollars, bien qu'après avoir vu le père du jeune homme en question manger des yeux de mouton à la pointe de son cimeterre, elle eût quelques doutes sur leur généalogie.

Après avoir dîné assez tôt dans la soirée, elles se séparèrent à regret. Le mariage avait lieu à l'aube et l'aube avait la mauvaise habitude de se lever avant le petit déjeuner. Leigh-Cheri accompagna Tilli et Giulietta jusqu'à la limousine qui devait les ramener à leur hôtel. Avant d'introduire son imposante masse dans la voiture, Tilli glissa une enveloppe dans la main de Leigh-Cheri. Cette enveloppe était supposée contenir un message personnel par lequel le Roi Max expliquait son absence à sa fille et l'assurait de toute son affection. Mais hélas, Tilli se trompa d'enveloppe. Celle qu'elle donna à Leigh-Cheri contenait des coupures de presse concernant la mort de Mickey le Rouge (d'autres journaux avaient repris et amplifié l'histoire rapportée par le *Drummer*).

Une fois remontée dans ses appartements, la Princesse joua un long moment avec le coupe-papier, le tournant et le retournant dans ses doigts. C'était un coupe-papier en ivoire

dont la poignée représentait un animal. Quel animal exactement, Leigh-Cheri n'aurait su le dire. Ce n'était pas un
crapaud. Ce n'était pas un écureuil qui courait, courait,
courait au centre de la terre. Peut-être était-ce un animal
arabe. Leigh-Cheri glissa le coupe-papier entre les deux
bords de l'enveloppe. *Cric-crac, cric-crac.* Poussant devant lui
un mince filet de papier enroulé sur lui-même, le coupe-
papier fit son travail. Leigh-Cheri introduisit ses doigts dans
la fente et en extirpa la tumeur de papier journal.

92

« Je ne sais pas pourquoi je pleure comme ça », dit enfin la
Princesse. « Je crois bien que Nina Jablonski avait raison
quand elle me disait que je n'étais qu'une pleurnicharde. »
Elle se moucha. Les femmes font quelquefois en se mouchant
le même bruit doux qu'un canard en caoutchouc qui vient de
crever en passant sur un oursin.

« Cet idiot roux d'enfant de salaud n'en savait pas tant
que ça sur l'amour. Il n'en savait même pas tant que ça sur
ce que doit faire un hors-la-loi. Tué par un con de gardien
arabe ! Seigneur ! Mais Bernard Mickey Wrangle était un
véritable être humain. Bon dieu, qu'il était *vrai* ! »

Comment une personne peut-elle être plus vraie qu'une
autre ? Eh bien, voilà, il y en a qui se cachent, et d'autres qui
cherchent. Peut-être que ceux qui se cachent — en fuyant les
rencontres, en évitant les surprises, en protégeant leurs
biens, en ignorant leurs fantasmes, en taisant leurs senti-
ments, en refusant de souffler dans la flûte à mille trous de
l'expérience — peut-être que ces gens, ces gens qui ne
parlent pas aux péquenots ou aux intellectuels s'ils sont des
péquenots, ces gens qui ont peur de marcher dans la boue ou
de se mouiller le nez, peur de manger ce dont ils ont envie, de
boire l'eau mexicaine, de parier gros, de traverser en dehors
des clous, d'aller aux putes, de cogiter, de copuler, de léviter,

de rocker, de be-bop-a-luller, de bâiller, ou d'aboyer à la lune, peut-être que ces gens sont tout simplement inauthentiques, et peut-être que l'humaniste bavard qui soutient le contraire devrait avoir la langue passée au gril de l'Enfer, section Mensonge. Y'en a qui se cachent, y'en a qui cherchent, et ceux qui cherchent bêtement, névrotiquement, désespérément ou craintivement, ceux-là aussi se cachent. Mais il y en a qui veulent savoir et n'ont pas peur de regarder et ne s'enfuient pas devant ce qu'ils trouvent... et ce faisant, ils se sentiront toujours bien, car rien, ni la terrible vérité, ni l'absence de vérité ne pourra leur enlever le souffle honnête de la douce atmosphère de la terre.

« C'était peut-être un sale branque, mais c'était un authentique sale branque, dit Leigh-Cheri, et je l'aimais plus que je n'ai jamais aimé personne... et n'aimerai jamais plus personne. » Et elle recommença à sangloter.

Les horloges flirtaient avec minuit quand elle se retrouva devant la pyramide. Elle n'avait aucune raison d'être là si ce n'est qu'elle ne pouvait dormir, ne voulait déranger ni Giulietta ni sa maman et avait aperçu par sa fenêtre le chauffeur de la limousine endormi sur son volant. Elle voulait dire : « A Alger, sur la tombe de Bernard. » Ou : « Au Husky Stadium, je veux retrouver ma forme de supporter. » Ou : « A Hawaii, à Mû et à la lune. » Mais elle avait dit : « A la pyramide », en espérant trouver là-bas quelque consolation.

Dans la nuit claire du désert, les étoiles sautaient comme du pop-corn. La lune avait l'air de s'être couchée, et pourtant autour de la pyramide, on y voyait comme en plein jour. Une quarantaine d'ouvriers travaillaient aux derniers raccords et préparaient l'estrade de bois qui servirait aux cérémonies du lendemain. La porte d'entrée était grande ouverte. Ça tombait bien car elle avait oublié les clés. Elle descendit le long couloir qui menait à la chambre centrale.

A côté de cette pièce, se trouvait un laboratoire de physique entièrement équipé et plusieurs bureaux agréablement aménagés, dont le sien. Mais la chambre centrale était totalement nue. Des murs de pierre apparente. C'est là que tout se passait, et comme Leigh-Cheri voulait que sa pyramide ressemble le plus possible à la Grande Pyramide, elle n'avait même pas permis qu'on installe l'électricité dans cette pièce. Plusieurs lampes à huile étaient fixées aux murs de granit, et c'était tout. Les lampes étaient anciennes — elles avaient peut-être éclairé les fêtes nocturnes de Cléopâtre — et Leigh-Cheri tâtonna pendant cinq minutes dans le noir avant d'arriver à en allumer une. Quand la lampe s'embrasa enfin, la Princesse poussa **un** cri : une ombre se projetait de l'autre côté de la pièce. Elle n'était pas seule.

93

Elle crut d'abord qu'il s'agissait d'un ouvrier. Puis la lumière de la lampe illumina sa barbe rousse. Elle cria encore. Un frisson parcourut son épine dorsale. Sainte mère de Dieu Tout Puissant ! C'en était *un* !

Que dire à un voyageur argonien venu de l'espace quand on le rencontre un soir à minuit dans une pyramide ? T'as pas une clope, mec ?

Leigh-Cheri ne dit rien. Elle était incapable de proférer le moindre mot. Elle resta là sans bouger, avec son frisson dans le dos, en se demandant si elle allait ou non s'évanouir, jusqu'à ce que le Barbe Rouge comprenne que s'il voulait avoir un semblant de conversation avec cette jeune femme, c'était à lui de lancer la première balle. Il ouvrit alors une bouche pleine de dents pourries et lui dit :

« Coucou, piège à dragons » !

Elle s'évanouit.

94

Elle se réveilla la tête sur une bombe. Il lui avait fait un oreiller avec sa veste et avait oublié d'en enlever la dynamite.
« Tu es mort.
— Pas tant que ça.
— Pas tant que ça ?
— Tu peux parier. »
Les paupières de la Princesse battaient à toute vitesse et elle n'arrivait pas à avaler sa salive. « Mais alors... Une erreur ?
— Une erreur très normale.
— Encore un de tes mauvais tours ?
— Pas du tout. Simple question de chance. Bonne pour moi, mauvaise pour Birdfeeder.
— Qui ? Ecoute, Bernard, je ne t'ai pas vu depuis deux ans et demi. D'abord tu es mort, puis tu ne l'es plus. De qui parles-tu ? De quoi parles-tu ?
— Un ancien taulard appelé Perdy Birdfeeder me fit un jour ce que je *croyais* être une faveur. Apparemment, je m'étais trompé, mais ceci est une autre histoire. Perdy le Piqueur avait toujours rêvé de se retirer sur la Riviera française. Il avait entendu dire que les affaires marchaient bien dans ce coin. Je lui ai fait rencontrer le patron d'un bar de Pioneer Square, un pote qui s'occupait de mes papiers. Sur les quatorze passeports entre lesquels il avait à choisir, Perdy a pris le seul qui était établi à mon nom légal...
— Ton nom légal ?
— Ouais, Bernard Mickey Wrangle. Mon vrai nom, c'est Bébé. Ne ris pas. Je suis susceptible. Quoi qu'il en soit, ça ne marcha pas très bien pour Birdfeeder sur la Riviera. Il partit pour l'Afrique du Nord, toujours avec mon passeport. Ça n'a pas très bien marché pour lui, là-bas non plus. Ça doit être dur de mourir à Alger, mais enfin, c'est peut-être quand même mieux que Tacoma.

— Bernard, qu'est-ce que tu viens faire ici ?

— Pour l'instant, je suis en train de me demander si tu es ou non heureuse que je ne sois pas mort. »

Leigh-Cheri se releva en tremblant. Elle était presque aussi grande que lui et le regarda dans les yeux pendant un long moment. « Un jour, à Hawaii, alors que je te connaissais à peine, j'ai cru qu'on t'avait arrêté, et sans savoir pourquoi j'ai couru complètement paniquée jusqu'à ton bateau. Ce soir, j'ai cru qu'on t'avait tué. Il n'y avait pas de bateau vers lequel courir. »

Elle aurait voulu en dire plus, mais les larmes pointèrent à nouveau leurs petites têtes salées au bord de ses paupières. Bernard la prit dans ses bras. Elle mit les siens autour de son cou et ils restèrent ainsi enlacés pendant... qui sait pendant combien de temps ? Assez en tout cas pour que les deux eunuques qui l'avaient suivie décident que l'affaire valait la peine d'être soumise à A'ben Fizel, même s'il fallait pour cela interrompre l'enterrement de sa vie de garçon.

95

« Qu'es-tu venu faire ici, Bernard ?

— Un geste banal et spectaculaire en même temps. On ne se refait pas.

— Tu es venu me sauver ? Désamorcer le piège à dragons ?

— Je suis venu pour faire boum-boum.

— Seigneur ! J'aurais dû m'en douter. Ici ? Ici même ? » Elle s'écarta de lui.

« Il faudrait une bombe H pour faire une bosse à ce tas de cailloux. Je me suis arrêté ici pour grignoter un peu de gâteau — il montra du geste l'immense pièce montée qui se dressait sur une table à l'autre bout de la pièce — en attendant que la voie qui mène au sommet de cette pyramide soit libre. Je voulais en faire sauter la pointe.

270

« Mais pour l'amour de Dieu, pourquoi ?

— Ton cadeau de mariage. Je n'avais rien d'autre à t'offrir que Fizel ne possédât pas déjà en six exemplaires au moins. Boum-boum. Tu aurais compris que c'était moi ?

— Evidemment. Tu as le don de toujours faire sauter ce qu'il ne faut pas.

— Et vlan ! Mais écoute, la pyramide du billet de un dollar a perdu sa pointe. C'est une tradition. Ou une prophétie. Tu vois, cette fois c'était bien la bonne cible, non ?

— Non. Ce tas de cailloux, comme tu l'appelles, n'est pas simplement beau, il est la construction la plus importante qui ait été élevée sur cette planète depuis des milliers d'années. Tu devrais être le premier à le savoir.

— Ah oui ? Et pourquoi ? »

— Tu étais seul avec un paquet de Camel. Tu n'as pas compris le message ?

— Quel message ? On m'a conseillé de ne chercher ni coupons ni primes à l'intérieur de ce paquet et de ne pas abuser du tabac.

— Je parlais d'un autre message.

— Qui disait ?

— Si tu ne le sais pas — ce dont je ne mettrais pas ma main au feu —, tant pis. Je n'ai pas le temps de te l'expliquer maintenant.

— C'est vrai, ça. Le compte à rebours est commencé. Leigh-Cheri, je n'arrive pas à croire que tu vas épouser un homme aux cheveux noirs.

— Ses cheveux n'ont rien à voir avec notre mariage. Mais puisque nous en parlons, je n'aime pas ta barbe. Comme ça, tu ressembles à Jack l'Eventreur.

— Jack n'a jamais eu de barbe. Mais qu'est-ce que tu as contre moi ? Tu m'en veux d'avoir voulu faire sauter la pointe de ta pyramide ?

— Oui. Et de m'avoir écrit ce que tu m'as écrit.

— Ah, cette lettre... Pas très nuancée, je dois le reconnaî-tre. Les mots ont dépassé ma pensée. J'étais énervé par tout le barouf que l'on faisait autour de nous, ça sentait le vieux

271

syndrome sauvons-le-monde, mais je ne voulais pas me montrer si froid...

— Un aboiement à la lune ?

— Ben quoi ?

— C'est tout ce que notre amour représentait pour toi ?

— C'est tout ce qu'*est* l'amour. L'amour n'est pas un concert de clavecin donné dans un salon très comme il faut. Et encore moins la Sécurité sociale, le Grand Prix de l'Arc de Triomphe ou une patinoire municipale. L'amour est privé et primitif. Un peu étrange et effrayant en même temps. Il me fait penser à la carte de la Lune du jeu de tarots : une espèce d'immense crustacé à la carapace brillante et aux pinces menaçantes sort d'un étang autour duquel des chiens sauvages hurlent à la lune. Derrière les cœurs de cartes postales et leurs bouquets de fleurs, l'amour est aussi fou que ça. Essaie de le domestiquer, de l'éduquer, essaie d'habiller le crabe en colombe, et de lui faire chanter des airs de soprano, et tu ne réussiras qu'à le rendre anémique. Parodique. Beaucoup de jolis bruits peuvent décrire le verbe aimer, mais l'Amour relève plutôt de l'aboiement. Quand même, je suis désolé pour la lettre. Je t'en ai écrit une autre, plus douce. Mais sans me laisser le temps de trouver un facteur pour te l'envoyer, tu quittais Seattle au grand galop sur le plus beau chameau du sultan. C'était peut-être de ma faute, mais ça ne m'a pas empêché d'avoir mal. »

Leigh-Cheri s'avança à nouveau contre lui. Il était resté les bras ouverts comme un ours dans la vitrine d'un empailleur. Il les referma sur elle et ils restèrent encore un long moment embrassés, accrochés l'un à l'autre, sans trop savoir pourquoi. C'est dans cette position qu'elle vit A'ben Fizel à l'entrée de la pièce. Elle sentit se contracter certains de ses nerfs, mais avant qu'elle n'ait eu le temps d'ordonner quoi que ce soit à ses muscles, Fizel avait claqué la porte. Elle retint sa respiration en tendant l'oreille pour savoir si la clé allait tourner dans la serrure.

La clé tourna dans la serrure.

96

« En tout cas, nous ne mourrons pas tout de suite de faim ou de soif », dit Bernard. Il avait débouché une bouteille de champagne et tendait la main vers la pièce montée.

« Non ! » cria la princesse en détournant sa main d'un mouvement brutal.

« Excuse-moi. Je croyais que la réception avait été annulée. » Il remit la bouteille de champagne à sa place.

« Mais bien sûr, elle a été annulée. Que je suis bête ! Vas-y, mange-le ce foutu gâteau ! Tiens. » Elle en arracha un morceau et le tendit à Bernard. La chantilly qui lui dégoulinait le long des doigts rappela à Mickey le Rouge l'époque où il s'était réfugié dans les montagnes avec son gang et les parties de boules de neige qu'ils faisaient pour lutter contre le froid.

« Je dois reconnaître que j'ai la dent creuse, mais ne t'en fais pas, je la ferai plomber dès demain.

— Champagne ? » Leigh-Cheri en but une rasade avant de tendre la bouteille à Bernard. Les bulles se bousculèrent dans sa gorge, l'empêchant pendant un moment de respirer. Elle se sentit comme une télévision du samedi soir avec un orchestre qui lui montait dans le nez.

« Le champagne a été découvert par un moine catholique, lui dit Bernard. Après en avoir bu une gorgée, le moine sortit en hurlant de sa cave : " Je bois des étoiles, je bois des étoiles ! " » La tequila a été inventée par une bande d'Indiens qui faisaient des sacrifices humains et érigeaient des pyramides. Quelque part entre le champagne et la tequila se trouve l'histoire secrète du Mexique, exactement comme l'histoire secrète de l'Amérique se trouve quelque part entre le bœuf séché et les Hostess Twinkies. Mais peut-être que je t'ennuie, avec mes épigrammes ?

— Dis, Bernard, tu crois qu'on est dans le pétrin ?

— Qu'est-ce que tu en penses, toi ? Je ne connais pas les habitudes du gentleman en question. Il est rancunier ?

— De toute façon, il faudra bien qu'il nous laisse sortir. Il y sera obligé. Ma mère est ici. Et Giulietta aussi. La ville est pleine de journalistes. Il faudra bien qu'il nous relâche avant l'aube. »

Leigh-Cheri laissa fuser un petit rire. « Je suis tout excitée. C'est marrant. Tout ce dont j'ai rêvé, tout ce à quoi j'ai travaillé et sur quoi j'ai compté s'écroule et je suis heureuse... Ça ne m'empêche pas d'avoir froid. »

Elle portait un blue-jean et une chemisette en coton vert. Bernard la couvrit de sa veste de velours noir. Elle sentit les bâtons de dynamite cogner contre sa poitrine. Comme elle frissonnait de plus belle, il tira de sous le gâteau la nappe de dentelle blanche et ils s'y emmitouflèrent comme dans une couverture un couple de spectateurs à un match de hockey Harvard contre Princeton. « Il règne dans la pièce centrale de la Grande Pyramide une température constante de 18°, dit la Princesse. Je voulais reproduire ici exactement les mêmes conditions. Evidemment, 18°, c'est pas Maui.

— Puisque nous avons du temps devant nous, pourquoi ne me racontes-tu pas l'histoire de cette pyramide ? Explique-moi ce qu'elle a de si important, et ce que j'aurais dû comprendre en regardant mon paquet de cigarettes.

— C'est un peu tard, gros malin », répondit-elle. Mais le champagne était si pétillant, le gâteau si neigeux, et les flambeaux de Cléopâtre si inefficaces quand il s'agissait de distinguer l'équipe d'Harvard de celle de Princeton qu'elle commença à lui raconter. A tout lui raconter.

Pendant ce temps, la police fouillait l'appartement dévasté de la Princesse et A'ben Fizel annonçait que sa future femme venait d'être kidnappée par des terroristes sionistes.

274

Kidnappée par du champagne, oui! Le champagne les retenait tous les deux et n'avait pas encore envoyé sa demande de rançon.

« Je pisse des étoiles! » s'écria la Princesse.

Bernard sortit de sa poche un paquet de Camel. Il le lança au milieu de grandes manœuvres de mini-OVNI en émettant des bip-bip du troisième type.

Leigh-Cheri se retourna. « J'ai des étoiles sur mes chaussures », se plaignit-elle.

Le paquet de Camel atterrit sur ses genoux.

« C'est ta réponse à ma théorie ?

— Tu te souviens du couple d'Argoniens ? Je les ai rencontrés le mois dernier au Ranch Market sur Hollywood Boulevard. Nina Jablonski s'est inspirée de ma vie pour écrire un scénario qu'elle a proposé à Jane Fonda et Elaine Latourelle. Le jeune terroriste et la Princesse. Je suis allée à LA pour empêcher ça, et j'ai rencontré les Argoniens au Ranch Market. Ils buvaient du jus d'ananas. Ce n'est pas un petit peu gênant, pour ta théorie ?

— Détails, que tout cela. Et ce que nous avons vu sur le *C'est la Fête*, c'était du jus d'ananas, mi amor ?

— Nous avons vu ce que nos yeux ont vu. Dans le ciel d'Hawaii *et* au Ranch Market. Ça m'énerve, quand tu parles d'OVNI. J'ai l'impression que tu attends d'eux ton salut. Ce que j'aime chez les soucoupes volantes, c'est que nous ne savons pas vraiment si elles vont nous sauver ou nous perdre. Ou ni l'un ni l'autre. Ou les deux. Elles ont *l'air* d'agir avec un certain sens de l'humour. J'aime me les imaginer en hors-la-loi de l'espace. J'aime penser qu'elles peuvent être lancées du Ranch Market aussi facilement que du Haleakala ou d'Argon. Bon dieu, ce truc n'est pas dégueulasse...

— Tu as ouvert une autre bouteille ? Bernard !

— Miam ! »

275

— Bon, alors... qu'est-ce que tu penses du paquet de Camel ?

— Et qu'est-ce que tu penses de l'attendrisseur de viande Robomatic ? Ça aussi, c'est une porte ouverte sur l'expérience, il suffit de la pousser.

— Mm... ouais. Je suis assez d'accord. Mais oui ! C'est ça ! Exactement ! » Elle fit claquer ses doigts.

« Tu as trouvé une clé de la sagesse dans le paquet de Camel. C'est certainement un des plus prodigieux de tous nos objets sacrés. Mais il y en a des tas d'autres. Personnellement, je trouve l'allumette de cuisine riche en symboles, et la crème pour mise en plis Dippity-Do est une véritable invitation à participer aux aspects tantriques du divin. Mais le paquet de Camel, lui, est direct. Je veux dire qu'il écrit les choses telles quelles. CHOIX. Quelqu'un cherche une vérité simple pour l'aider à vivre, et voilà. CHOIX. Ne pas accepter passivement ce qui nous est proposé par la nature ou par la société, et choisir. CHOIX. C'est la différence entre le vide et la matière, entre une vie vraiment vécue et une ombre minable sur le mur d'un bureau. »

Elle l'embrassa impulsivement. « Je savais que tu comprendrais. Où étais-tu, ô toi que j'attendais ? »

Bernard lui passa la bouteille. Il commença à chanter :

> *Vingt grenouilles allaient à l'école*
> *Oh yeah, Texas Rangers*
> *Vingt grenouilles allaient à l'école*
> *Près d'une mare ombragée*
> *Oh yeah, Texas Rangers*
> *Elles apprenaient à travailler et à jouer*
> *Oh yeah, Texas Rangers*
> *Et de la bière Lone Star buvaient toute la journée*
> *Oh yeah, yippee yippee yippee yeah, Texas Rangers.*

« Bernard, j'ai pas envie de chanter.

— Mais si, voyons.

276

La rivière passe froide et verte
La rivière passe froide et verte
Les feuilles mortes tombent une à une
Et la rivière passe froide et verte.

« C'est drôle, les ballades parlent souvent des rivières. C'est pas comme ces trucs-machins d'E.E. Cummings.

— Bernard, je voudrais que nous parlions encore.

— Chut.

— Tu as l'air de dire que les idées que j'ai développées dans le grenier étaient intrinsèques au paquet de Camel, qu'elles n'avaient pas forcément une origine argonienne.

— Le paquet de Camel *est* peut-être Argon. Dans la maison de mon père, il y a plusieurs châteaux. Tu vois ce que je veux dire ? Je suis un hors-la-loi, pas un philosophe, mais il y a une chose que je sais : tout a un sens, tout est lié à tout, et un bon champagne, c'est agréable. »

Bernard recommença à chanter. Timidement, Leigh-Cheri se joignit à lui. Entre deux couplets, ils ouvrirent une autre bouteille. Son bouchon sauta et fit un bruit sec qui résonna contre les murs de pierres nues. Seuls, sur les trois milliards d'êtres humains qui peuplent la terre, Bernard et Leigh-Cheri entendirent sauter le bouchon de champagne. Seuls, Bernard et Leigh-Cheri sombrèrent sous la nappe de dentelle.

98

Pendant qu'ils dormaient, la lampe s'éteignit. Ils se réveillèrent dans le noir le plus total. Un noir dense à plonger la peur de la mort dans du goudron. Bernard fit craquer une allumette et Leigh-Cheri l'agrippa par le bras.

« Est-ce que tu penses ce que je pense ? demanda-t-elle.

— Ça m'étonnerait. J'étais en train de penser à l'origine du mot potiron. C'est un si joli mot. Potelé, typé, rond... avec un certain sex-appeal, celui des filles de la campagne.

277

Un mot parfait. Je me demande qui a bien pu dénicher ce mot. Un vieux poète grec planteur de potirons ? Un marchand itinérant de l'antique Babylone ?

— Bernard ! Arrête ! Y'a des heures qu'on est là. Je suis sûre que l'aube est déjà loin.

— C'est le problème, avec ce genre de bar. Attends, je vais allumer une lampe. » Il craqua une allumette. Et la lumière fut.

« S'il ne nous a pas ouvert maintenant... Bernard ! Ce n'est pas simplement un geste de colère. Il a l'intention de nous laisser mourir ici !

— J'ai bien peur que tu n'aies raison. Ce serait beaucoup trop gênant pour lui de nous ouvrir maintenant. S'il est comme beaucoup d'hommes, il préférera être un meurtrier que de passer pour un con. »

Leigh-Cheri se tut. Puis elle éclata brusquement de rire. « Mais ça ne fait rien, voyons ? » Elle le gratifia d'un sourire assez large pour accueillir tous les usagers du métro un lundi matin. « Tu as ta dynamite !

— Pour ce qu'elle peut nous servir, ici...

Le portillon se referma brusquement. Son cœur s'immobilisa. « Quoi ?... Qu'est-ce que tu veux dire ?

— Il y a trois ans, j'ai essayé de t'expliquer, pour la dynamite. Une bombe n'est jamais une solution. La dynamite est une question, pas une réponse. Elle empêche les choses de se solidifier, elle garde les portes ouvertes. Quelquefois, poser la question suffit à régénérer la vie, à inverser le processus de décrépitude que crée l'indifférence. Mais ici, la dynamite ne peut pas nous aider. Evidemment, elle peut faire sauter cette porte, mais nous ne pouvons nous abriter nulle part, dans cette pièce. L'explosion nous tuerait. »

Leigh-Cheri se mit à pleurer. (Pour une belle princesse, c'est fou ce qu'elle pouvait pleurer.)

Bernard la serra contre lui. Ses doigts coururent comme des renards dans la forêt en feu de ses cheveux. « Tu sais, lui dit-il, je parierais que potiron est un mot américain. Rien qu'à l'entendre, on sait que c'est un mot américain. A

278

découper en bonnes tranches de rigolade gentille, bébête et optimiste et à déguster à la maison. Ça me fait penser à une jeune supporter du Middle West qu'un gars renverse sur le siège arrière d'une Chevrolet après le match de foot du vendredi soir. Tu vois ce que je veux dire ? Le Potiron Américain, quoi. »

99

Dehors, les mailles du filet se resserraient. Le climat politique du Moyen-Orient était tel, en ce dernier quart du XXe siècle, que tout le monde, même Giulietta avait gobé l'histoire de l'enlèvement. Les polices de vingt nations au moins et les troupes de douze armées recherchaient la Princesse Leigh-Cheri. Juifs et Arabes alliaient leurs efforts pour la retrouver en une coopération pacifique qu'ils n'avaient connue que trop rarement.

Dedans, ce n'était pas très différent de McNeil Island ou du grenier. Bernard et Leigh-Cheri étaient mieux préparés que la plupart d'entre nous à la réclusion. Et ils avaient même un paquet de Camel pour leur tenir compagnie. Evidemment, personne ne leur passait à manger ni ne vidait de pots de chambre, mais la pyramide avait le pouvoir de conserver le gâteau de mariage aussi frais que s'il sortait du four, et chacun avait son coin où il éliminait ce qu'il avait à éliminer. Les jours passaient et les rations de gâteau et de champagne étaient réduites à la portion congrue, mais ils avaient l'impression qu'elles dureraient toujours. « C'est la lune qui me manque le plus », dit Leigh-Cheri. Le hors-la-loi répondit qu'elle lui manquait, à lui aussi.

Ce qu'ils feraient quand ils seraient libres, et s'ils le feraient ensemble, était un sujet qu'ils évitaient soigneusement. Une chose était sûre, Leigh-Cheri était plutôt brûlée dans ce coin du monde. Il lui faudrait laisser loin derrière elle sa pyramide et le fiancé qui la lui avait construite. En ce qui concernait ce dernier, malgré le souvenir ému qu'elle gardait de son bâton long et luisant, si curieusement recourbé sous sa couronne violacée, ce ne serait jamais trop loin.

Elle passerait peut-être chez Giulietta, histoire de jeter un coup d'œil à ses racines. (Bernard était, lui aussi, invité quand il voulait au palais de Giulietta.) Ensuite, elle retournerait probablement en Amérique. Bernard, lui, y retournerait sûrement. Quant à vivre ensemble, ma foi, si Bernard pouvait facilement oublier son amant arabe, il détestait toujours les tendances de Leigh-Cheri à faire-le-bien et à penser-social, et la Princesse commençait à se dire qu'en ce dernier quart du XXe siècle, Cupidon avait trop croqué et qu'il avait craqué, incapable désormais de rester en place et de finir ce qui était commencé. « Il y a trois continents perdus, se lamentait-elle. Nous en sommes un, nous, les amants. »

100

Ils tiraient une énergie folle de l'invisible biogénérateur de la pyramide et en utilisaient jusqu'à la dernière goutte à parler pendant des heures entières sans s'arrêter et à résister au désir sexuel qu'ils avaient l'un de l'autre. Par un accord tacite, ils semblaient avoir décidé que, puisque l'avenir de leur relation était en cours de réexamen, ils ne se laisseraient pas tenter par ce qui pouvait se révéler comme de la baise de seconde qualité. Ils s'embrassaient de temps à autre et s'espionnaient réciproquement quand ils se rendaient dans leurs coins respectifs pour faire pipi, mais ils se conduisaient le reste du temps comme si elle avait été élevée aux Saintes Maries toujours Vierges et qu'il se soit servi de l'after-shave *No Mi Molestar*. La plupart du temps, ils parlaient.

« Leigh-Cheri, tu allais épouser cet homme. Et tu ne le connaissais pas assez bien pour te douter de la démonstration qu'il nous offre actuellement de ses mauvaises manières ? »

Elle réfléchit un moment. « Heu... Il m'a bien dit un jour quelque chose qui m'a paru bizarre. Il avait un coup dans le nez et se vantait de sa puissance et de celle de sa famille. Il m'a dit qu'ils tenaient les Etats-Unis par leurs barils. Si l'Amérique entrait en guerre avec n'importe quel pays — l'URSS, par exemple —, l'issue du conflit dépendrait de lui et de ses comparses. Ils pouvaient couper quand ils voulaient l'approvisionnement pétrolier des Etats-Unis et c'en serait fini pour nous s'ils le faisaient. Si les Arabes décidaient de garder leur pétrole, nous ne pourrions pas résister à une invasion étrangère. Tu crois que c'est possible ?

— Mm... ouais, probablement.

— Et ça ne te fait rien ?

— Sûrement pas, mon pote. Je ne vais pas m'angoisser pour ça. Pas plus pour ça que pour aucun autre aspect de la politique ou de l'économie.

— Tu te caches la tête dans le sable. Si les Russes envahissent l'Amérique, ce sera horrible.

— En un certain sens, tu as raison. Je ne connais personne d'aussi ennuyeux que les communistes, de quelque nationalité qu'ils soient, et les Slaves étaient déjà tristes avant d'être communistes. Le communisme est le meilleur exemple de transformation d'êtres humains en androïdes par idéalisme politique. Tu peux être sûre que les lumières de la ville brilleront moins quand ces robots poseront leurs doigts de fer sur nos interrupteurs. Mais en ce qui me concerne, je n'aurai pas besoin de quitter le navire pour continuer à prendre du bon temps. Je me débrouillerai toujours pour danser le rock'n roll.

— Egoïste, frivole, imma...

— Une minute, bébé. Attends un peu. Je veux simplement dire que toute société totalitaire, si dure qu'elle soit, a toujours ses contestataires. Et même deux sortes de contestataires. Il y a les contestataires qui contestent politiquement et ceux qui contestent pour la beauté et le plaisir... c'est-à-

281

dire pour préserver l'âme humaine. Ecoute cette histoire : dans les années quarante, alors que Paris était occupé par les nazis allemands, un artiste y tourna un film. Il s'appelait Marcel Carné. Il tourna son film *Boulevard du Crime,* vieille rue parisienne où se trouvaient autrefois de nombreux théâtres, où l'on pouvait voir tous les spectacles du monde, de Shakespeare au cirque de puces, de l'Opéra au Grand Guignol. C'était un film d'époque et Carné dut engager des centaines de figurants, et trouver des costumes XIXe. Et des chevaux, et des carrosses, et des bateleurs, et des acrobates. Ce film dure trois heures. Et Carné l'a fait au nez et à la barbe des Allemands. Trois heures qui disent « Nous vivons » et étudient le magnétisme étrange et quelquefois dévastateur de l'amour. Romantique ? Si tu savais... mais à en faire soupirer un poster, à en faire rougir un sonnet. Et en même temps sans le moindre compromis. Un culte rendu à l'âme humaine, derrière tous ses masques de bêtise, de gentillesse ou de ridicule. Et il l'a fait en pleine occupation nazie, il a filmé la belle dans le ventre de la bête. Il l'a appelé *Les Enfants du Paradis* et quarante ans plus tard, ce film remplit toujours les salles, partout dans le monde. Attention, je ne veux rien enlever à la Résistance française. Ses raids et ses sabotages courageux ont sapé la force des Allemands et aidé à leur chute. Mais dans un certain sens, le film de Marcel Carné, ses *Enfants du Paradis,* fut plus important que la résistance armée. Les résistants ont peut-être sauvé la peau de Paris, Carné en a sauvé l'âme. »

Leigh-Cheri serra tellement fort la main de Bernard que ses taches de rousseur changèrent de couleur. Elles rassemblèrent leurs biens et se dirigèrent vers le bout des doigts, prêtes à abandonner le navire. « Tu m'emmèneras voir ce film, dis, Bernard ?

— Je te le promets, Leigh-Cheri. Quoi que fassent les politiciens et les généraux. Ni le totalitarisme communiste ni l'inflation capitaliste ne nous en empêcheront. Si les entrées sont à mille dollars chacune, nous payerons sans ciller. Et si nous n'en avons pas les moyens, nous entrerons en resquillant. Ensuite, nous mangerons des Hostess Twinkies et nous boirons du vin. Et si les Hostess Twinkies et le vin coûtent trop cher, nous ferons pousser du blé et des vignes et fabriquerons nous-même nos gâteaux et notre jaja. Et s'ils nous confisquent notre petite vigne et notre champ de Twinkies, et bien, nous *volerons* ce dont nous avons besoin à ceux qui en ont trop. Ah, Leigh-Cheri, la vie est bien trop courte pour que nous laissions les androïdes tristes et malades qui dirigent le monde et son économie nous empêcher de jouir des plaisirs qu'elle nous offre. Nous ne les laisserons pas faire. Même dans un pays totalitaire. Même dans une pyramide. »

Là-dessus, il fit sauter le bouchon de la dernière bouteille de champagne qu'il leur restait et en engloutit une quantité quatre fois supérieure à sa ration quotidienne. Il tendit la bouteille à Leigh-Cheri, et elle en fit autant.

« Miam », dit-elle ensuite.

Elle avait l'air plutôt d'accord.

101

Pendant les deux jours qui suivirent, Bernard ne but pas une goutte de champagne et Leigh-Cheri ne porta la bouteille à sa bouche que pour s'en humecter les lèvres. Mais même comme ça, il en restait si peu...

Du gâteau, de ce gâteau dont les couches neigeuses avaient semblé un jour aussi inépuisables que les ressources de la nature, il ne restait maintenant que des miettes. Des miettes et l'aile cassée d'un chérubin de confiserie.

Mais il y avait plus grave : ils avaient brûlé l'huile de toutes les lampes sauf une. Ils ne s'accordaient qu'une heure ou deux de lumière chaque jour et passaient le reste du temps dans le noir.

Un mois s'était écoulé — bien qu'ils n'aient aucun moyen de le savoir —, et cela commençait à se voir sur eux. Ils parlaient rarement de la mort, mais elle était dans leurs yeux quand la lueur de la lampe vacillait, quand leur regard tombait sur les miettes de gâteau et les gouttes de champagne qu'il leur restait.

Ils n'arrivaient pas à comprendre que personne ne les ait cherchés là. Les murs épais de granit les empêchaient d'entendre les peintres qui s'activaient autour de la pyramide avec leurs pistolets. A'ben Fizel la faisait peindre en noir. Personne ne pourrait plus jamais y entrer : la pyramide resterait fermée à jamais, en mémoire de celle qu'il avait tant aimée.

Leigh-Cheri alla un jour jusqu'à dire : « Si on nous retrouve ici, dans longtemps, très longtemps, nous serons exactement comme nous sommes aujourd'hui. Grâce à la pyramide, nos cadavres seront parfaitement conservés.

— Chouette, répondit Bernard. Mon genre de beauté mérite d'être préservé. Je suis content de savoir que les enfants de demain pourront admirer ma dentition.

— Quelle ironie, que tout commence et tout finisse avec les pyramides. Je veux dire que nous ne serions pas pris dans ce piège s'il n'y avait pas eu le paquet de Camel. Et, évidemment aussi, ta folle histoire de Barbes Rouges de la planète Argon. En fait, je crois que cela remonte encore plus loin que le paquet de Camel. Je crois que tout vient de ce que nous avons les cheveux roux.

— Cheveux qui seront grâce à Dieu, parfaitement conservés.

— Tu peux toujours rigoler ! N'empêche, quelle ironie : je voulais résoudre le mystère des pyramides et me voici enfermée dans l'une d'elles, et peut-être même vais-je y mourir, et je n'en sais pas plus.

— Tu veux dire que c'était tout ce que tu voulais ? Apprendre le secret des pyramides ?

— Comment ça, *tout* ce que je voulais ? C'est déjà pas mal. Je suppose qu'évidemment, toi, tu connais la réponse.

— Evidemment. »

Elle ne le crut qu'à moitié. « Voudrais-tu, alors, me faire

profiter de tes lumières ? Comment se fait-il que tu aies trouvé ce que tant d'autres ont cherché sans succès ?

— Facile. C'est tout simplement parce que les autres — et toi avec eux — ne les ont pas regardées sous le bon angle.

— Ne les ont pas regardées sous le bon angle ?

— Ouais. Vous avez regardé les pyramides comme si elles étaient des produits finis, vous avez regardé des objets en eux-mêmes. Alors qu'une pyramide n'est qu'un élément de ce qu'il faut regarder, un élément appartenant à la base de l'objet fini. Les pyramides sont des piédestals, bébé. Une pyramide, c'est quelque chose sur quoi tient autre chose.

— Tu parles sérieusement ?

— Tout à fait sérieusement.

— Mais enfin, Bernard... Et qu'est-ce qui se tient sur les pyramides ?

— Des âmes. Des âmes comme toi et moi. Et nous devons maintenant nous y tenir. La pyramide est la base, nous sommes le sommet. Nous, nous tous. Tous ceux qui sont assez fous et assez courageux et ont assez d'amour. Les pyramides ont été construites pour servir de piédestals aux âmes de ceux qui vivent vraiment et qui aiment vraiment afin que ces âmes puissent s'y tenir debout et aboyer à la lune. Et je sais que nos âmes, la tienne et la mienne, se dresseront ensemble au sommet des pyramides pour l'éternité. »

Elle s'approcha de lui dans le noir et le serra encore jusqu'à ce que les taches de rousseur sonnent l'alarme pour que l'on prépare les canots de sauvetage. Il répondit à son étreinte. Leurs lèvres se touchèrent, les surprenant tous deux par le volume de jus qu'elles cachaient. Bientôt leurs visages ne suffirent plus à contenir leurs baisers et leurs bouches parcoururent chacune le corps de l'autre en toute liberté. Il glissa en elle dans un bruit mouillé, et, faibles comme ils l'étaient, ils firent l'amour lentement, avec une très grande douceur, pendant plus d'une heure.

Ensuite, il s'endormit sur les pierres, sous la nappe de

dentelle. Quand il commença à ronfler doucement, elle se
leva et prépara la dynamite.

102

« Qui se ressemble s'assemble, pensa la Princesse. Il ne
faut pas que ma main tremble. » Elle avait appuyé les bâtons
de dynamite contre la porte et tressé ensemble leurs mèches
(pas facile, dans le noir !) « Je suis Mickey le Rouge. »
    Elle craqua l'une des dernières allumettes de Bernard et la
tint devant la tresse. Quand cette dernière commença à
crépiter, elle jeta la boîte d'allumettes et retourna vite auprès
de Bernard. Elle avait renversé la table sur le côté, cette table
qui ployait autrefois sous le poids du gâteau et du champagne, pour former une fragile barricade devant le corps
endormi de Bernard. Elle passa de l'autre côté de la table et
s'allongea sur lui. Il dormait sur le dos. De toutes ses forces,
elle pressa contre lui son corps nu parcouru de frissons,
essayant de le recouvrir complètement, de le protéger. Son
visage au-dessus de celui de Bernard, elle lui entoura la tête
de ses deux bras.
    Au début, il crut qu'elle en voulait encore, et il marmonna
quelques protestations de pure forme. Mais la pression
qu'elle exerçait sur lui finit par l'inquiéter et il se débattit.
« Leigh-Cheri, je ne peux pas respirer », dit-il d'une voix
assourdie en dégageant sa tête de l'étau où elle le tenait. Elle
serra plus fort.
    « Tu es mieux armé pour ce monde que je ne le suis, lui
dit-elle. J'essaye toujours de le changer. Toi, tu sais comment
y vivre. »
    Il était maintenant tout à fait réveillé. Il sentit l'odeur de
brûlé et entendit crépiter la mèche. Il comprit ce qu'elle avait
fait. Il avait projeté de faire la même chose. Mais il s'était
donné un jour de plus, un autre jour pour l'aimer une
dernière fois. Elle l'avait battu au poteau ! Elle se sacrifiait

pour le sauver. La Princesse en héros. « J'ai trouvé quelque chose à faire pour que l'amour demeure », lui dit-elle.

Il se débattit de plus belle, essayant de la faire rouler sous lui, de prendre sa place. Mais elle avait noué ses jambes autour de lui, et il ne put la renverser.

Pompant toute son adrénaline plus vite qu'aucun puits d'aucun Fizel n'avait jamais pompé de pétrole, il réunit toutes les forces qu'il lui restait, et, les muscles bandés, les sinus serrés, les dents grinçantes sous l'effort, il essaya de se lever. Il y était presque arrivé quand Leigh-Cheri, toujours agrippée à lui, glissa une main entre les cuisses de Bernard et lui attrapa les joyeuses qui ne le restèrent pas une seconde de plus. Elle referma sa main avec une telle férocité qu'il perdit presque conscience. La douleur enfonça la porte de devant, ses forces s'enfuirent par celle de derrière. Ils s'écroulèrent, toujours enlacés. Des galaxies et des ours en peluche glissèrent avec eux, des crapauds sautèrent de chandelle en chandelle, la lune dansa le fandango, ils virent Max et Dude, Tilli et Kathleen, A'ben et Ralph Nader, des ronces pleines d'épines, des oignons d'or massif, et les douces collines musicales de Mû.

Ils atterrirent sur le paquet de Camel dans un bruit sourd, douloureux. « Miam », insista-t-elle tout contre sa barbe.

Et la bombe explosa.

103

La lune n'y peut rien. Elle n'est qu'un objet. La lune ne fait pas exprès de toujours faire barboter les choses dans chaque bassin océanique, dans chaque utérus de chaque femelle, dans chaque bouteille d'encre de chaque poète, et dans la bave des fous furieux.

« *Ce n'est qu'une lune en papier/Qui navigue sur une mer de carton.* » La lune n'y peut rien, si les plus chouettes jouets sont en papier. Et les plus belles métaphores en fromage.

On dit que les objets que l'on perd finissent dans la lune. Est-ce la faute des sirènes, si les marins aiment les chansons ?

La lune n'y peut rien. Elle n'est qu'un objet, gros et bête, le potiron du ciel. Un tas de cendres couleur eau de vaisselle ; un vieux gâteau rassis et gris, couvert de cicatrices. Elle a été lapidée, brûlée, bousculée et couverte de furoncles. Si les amants ont choisi cette épave malmenée, ce sac à poussière torturé, ce désert corrodé et rongé comme reposoir de leurs rêves, la lune n'y peut rien.

Les fanatiques du soleil aiment faire remarquer que la lune reflète simplement la lumière du soleil. Eh oui, la lune est un miroir. Elle n'y peut rien. La lune est le miroir originel, le premier qui ait refusé de distordre le mot CHOIX. Les objets ne pensent pas. Ils emploient d'autres méthodes. Mais nous, êtres humains, nous utilisons les objets pour penser. Et quand il s'agit de la lune, tu es libre de penser ce que tu veux.

104

Bernard fut le premier à reprendre conscience. Il s'éveilla dans une clinique arabe aux murs peints d'un vert morveux et où traînaient sous les lits des bassins en peau de mouton. Pendant une heure, il se demanda pourquoi les innombrables mouches qui volaient autour de lui ne bourdonnaient pas. Quand les flics commencèrent à l'interroger avec un bloc-notes, il comprit qu'il était sourd.

Ils croyaient évidemment avoir trouvé le kidnappeur.Ils lui demandèrent s'il avait agi pour des motifs d'ordre politique ou sexuel. Il écrivit sur le bloc-notes : « Je vous emmerde, vous et vos barils de pétrole. Je vous emmerde, vous et votre Coran. »

Les flics se regardèrent en hochant la tête d'un air entendu. « Politique *et* sexuel », dirent-ils.

Il ne pensait qu'à une chose, s'échapper. Mais il devait d'abord savoir ce qu'ils avaient fait du corps de Leigh-Cheri.

Il voulait emmener ses cendres à Hawaii. Il construirait un château de sable en forme de pyramide sur une plage à côté de Lahaiina. Il éparpillerait ses cendres sur le sommet de la pyramide et regarderait les vagues venir les prendre et les emporter vers Mû.

Son esprit était aussi solidement enchaîné à ce triste projet que ses jambes l'étaient aux barreaux de son lit. Le troisième jour, ils le détachèrent. Son esprit resta enchaîné.

« Elle dit que vous êtes innocent », écrivit le flic de service.

Bernard se dressa sur son lit. « Quoi ? Elle est vivante ? » s'écria-t-il. Il ne s'entendit pas crier.

Ils hochèrent la tête. Et le conduisirent jusqu'à la chambre de la Princesse.

Sa chevelure était aux trois quarts brûlée. Sa joue droite était aussi dévastée que celle de la lune. Mais elle était réveillée et souriait.

Il lui montra son oreille du doigt. Elle lui montra la sienne. Elle était sourde, elle aussi.

Elle attrapa le bloc-notes.

« Coucou, piège à dragons », écrivit-elle.

105

On ne les laissa pas sortir de la clinique. A'ben Fizel avait ordonné qu'on les y garde. Il allait rentrer le plus vite possible des Etats-Unis où il était parti en voyage d'affaires. Tous deux savaient ce que signifiait son retour.

Giulietta arriva avant A'ben. Son premier ministre, un géant barbu qui portait un revolver à la ceinture, l'accompagnait. Ainsi qu'un commando de vingt-cinq révolutionnaires. La Reine Giulietta conseilla à Ihaj Fizel de lui livrer le jeune couple. Elle le menaça d'un incident international. Le vieux sultan s'aligna sur sa logique. Il avait souvent dit à son fils qu'il allait au-devant des ennuis avec une rousse.

« Emmenez-les immédiatement d'ici, dit-il à Giulietta. Je réponds de mon fils. Shalom. »

Ils achevèrent de se rétablir au palais de Giulietta. Seuls, leurs tympans ne guérirent pas.

Assis au bureau de leur chambre commune (la reine Giulietta avait l'esprit large), Bernard écrivit une lettre à Leigh-Cheri. Impatiente, elle lut par-dessus son épaule. Il lui racontait un rêve. Ou une hallucination. Il disait que quand ils étaient tous les deux tombés par terre, juste avant l'explosion, il avait senti qu'ils s'enfonçaient dans le paquet de Camel.

« Pendant tout le temps où je suis resté inconscient, continuait-il, j'ai rêvé — enfin, je crois que j'ai rêvé — que nous nous étions enfuis dans le paquet de Camel. Que nous avions capturé le chameau et étions partis sur son dos jusqu'à l'oasis... »

Elle lui prit le bloc-notes. « Il fallait aller vite car nous étions nus et le soleil était chaud. Les roux attrapent facilement des coups de soleil. »

Bernard reprit le bloc et le stylo. « Oui, répondit-il. C'est vrai. Nous arrivâmes à l'oasis et prîmes un peu de repos près du puits, à l'ombre des palmiers. »

Leigh-Cheri lui enleva le bloc des mains. « Il y avait un crapaud au bord du puits et nous nous sommes demandé comment un crapaud était arrivé là, en plein désert. »

Bernard lui arracha le bloc. « Comment le sais-tu ? »

C'était son tour. « Nous avons mangé des dattes fraîches. Nous avons plaisanté au sujet de l'effet laxatif des dattes. Des bédouins passèrent par là et nous donnèrent une vieille couverture. Une couverture pour deux. Nous nous sommes enveloppés dedans... »

« Elle était beige », écrivit Bernard. Il était si excité que le stylo tremblait.

« Avec quelques raies bleues. »

« Comment le sais-tu ? »

« J'ai fait le même rêve. Ça avait l'air plus vrai qu'un rêve. Une hallucination ? Un... »

290

« Au crépuscule, nous avons fait l'amour. »

« Tu as commencé en me suçant les doigts de pied. »

« Tes doigts de pied sont si jolis. Et puis les dattes ont commencé à faire effet. »

La princesse rit. « Tu te demandais s'il y avait des toilettes hommes là-bas, à la pyramide. »

« Nous avons décidé d'éviter les pyramides. Sauf comme piédestals. Nous avons dormi à côté du puits. Comment le sais-tu, comment le savons-*nous*? Aurions-nous fait le même rêve? »

« Etait-ce bien un rêve? »

Ils se regardèrent en silence, tremblant un peu, comme s'ils ne pouvaient y croire. Giulietta entra sans frapper, cela n'aurait servi à rien.

Elle leur apportait un télégramme de Tilli. Des nouvelles de Max. La disparition et la résurrection de sa fille avaient été trop pour le Roi. Sa valve avait fait tilt. « Ze barie que dans quelques zours vous zerez okay », lui avait dit Tilli quand il était tombé. « Cinq contre un que non », répondit Max. Il avait gagné.

Pour le moment, Bernard et Leigh-Cheri oublièrent le paquet de Camel et sa nouvelle énigme : les avait-il vraiment protégés de la mort au moment de l'explosion?

Il leur restait le dernier quart du XXe siècle, et peut-être plus pour gamberger là-dessus tant qu'ils voudraient.

106

Le Roi Max fut enterré à Reno. Loin des ronciers. Bernard et Leigh-Cheri le suivirent jusqu'en sa dernière demeure. Puis ils mirent Tilli dans l'avion, direction Europe. Giulietta l'avait nommée directrice de l'Opéra National. « Z'ai hâte d'être une femme qui travaille, dit Tilli. O O Spaghetti-o. »

Bernard et Leigh-Cheri retournèrent à Seattle. Quand ils arrivèrent devant la maison des Furstenberg-Barcalona, celle-ci avait disparu sous les ronces. Chuck, qui y vivait toujours, dans le garage, avait dégagé un tunnel à la hache, jusqu'à la porte d'entrée. Il empruntait le tunnel pour aller voir les émissions de jeux sur la vieille Magnavox de Max. Le chauffeur de taxi proposa à Bernard et Leigh-Cheri de les emmener à l'hôtel. Ils refusèrent. Ils entrèrent dans le tunnel à la lumière de la lune.

Ils s'installèrent dans la maison. Parmi les épines et les mûres. Ils sortaient rarement, sauf pour faire des courses. Ils aimaient bien les supermarchés. Les pharmacies. Les marchands de légumes. Les bureaux de tabac. Le Chausseur Sachant Chausser. La boucherie Sanzo. Les quincailleries.

Partout où ils posaient leurs regards, quelque chose d'extraordinaire était en train de se passer.

Ils faisaient l'amour à n'importe quelle heure et dans n'importe quel coin de la maison. Quelquefois, Chuck était obligé de les enjamber pour atteindre la télé.

Mais ils avaient pris goût à la solitude et passaient des journées entières seuls, chacun de son côté, Leigh-Cheri dans le grenier, et Bernard dans l'office. C'est drôle, lorsque nous pensons « idylle », nous pensons toujours « couple ». Alors que l'idylle que l'on noue avec sa propre solitude peut être si douce et tellement plus intense. Dans la solitude, le monde s'offre librement à nous. Il jette le masque, que pourrait-il faire d'autre ?

Naturellement, il pleuvait beaucoup. La fameuse pluie de Seattle. Si l'amour avait l'intention de demeurer là, il fallait qu'il s'attende à avoir les pieds mouillés.

Leigh-Cheri se mit à peindre. Des natures mortes. Elle était assez douée. Bernard se promenait avec des allumettes suédoises dans la poche. « Chacun son truc », expliquait-il.

Un jour, vers l'est, au-dessus des montagnes, une étrange lueur science-fictionna le ciel. Des petits feux de toutes les couleurs clignotèrent. De toutes les couleurs sauf une. Quand Bernard et Leigh-Cheri furent certains que c'était fini, ils se dirent qu'ils étaient fiers d'être roux. Qu'ils seraient prêts quand le rideau se lèverait sur le dernier acte.

Avec sa part des gains de Max, Leigh-Cheri leur acheta de puissantes prothèses auditives. La sienne était rose, celle de Bernard noire. Elles avaient à peu près la taille d'un paquet de Camel. Elles étaient en plastique et avaient tendance à grincer. C'étaient d'adorables prothèses.

Même avec cette aide, leur audition n'était que partiellement restaurée. Pourtant, ils étaient sûrs d'entendre le petit écureuil du centre de la terre. Mais maintenant, l'écureuil courait tranquillement. Sa roue tournait, libre et bien huilée.

Epilogue

Et voilà, nous sommes arrivés au bout de la nuit. Je tire mon chapeau à la Remington SL3 d'avoir tenu le coup malgré des conditions de travail qui, pour une machine à écrire de sa classe, ont dû paraître extrêmement primitives.

Je n'écrirai jamais d'autre roman avec une machine à écrire électrique. J'aimerais mieux me servir d'un bâton pointu et d'un petit tas de merde de chien. Mais la Remington, bien que trop pseudo-sophistiquée pour mon goût, est un objet après tout, et la possibilité d'une percée dans les relations entre objets animés et objets inanimés n'était-elle pas l'un des sujets de ce livre ?

Oui, ceci est le livre qui révèle le but de la lune. Et s'il ne raconte pas *exactement* ce qui est arrivé à la balle d'or, au moins explique-t-il parfaitement pourquoi la question valait la peine d'être posée.

Mais les objets ne constituaient en aucun cas notre seul thème fondamental. Il y avait aussi, par exemple, le problème de l'évolution de l'individu, de cette évolution dont la nature ou la société ne sont pas responsables, mais qui constitue la dimension centrale d'un drame personnel dont la nature et la société ne sont que spectateurs. N'a-t-il pas été

297

rendu clairement que la civilisation n'est pas un but en elle-même, mais simplement un théâtre ou un gymnase où l'individu qui évolue trouve les accessoires dont il a besoin pour s'entraîner. Et puisque nous parlons de thèmes... mais, une minute. Attends un peu. Je me suis fait avoir. Ceci est exactement le genre d'os de seiche analytique et desséché sur lequel la Remington SL3 aime se faire les dents. Pas étonnant qu'elle continue à taper, malgré la pénurie d'énergie, malgré la laque rouge qui lui dégouline dans les entrailles. Je vais enlever la pri

i

i

i

se

(Ha ha! Qu'est-ce que t'as, Rem? T'as perdu ta langue?) et finir à la main. Non pas que mon écriture apporte quoi que ce soit sur le plan esthétique. Elle ressemble plutôt à des graffitis cochons écrits à la craie sur les murs de ta rue par des mongoliens. Mais comme ça, je serai bref. Et, en fait, que reste-t-il à dire? Eh bien, puisque cette petite péteuse de Remington m'oblige à ajouter une conclusion, je crois qu'en toute justice, je pourrais encore parler

de ce qu'il faut faire pour que
l'amour demeure.

Quand le mystère s'en va, l'amour
s'en va. C'est aussi simple que ça. Et ça veut
dire que l'amour n'est pas aussi
important pour nous que le mystère.
La relation amoureuse n'est peut-être
seulement qu'une façon pour nous
d'entrer en contact avec le mystère,
et nous voulons que l'amour demeure
afin que le plaisir de côtoyer le
mystère dure plus longtemps. Mais
l'immobilité est contraire à la
nature du mystère. Pourtant, il
est toujours là, quelque part, un
monde de l'autre côté du miroir
(ou du paquet de Camel), une promesse
dans le prochain sourire qui va
éclairer un visage de rencontre.
Nous ne le surprenons que quand
nous restons immobiles.

La romance d'un jeune amour,

la romance de la solitude, la romance des objets, la romance des pyramides et des étoiles sont autant de moyens d'entrer en contact avec le mystère. Que faut-ie faire pour perpétuer le mystère? Je n'ai vrai-ment aucun conseil à te donner. Mais ce que je peux faire, et je vais le faire, c'est te rappeler deux faits les plus importants que je connaisse:

1) <u>Tout</u> est dans tout.

2) Il n'est jamais trop tard pour avoir une enfance heureuse.

Achevé d'imprimer en septembre 1981
sur presse CAMERON,
dans les ateliers de la S.E.P.C.
à Saint-Amand-Montrond (Cher)

Imprimé en France

Dépôt légal : 3e trimestre 1981.
No d'Impression : 1320-800.